Traditions orales postcoloniales

Discours d'ouverture de Boubacar Boris Diop

Collection « Racines du Présent »

En cette période où le phénomène de la mondialisation conjugué au développement exponentiel des nouvelles technologies de l'information et de la communication contracte l'espace et le temps, les peuples, jadis éloignés, se côtoient, communiquent et collaborent aujourd'hui plus que jamais. Le désir de se connaître et de communiquer les pousse à la découverte mutuelle, à la quête et à l'interrogation de leurs mémoires, histoires et cultures respectives. Les générations, en se succédant, veulent s'enraciner pour mieux s'ouvrir dans une posture proleptique faite de dialogues féconds et exigeants. La collection « **Racines du Présent** » propose des études et des monographies relatives à l'histoire, à la culture et à l'anthropologie des différents peuples d'hier et d'aujourd'hui pour contribuer à l'éveil d'une conscience mondiale réellement en contexte.

Déjà parus

Samia EL-MECHAT et Florence RENUCCI (dir.), *Les décolonisations au XXe siècle*, 2014.

Will Mael NYAMAT, *Français de fait et de droit. Chronique d'une (ré)intégration réussie*, 2013.

Lang Fafa DAMPHA, *Afrique subsaharienne. Mémoire, histoire et réparation*, 2013.

Jean-Pierre DUHARD, *La soumission des touareg de l'Ahaggar, 1894-1920*, 2013.

MANDA TCHEBWA Antoine, *Contexte urbain, L'Afrique en musiques, Tome 4*, 2012.

MANDA TCHEBWA Antoine, *Panorama des instruments du patrimoine africain, L'Afrique en musiques, Tome 3*, 2012.

MANDA TCHEBWA Antoine, *De l'art griotique à la polyphonie australe, L'Afrique en musiques, Tome 2*, 2012.

MANDA TCHEBWA Antoine, *Rapport au sacré, à la divinité, à la nature, L'Afrique en musiques, Tome 1*, 2012.

MANDA TCHEBWA Antoine, *Sur les berges du Congo... on danse la rumba*, 2012.

Sous la direction de

Luc Fotsing Fondjo et Moustapha Fall

Traditions orales postcoloniales

Discours d'ouverture de Boubacar Boris Diop

© L'Harmattan, 2014
5-7, rue de l'École-Polytechnique, 75005 Paris

http://www.harmattan.fr
diffusion.harmattan@wanadoo.fr
harmattan1@wanadoo.fr

ISBN : 978-2-343-03832-2
EAN : 9782343038322

Remerciements

Nous tenons à remercier tous les chercheurs et toutes les institutions qui ont contribué à la réalisation de ce volume.

D'abord, c'est le Conseil des recherches en sciences humaines du Canada (CRSHC), avec une subvention octroyée à Gloria Onyeoziri pour ses recherches sur l'oralité dans l'écriture des femmes africaines qui nous a donné les moyens financiers d'organiser le colloque Traditions orales postcoloniales à Vancouver en avril 2012. L'aide financière et matérielle du département d'études françaises, hispaniques et italiennes de l'Université de la Colombie-Britannique a été elle aussi très généreuse. André Lamontagne, directeur du département à l'époque du colloque, a été particulièrement encourageant.

Gloria Onyeoziri, professeur de littératures africaine et caribéenne à l'Université de Colombie-Britannique, a initié le projet du colloque avec notre concours ainsi que celui de Robert Miller. Robert et Gloria nous ont constamment et attentivement conseillés dans les toutes les étapes de notre travail sur les Actes du colloque.

Il faut remercier également tous les participants au colloque, y compris Sada Niang, Suzanne James, Julia Okot-Bitek, Susan Gingell et Brittany Glenn.

Boubacar Boris Diop est venu du Sénégal pour ce colloque, a prononcé un discours d'ouverture remarquable qu'il nous a gracieusement permis d'inclure dans ce volume, et a participé à toutes les sessions du colloque. Sans sa collaboration, le résultat de ce projet n'aurait pas été ce qu'il est aujourd'hui.

Présentation

Traditions orales postcoloniales

Luc Fotsing Fondjo et Moustapha Fall

University of British Columbia

On exagère souvent le lien entre les littératures africaines subsahariennes et les traditions orales (l'oralité devient la métonymie des littératures africaines, ou l'inverse) – et, à dessein ! afin de minimiser l'apport des écrivains et, implicitement, afin de leur nier le statut de créateurs architectes pour qu'ils ne soient que de vils prisonniers reproducteurs de l'héritage d'un fond traditionnel d'autant plus exotique qu'il fait objet de curiosité. Une pareille mystification alimente l'imposture de la hiérarchisation entre les littératures occidentales et les littératures africaines.

Le concept de « tradition », d'ailleurs, est le plus souvent perçu comme étant antinomique à celui de « moderne ». On prétend que le fondement du moderne c'est le progrès alors que le traditionnel, qui se réfère à des catégories transmissibles d'une génération à une autre, serait immuable. Dès lors, décrire certaines cultures comme « orales », par opposition classique avec les cultures « écrites » revient à émettre un discours conceptuel et idéologique qui fonde et justifie la relation de domination entre les cultures[1]. Il faut se rendre compte de la minceur des frontières descriptives du traditionnel et du moderne (ainsi que de l'écrit et de l'oral). A partir de l'exemple de la littérature, Emevwo Biakolo exprime, dans une tonalité sarcastique, cette minceur de la manière suivante:

> Les formes littéraires dans une tradition orale comme dans une tradition écrite, n'ont pas de forme éternelle, mais vivent, meurent et renaissent de mille façons. Les genres, traditions et styles de performance orale sont aussi variés sinon plus variés que ce qu'on peut trouver dans une tradition écrite. La notion d'une tradition orale africaine essentielle est plus qu'un mythe pieux. Notion absurde, elle appauvrit sérieusement notre sens du littéraire en Afrique. (60 ; notre traduction)

Autrement dit, la vitalité, la récréativité même au-delà du dépérissement, de même que le dynamisme, l'imprévisibilité, constituent les caractéristiques de toute culture, donc de toute littérature. A ceci, il faut ajouter l'inadmissibilité de toute idée d'autarcie culturelle (culture orale et culture écrite par exemple) et admettre les interconnections et les opérations d'emprunts, d'interprétation et de réinterprétation entre les formes culturelles, car comme l'affirme Biakolo, « de nombreuses prétendues cultures orales à l'échelle mondiale ont connu tant de changements dans leur mode de vie et dans leurs moyens de communication, que ce serait

---

[1] Pour résumer un tel discours essentialiste sur l'oral et l'écrit, Eileen Julien dira par exemple: « Writing is European, orality is African » (*African Novels and the Question of orality* 8). Eileen tient cependant à préciser que « there is nothing more essentially African about orality nor more essentially oral about Africa » (24).

carrément anachronique de les traiter comme une condition putative de pure oralité » (48).

Il n'y a donc pas une condition déterminée ou essentielle des traditions orales, fussent-elles africaines. Ce recueil s'articule autour d'un colloque international tenu à l'Université de la Columbie-Britannique du 5 au 7 avril 2012, avec Boubacar Boris Diop comme orateur principal. Considérées dans leur ensemble, les contributions réunies ici, dont celle de Diop à l'ouverture, n'ont pas la prétention exorbitante de faire le tour du sujet. Elles indiquent toutefois quelques pistes de réflexion sur le dynamisme et la diversité des formes d'oralité dans l'œuvre romanesque de Boubacar Boris Diop en particulier et dans le roman africain en général. Entre autres questionnements : Que suggère une oralité postcoloniale qui informe le texte de fiction postcolonial africain ? Est-ce un stéréotype folklorique ? Est-ce l'expression d'une voix collective revendiquant un espace dont elle a été dépossédée ? Est-ce la voix transgressive d'une nouvelle génération d'écrivains et de lecteurs s'opposant aux canons littéraires établis? Est-ce la voix de groupes marginalisés dont on n'entend plus la voix ou qu'on n'a pas encore entendus ? Quel est l'enjeu de l'oralité en rapport avec la mémoire, l'amnésie et la réconciliation ?

Dans les pages qui suivent, les réflexions des universitaires et des spécialistes donnent lieu à des variantes dans l'interprétation des traditions orales postcoloniales. Toutefois, de ces variantes transparaît une unité : la dynamique qui, en mettant en relief les multiples directions sémiologiques et esthétiques, sans cesse renouvelées, que prend l'oralité dans le texte africain, est sujette à déstabiliser les certitudes.

Les différentes analyses suivent trois orientations principales : l'une interroge la fiction féminine ; l'autre s'intéresse aux relations entre l'oralité, l'histoire et la mémoire et s'appuie sur l'œuvre de Boubacar Boris Diop; la troisième est centrée sur les réflexions critiques et théoriques sur l'oralité. Ces trois orientations que prennent les douze contributions réunies, constituent autant de sections du volume précédées par le discours d'ouverture de Boubacar Boris Diop. Avant de donner la parole aux critiques, l'occasion est ainsi donnée à l'une des voies majeures des littératures africaines postcoloniales de nous offrir une vue d'ensemble sur le traitement des traditions orales.

Le titre du discours d'ouverture de Boubacar Boris Diop, « Quand la mémoire va ramasser du bois mort… », qu'il emprunte à Birago Diop dans « Les Mamelles », est révélateur du caractère dynamique des traditions orales. Terminons la pensée pour mieux situer cette dynamique : « Quand la mémoire va ramasser du bois mort, elle rapporte le fagot qui lui plaît. ». Cette assertion résume en quelque sorte le rapport de Boubacar Boris Diop aux traditions orales : d'une part, le romancier insiste sur sa dette vis-à-vis de ces traditions (« les contes de mon enfance […] ont été, de ce fait, bien plus déterminants dans ma vocation littéraire que les livres de Kipling, Jules Verne ou Victor Hugo qui trônaient en bonne place dans la bibliothèque paternelle ») ; d'autre part, il tient à préciser que cette dette ne le prive pas de sa liberté de jouer à volonté avec cet héritage ou tout autre héritage (« dès que l'imaginaire de l'écrivain se met en branle, il est cerné de toutes parts, harcelé pour ainsi dire, par des paroles d'aujourd'hui ou de jadis, qui s'élèvent de partout et emplissent son quotidien de leurs sonorités »).

La première partie porte sur « les écrivaines africaines et l'oralité ». D'entrée de jeu, Gloria Onyeoziri s'appuie sur l'exemple d'une nouvelle de l'écrivaine nigériane, Chimamanda Adichie, pour montrer l'appropriation de l'oralité par les femmes dites traditionnelles qui s'en servent pour s'auto-construire sur les plans imaginaire et pratique. Dès lors, l'oralité se départit de toute sclérose. Elle est l'expression des « sociétés africaines et [de leurs] identités culturelles [qui], loin de mourir de leur belle mort, continuent à s'incarner de façons renouvelées et réinventées. ». En se penchant sur la critique et l'écriture de l'oralité dans le roman d'Aminata Sow Fall, Médoune Guèye quant à lui en déduit que « la dimension socioculturelle est la référence incontournable en vue d'une meilleure compréhension de la littérature produite en Afrique » où les traditions, comme partout ailleurs, sont mouvantes et par conséquent sujettes à des adaptations variées. Pour boucler cette partie, la contribution de Mbaye Diouf, qui prend le relai de celle de Médoune, cerne les limites (ou l'étendu) discursives et potentiellement géographiques de l'*oraliture* du texte sénégalais et le positionne dans un dialogue réussi entre le local et le global. Ainsi, Diouf montre que les romancières sénégalaises modèlent leurs textes dans une interaction entre les difficultés sénégalaises et les exigences globales, à travers l'exploration critique, ironique et parfois fantaisiste des sujets comme l'immigration, la vieillesse, la mort et la mondialisation.

La deuxième partie, « Boubacar Boris Diop : entre oralité, histoire et mémoire », regroupe cinq études qui explorent l'œuvre de Diop dans ses rapports avec l'oralité, la mémoire et l'histoire. La recherche de Jonathan Russel Nsangou, qui contient une référence importante sur la biographie de l'auteur, ouvre cette section. Elle porte sur l'intertexte oral et le refus de l'Histoire. L'approche de Nsangou consiste à mettre en rapport la fragmentation de l'histoire dans *Le Cavalier et son ombre*, les autres écueils à la linéarité de l'histoire, avec le discours littéraire chez Diop qui, selon Nsangou, restitue un regard critique sur les récits oraux dont la valeur historique devrait être perçue comme moins importante que la valeur littéraire.

Les trois contributions qui suivent examinent la littérature de Diop sur le génocide rwandais. La critique sur ce sujet est abondante, mais l'originalité ici consiste en l'examen du dit ou du non-dit génocidaires à partir des différentes mises en scène de la parole traditionnelle.

Pierre Vaucher se sert de la notion de *performance* pour interroger l'apport de l'oralité dans l'écriture du génocide rwandais dans *Murambi* (2000). Les failles et les manques qui résultent de cette *performance* concourent finalement à illustrer l'écriture de Boubacar Boris Diop. Jean Chrysostome Nkejabahizi quant à lui considère l'art par lequel Diop raconte le génocide comme le signe de la perfection de l'auteur de *Murambi*. Ce qui retient surtout l'attention de Nkejabahizi dans le style d'écriture de Diop à travers ce roman c'est la façon dont l'auteur négocie brillamment le passage entre les témoignages sur la réalité nue du génocide à une littérature romanesque dans laquelle la mémoire des victimes n'est pas trahie. Le romancier réussit ainsi le défi de créer une fiction du génocide sans verser dans le sensationnel : « Sous forme de portraits, l'auteur laisse les personnages raconter et se raconter, le tout dans un style sobre, presque provocateur où tout se trame à voix basse, dans un chuchotement à la limite du silence ». Dans son étude qui s'appuie également sur *Murambi*, et où il est question de la place de la tradition orale dans la construction de l'histoire nationale, Maria Obdulia Luis Gamallo voit en l'aspect linguistique de cette tradition l'un des fondements sur lesquels repose l'avenir de la société telle que l'imagine et la conçoit Boubacar Boris Diop.

La contribution de Philomène Seka Apo clôture cette section sur Boubacar Boris Diop. Si Seka Apo considère ce dernier comme « un modèle d'atavisme littéraire », c'est parce qu'à travers son étude sur *Le Cavalier et son ombre*, *Les Tambours de la mémoire*, et *Les Petits de la guenon*, elle observe qu'il convient de restituer l'écriture de l'auteur à ses antériorités originelles, notamment à la langue, à la parole et à la culture, trois entités assimilables à l'énonciation. Ce cadre énonciatif traditionnel et pluriel revêt pour Seka Apo une importance particulière dans la mesure où il influe sur l'écriture de l'écrivain qui y emprunte des ressources qu'il recycle dans le roman.

La troisième partie du volume comprend quatre recherches portant sur les *critiques et réflexions théoriques*. D'entrée de jeu, l'enjeu de la réflexion sur *Crépuscule des temps anciens* (1962) de Nazi Boni par Noël Sanou dépasse le cadre de ce roman, car Sanou dresse une sorte d'historiographie de la littérature burkinabè. D'un autre côté, il examine d'une part l'ancrage étiologique et eschatologique de cette littérature, puis il se fonde sur le concept de *sémature* pour suggérer le dépassement des antinomies telles que /littérature orale, verbal/non verbal, littérature/arts. A partir de l'étude du rapport de *La vie et demie* de Sony Labou Tansi à la littérature orale, Léontine Gueyes dégage une série de marqueurs qui, en étant communs au récit populaire et à l'esthétique du roman africain postcolonial, fonde la modernité de ce dernier. Mamadou Samb pour sa part étudie l'oralité en rapport avec le cinéma dans *La Petite vendeuse de Soleil* (1998) de Djibril Diop Mambéty et *Keïta, L'Héritage du griot* (1995) de Dani Kouyaté. L'inscription des formes de l'oralité dans ledit cinéma constitue une revendication de leur prise en compte dans le processus d'élaboration de l'histoire. La contribution de Robert Alvin Miller referme cette troisième partie sous une note philosophique. Elle vise en effet à tracer les grandes lignes des rapports entre la philosophie africaine et la notion d'oralité. Face au constat d'infécondité des modèles d'opposition, de transposition et d'herméneutique entre les deux formes de pensée, Miller suggère un modèle dialogique qui permettrait de faire entendre toutes les parties intéressées des situations politiques et sociales de l'Afrique. Il en résulte une redéfinition de l'oralité comme l'interaction continue de la parole et de l'écriture dans un cadre dialogique.

Les travaux réunis dans ce volume constituent finalement une ressource indispensable pour ceux et celles qui s'intéressent aux originalités et aux fonctions significatives de l'oralité dans l'œuvre romanesque de Boubacar Boris Diop et dans la littérature africaine postcoloniale en général.

Références bibliographiques

Biakolo, Emevwo. « On the Theoretical Foundations of Orality and Literacy » Research in African Literatures, Vol. 30, No. 2 (Summer, 1999): 42-65.

Julien, Eileen. *African Novels and the Question of Orality.* Bloomington: Indiana University Press, 1992.

Discours d'ouverture

Quand la mémoire va ramasser du bois mort…[1]

Boubacar Boris Diop

---

[1] Une version de cette communication a été présentée en avril 2001 à Northwestern University de Chicago.

« Je salue chaque personne présente dans cette salle en m'attardant sur son prénom et sur son nom de famille...»

La phrase, traduite du wolof, n'est pas de moi. Je ne sais pas non plus, en vérité, à qui l'attribuer. Tout ce que je peux dire, c'est qu'elle me revient toujours en mémoire dans des moments comme ceux que nous nous apprêtons à vivre. Elle a rythmé pendant toute mon adolescence le rituel des réunions familiales ou de quartier mais j'avoue n'en avoir compris le sens véritable que bien plus tard. L'orateur chargé d'ouvrir la causerie rétablit ainsi avec chaque membre de l'assistance des liens à la fois anciens et très intenses. Visage grave et tendu, comme il sied à qui veut remonter le cours du temps, il ne s'adresse pas à une masse humaine compacte et indifférenciée car pour lui, même face au groupe, seul vaut le dialogue au sens originel du terme, c'est-à-dire l'échange entre deux personnes. J'aime cette idée qu'en dépit des apparences une assemblée n'est jamais uniforme et prisonnière d'elle-même, qu'elle est un foisonnement d'individualités, un tourbillon d'histoires singulières qui s'emballent, se heurtent violemment ou s'entrecroisent avec délicatesse au fil du souvenir. Il en sera de même, me semble-t-il, de nos discussions de ces deux prochaines journées. Etroitement encadrée, pour ainsi dire, par nos statuts respectifs - un romancier face à des critiques littéraires – la conversation fera remonter à la surface, parfois malgré nous, les images de trois décennies de compagnonnage intellectuel. Il y a en effet exactement trente ans j'ai publié, presque par hasard, grâce au fraternel entregent du philosophe Hamidou Dia, alors professeur au lycée Corneille de Rouen, mon premier roman, *Le Temps de Tamango,* et cela a imprimé un nouveau cours à ma vie en balisant la voie à mille et une amitiés. D'être devenu écrivain m'a permis, de colloque en festival, de débattre avec la plupart d'entre vous de Césaire et de Senghor, du réalisme magique latino-américain, du génocide des Tutsi du Rwanda, des guerres menées par la famille Bush en Irak et, last but not least, de nos petites misères et joies personnelles, ce qui est bien normal entre de vieux compères.

Et en ce jour, nous allons au bout du compte faire une chose très simple : reprendre tous ces débats jadis laissés en friche dans d'obscurs petits cafés de villes souvent déjà endormies depuis bien longtemps. Pourtant ce qui est supposé être une banale discussion ne sera sans doute pas une affaire de tout repos, l'exercice étant, par sa nature même, assez délicat. Je veux dire par là qu'il est toujours difficile pour un écrivain de parler de son propre travail tant il est vrai, comme le veut la sagesse populaire, que l'on ne peut être à sa fenêtre et se voir en train de passer dans la rue.

D'un autre côté, peut-on imaginer une œuvre romanesque qui ne serait pas tout entière centrée sur son auteur ? L'écrivain s'affuble de toutes sortes de masques supposés brouiller les pistes mais qui, paradoxalement, sont surtout destinés à ne tromper personne. C'est un drôle de jeu que celui où le plaisir du lecteur, et peut-être aussi la vraisemblance du récit, présupposent l'aveu quasi formel du simulacre. J'ai découvert ce paradoxe très tôt à travers les contes de mon enfance qui ont été, de ce fait, bien plus déterminants dans ma vocation littéraire que les livres de Kipling, Jules Verne ou Victor Hugo qui trônaient en bonne place dans la bibliothèque paternelle. Ces contes étaient toujours une faveur, un cadeau, et nous n'y avions droit qu'une fois la nuit venue. Plus de cinquante ans après, je me souviens comme si c'était hier de nos échanges joyeux et animés avec la conteuse dans la cour d'une maison de Grand-Thiès, dans un modeste quartier de la ville ouvrière immortalisée par *Les-bouts-de-bois-de-Dieu*. Je nous revois, gamins chahuteurs, en train de hurler de toute la force de nos poumons nos réponses à son *Léebóon* inaugural, qui signifie : *Il était une fois...*

> — *Léebóon !*
> — *Lëppóon !*
> — *Amoon na fi !*
> — *Daan na am !*
> — *Ba mu amee yaa fekke ?*
> — *Yaa wax ma dégg...*
> — *Waxi tey matul a déglu.*
> — *Sa jos a ci raw !*

Il faut imaginer ces paroles en train de crépiter comme des étincelles dans la nuit. Elles sont un affrontement, sur le mode ludique, entre celui qui vient d'annoncer une histoire et son public qui le houspille : « Non, ça va merci, on t'a assez entendu, toi ! » Encore très jeunes, nous mourions évidemment d'envie d'écouter la conteuse mais il était de notre devoir de mettre en doute sa compétence. Pour l'inciter à se surpasser ? Même pas. Il s'agissait simplement de respecter la grammaire de la parole, encore plus stricte, malgré les apparences, que celle de nos manuels scolaires. Nous disions en avoir ras-le-bol de tous ces vantards de conteurs qui nous promettaient chaque fois de magnifiques histoires mais finissaient toujours par s'embrouiller dans leurs mensonges complètement absurdes ! Nous étions sans pitié pour la conteuse : « Nous crois-tu vraiment si naïfs ? Va donc vendre ta salade ailleurs, les imposteurs de ton espèce, on les connaît ! » Elle nous suppliait alors de lui donner sa chance, car elle seule était capable de nous émerveiller : « Je ne suis absolument pas comme ceux qui m'ont précédée au milieu de ce cercle, je suis la meilleure conteuse de tous les temps et je vais vous rapporter des faits d'une indéniable authenticité ! » (Bien entendu, et soit dit sans malice, toute ressemblance avec tel écrivain à la mode cherchant à placer ses produits sur les télés serait tout à fait fortuite et le fruit d'une imagination débridée…). Préalable absolu au déploiement de l'histoire, cette joute oratoire au cœur du pacte narratif est en quelque sorte le levain de la fable, le vent gonflant les voiles du récit. Comme ceux des *Mille et une nuits,* nos contes ne pouvaient être dits que pendant la nuit et c'est sans doute la même logique interne de narration qui oblige Shéhérazade à les ouvrir chaque fois par la même phrase « Morning now dawned and Sahrazad broke off from what she had been allowed to say. Then, when it was the eighty first night, she continued. ». Mais le plus intéressant c'est que par sa seule parole, Shéhérazade empêche une violence fatale de se produire: à aucun moment on ne la sent douter de son emprise sur le tout-puissant Shahriyar, si émerveillé qu'il reporte sans cesse au lendemain le dessein de lui trancher la tête. De même notre conteuse de Grand-Thiès, après nous avoir mis les nerfs à vif, nous savait prêts à nous laisser bluffer par tous ses délires. Et voici une donnée « technique » essentielle, qui me paraît mériter réflexion : elle ne réussissait à nous dompter qu'en trahissant sa promesse de ne jamais s'écarter du réel... Comme son « réalisme » nous aurait, en effet, ennuyés et déçus ! Et la preuve qu'elle était assurée de son pouvoir sans partage sur nous, c'est que chaque histoire se concluait par le fameux : *Fa la léeb doxe tàbbi géej, bàkkan bu ko jëkk a fóon tàbbi àjjana :* c'est à cet instant que le conte est allé se jeter au plus profond de l'océan et le premier d'entre vous à en humer le parfum s'en ira au Paradis. Sur quoi nous rivalisions d'ardeur pour aspirer à pleins poumons l'air du soir. Ce n'était quand même pas mal d'avoir plusieurs fois l'occasion d'aller au Paradis sans rien faire d'autre qu'écouter de belles histoires. Je crois bien que sans ces échanges joyeux et animés de mon enfance j'aurais écrit des romans bien différents de ceux que l'on connaît et sûrement pas *Le Cavalier et son ombre.* Je dois à ces soirées thiéssoises d'avoir très tôt compris que le texte, appelé à être entendu plutôt que lu, n'est pas non plus destiné à des êtres abstraits mais à un lecteur de chair et de sang que je peux presque voir et toucher – dans les deux sens du terme - au moment où j'écris. En somme, que seul le romancier peut tutoyer des milliers d'inconnus et les inviter à venir se perdre avec lui dans le labyrinthe des passions humaines.

Un autre paradoxe, tout aussi intéressant, de la fiction, c'est que bien souvent la plus sûre façon de raconter une histoire à la première personne est de se dispenser du « Je ». *L'aventure ambiguë,* par exemple, s'ouvre sur les mots que voici : « Ce jour-là, Thierno l'avait encore battu. Cependant Samba Diallo savait son verset.». Au moment où le livre paraît en 1961, Cheikh Hamidou Kane est totalement inconnu du public et personne n'a vraiment la moindre raison de croire que Samba Diallo, c'est lui. Pourtant pas un de ses lecteurs n'a jamais eu l'ombre d'un doute à ce sujet. D'où a bien pu leur venir la certitude immédiate que ce roman est clairement autobiographique ? Peut-être de la tendre musique des mots, d'une façon de s'exprimer, pudique et discrète, bien dans la manière de cet homme serein et grave, et qui donne à chacun l'impression que les mots défilant sous ses yeux ne sont destinés à

21

personne d'autre qu'à lui, qu'ils sont autant de confidences qu'on lui glisse à mi-voix au creux de l'oreille.

Me permettra-t-on de faire ici un rapprochement entre Cheikh Hamidou Kane et le Sud-Africain John Coetzee ? Je sais bien que tout les oppose et que, du reste, dans *Elisabeth Costello,* le second attaque nommément Kane à travers des propos attribués à un certain Emmanuel Egudu, écrivain-conférencier nigérian exhibant un peu trop son africanité sur un bateau de croisière. La comparaison ne s'en justifie pas moins car on a chez Coetzee aussi le sentiment d'un texte en quelque sorte murmuré et destiné à chaque lecteur en particulier. Je crois en outre que sa manière de parler de lui-même comme d'une autre personne mérite que l'on s'y arrête. On a tout le temps l'impression qu'il est en train de se moquer de son reflet dans le miroir mais surtout qu'il lui est impossible de s'éloigner du miroir. Ce constat vaut autant pour ses romans que pour son autobiographie déclarée - *Childhood* et *Youth* – où, en un singulier tour de force, il raconte ses jeunes années à la troisième personne. Cela dit, je ne comprends pas toujours l'engouement suscité par un romancier qui, sans être mineur, est loin d'être aussi exceptionnel qu'il semble se l'imaginer lui-même. Sans être toujours dépourvue d'émotion, l'écriture minimaliste, discrètement snob, de Coetzee distille souvent un certain ennui – c'est particulièrement net dans *Michael K, sa vie, son temps* et *En attendant les barbares* - et j'avoue n'avoir trouvé dans aucun de ses livres la puissance d'évocation d'un Ayi Kwei Armah ou la pureté et la frémissante retenue du Chinua Achebe de *Things fall apart.* John Coetzee reste surtout à mes yeux un formidable révélateur des contradictions de la nouvelle société sud-africaine avec laquelle il entretient par ailleurs des rapports très tendus. Figé dans la posture de l'écrivain taiseux, énigmatique et assez sûr de son œuvre pour estimer qu'elle l'exprime tout entier, il refuse, comme on sait, de parler aux medias ou même d'avoir un semblant de vie publique. J'ai pu observer à maintes reprises au cours d'un récent séjour de quelques mois à Johannesburg et Cape Town que la seule mention de son nom peut certes susciter un vague sentiment de fierté - il est après tout prix Nobel de littérature et double lauréat du Booker Prize - mais aussi de l'irritation, voire des commentaires dépités ou sarcastiques. Il m'a en outre semblé que chacun en Afrique du Sud a quelque chose à reprocher à Coetzee : les Noirs et les Blancs libéraux de ne s'être pas beaucoup investi dans la lutte contre l'apartheid et les Afrikaners – ses frères avec qui il lui arrive d'être si dur – d'écrire en anglais. Et naturellement personne ne lui pardonne son exil volontaire en Australie, destination privilégiée de tous ceux qui, dans son pays, ont encore du mal à supporter l'arrivée au pouvoir de la majorité noire. Le moins que l'on puisse dire de ce personnage, c'est qu'il n'a jamais rien fait pour être apprécié de ses compatriotes. Il n'en reste pas moins que la charge contre lui paraît parfois excessive. *Age of iron*, tout comme certaines pages de

Summertime – en particulier les toutes premières - montrent bien que Coetzee, même à sa manière quasi indéchiffrable, un peu perverse, n'est pas resté indifférent à l'apartheid. Il semble en avoir vécu les injustices et la mesquinerie avec un sentiment de honte et de confusion au point de mettre à maintes reprises en cause dans ses romans, par petites touches discrètes, la légitimité même de la présence initiale des Blancs en Afrique du Sud. Malgré tout cela, on comprend que *Disgrace* ait mis en colère tant de monde, des intellectuels de l'ANC aux féministes en passant par les libéraux. Au-delà de la personne de Coetzee, ces petites bagarres sont révélatrices des conflits intérieurs d'une diaspora blanche d'Afrique subsaharienne (osera-t-on l'appeler, ne serait-ce que pour s'amuser, *blanco-africaine*?) qui ne se sent presque rien de commun avec le continent. J'ai toujours trouvé curieux qu'un phénomène aussi significatif soit si rarement pris en compte par les historiens de notre littérature. La nostalgie de leurs racines européennes se présente certes sous des visages assez différents selon qu'on a affaire à Brink, Doris Lessing, Gordimer ou à certains auteurs d'Angola et du Mozambique mais elle reste une ligne de fracture majeure et une des plus troublantes ambiguïtés du champ littéraire africain.

Cela dit, il nous sera malheureusement difficile de savoir quelle suite aurait donnée John Coetzee à *Childhood* et *Youth* puisque, comme chacun sait, il est décédé l'an dernier en Australie, avant d'avoir pu terminer le troisième volume de son autobiographie. Il ne subsiste aujourd'hui de ce manuscrit que des fragments disparates et non datés à partir desquels un de vos jeunes collègues, un universitaire anglais, seulement connu sous le nom de « Monsieur Vincent », a décidé d'écrire la biographie, naturellement non autorisée, de Coetzee. Pour rassembler son matériau, le chercheur a sillonné le monde – Sao Paulo, Paris, Londres, Cape Town – afin d'interviewer des personnes ayant bien connu le défunt prix Nobel sud africain. Quoi de plus banal dans l'univers académique que cette image du jeune critique plein d'enthousiasme, se donnant un mal fou pour percer les secrets les plus intimes d'un romancier aussi fameux que peu loquace de son vivant ? Sauf que le romancier en question, John Maxwell Coetzee, n'est pas « réellement » décédé et que c'est lui-même qui a, dans une vertigineuse logique pirandellienne, inventé son propre biographe... Texte insolite et souvent assez perturbant, *Summertime* est aussi d'une originalité inouïe. On connaissait le roman autobiographique : Coetzee invente l'autobiographie romanesque. Ou l'autobiographie romancée ? On ne sait trop, ma foi, où ranger cet étrange ouvrage... A part la mort – imaginaire mais cruciale pour le récit - de John Coetzee, tout y est entièrement conforme au peu que l'on sait de sa vie véritable. J'y avais personnellement vu un obscur adieu à la littérature mais on m'a appris à Johannesburg que l'auteur est en train de travailler, sur ses terres australiennes d'adoption, à un nouveau livre. Certains seront peut-être dérangés par l'intérêt soutenu de Coetzee pour son nombril. Il y a cependant une certaine forme d'honnêteté dans ce refus de prétendre faire de la fiction uniquement par souci des autres alors que sans l'obsession de soi-même, de ses propres traces, passées et à venir, sur la terre, personne n'écrirait de roman. La lecture de *Summertime* n'en reste pas moins une expérience assez pénible par moments car il est embarrassant de voir un être humain se mettre à nu, rendre publiques ses failles, ses ratages sexuels et avouer, malgré un sens de l'observation tout simplement phénoménal, son incapacité à s'adapter à une vie sociale normale. S'il est vrai, comme cela se dit souvent, que tout roman est une confession, l'auteur de *Summertime* passe aux aveux dans la douleur et avec une si héroïque sincérité que l'on éprouve parfois pour lui de la compassion ou même, à son corps défendant, un peu de mépris.

Ce roman où on sent, comme dans *Disgrace,* la forte érudition de l'écrivain, est par certains côtés celui d'un critique de haut vol. Il a été d'autant plus facile à Coetzee de se glisser dans la peau de son biographe que lui-même est un habitué de l'investigation littéraire. Mais Vincent/Coetzee a affaire cette fois-ci non pas à un texte mais à une vie humaine riche de ses contradictions et de ses zones d'ombre. C'est pourquoi il lui faut négocier âprement des espaces de liberté avec ses interlocuteurs. Quand il leur fait par exemple écouter sa version de leurs entretiens antérieurs, ceux-ci s'alarment - « Ai-je vraiment dit cela, monsieur Vincent ? » - ou s'indignent carrément: « Non, Monsieur Vincent, vous ne pouvez quand même pas laisser cette phrase telle quelle ! ». Le biographe bat en retraite la plupart du temps car il se fait justement fort de ne rien inventer. Pourtant – et cela est particulièrement révélateur – il ne peut pas toujours éviter la confrontation ouverte avec ses « sources » : « J'ai été obligé de modifier vos déclarations, leur dit-il parfois, pour qu'elles s'accordent à l'ensemble. ». Cet impératif de creuser un écart, si minime soit-il, pour susciter du réel, est l'essence de la création littéraire. C'est par lui que l'imagination de l'artiste transforme des personnes en personnages et nous plonge dans le royaume enchanté de la fiction où, délicatement entrelacés, le sens et son ombre se déclinent sur le mode du je-ne-sais-quoi et du presque-rien. En agissant de la sorte, Vincent a franchi la ligne qui sépare le chercheur scrupuleux et sans cesse taraudé par le doute du narrateur omniscient – ou supposé l'être. Il sait de toute façon que sans de légères inflexions et distorsions il ne pourra jamais restituer dans leur matérialité les évènements et les êtres qui ont fini par engendrer, soixante dix années durant, un certain John Maxwell Coetzee, né le 9 février 1940 à Cape Town et décédé en 2010 à Adelaïde, après s'être rendu célèbre par une quinzaine de romans. Il me semble d'ailleurs que même dans la vie de tous les jours nous refusons d'instinct d'enfermer le récit dans un périmètre trop exigu. Nous ne pouvons relater aucun incident, aussi banal soit-il, sans nous surprendre en train de le modifier, timidement au début, puis de plus en plus hardiment, par souci d'efficacité. Ce ne sont pas les faits en eux-mêmes qui émeuvent mais la manière toute personnelle dont en joue le narrateur occasionnel. L'écrivain quant à lui ne raconte presque jamais une seule histoire mais plusieurs, imbriquées les unes dans les autres ou, comme on le voit avec *Don Quichotte,* se tournant malicieusement le dos. En français, l'expression "raconter des histoires" - dire n'importe quoi, mentir, déformer le réel – rend bien compte, jusque dans sa rude familiarité, du fait que l'on n'a pas besoin d'être romancier pour romancer et démultiplier le réel.

L'écrivain est aussi celui qui s'efforce de réunir en un tout cohérent les séquences éparses d'une vie et c'est peut-être cela qui le différencie fondamentalement du critique. Alors que ce dernier décompose, dissocie, isole pour donner du sens, lui s'ingénie à faire en sorte que des sensations, des émotions et des idées – j'utilise toutefois ce dernier mot avec réticence – totalisent, à travers une fiction, son expérience des sociétés humaines.

Ce n'est donc pas un hasard si une des fables de Khadidja s'intitule « Patchwork ». Récit gigogne, *Le Cavalier et son ombre* m'a en effet permis de mesurer à quel point la création romanesque est un travail, presque manuel, de reconstitution. Comment ne pas penser au peuple Diallobé qui désigne par une fascinante expression - « lier le bois au bois » - le lieu d'acquisition du savoir qu'est « l'école nouvelle » ? C'est avec la même métaphore que Birago Diop nous propose une définition de la création littéraire où le « mettre ensemble » est tout à la fois acte de jouissance, de mémoire et de liberté : « Quand la mémoire va ramasser du bois mort, elle rapporte le fagot qu'il lui plaît… » écrit-il dans « Les Mamelles ». En fait, Birago Diop reprend si brillamment à son compte la sagesse populaire que même certains de ses compatriotes lui attribuent ce qui est en fait un proverbe wolof. Rapporté à l'œuvre de fiction, il signifie que celle-ci ne surgit pas d'une somme de connaissances abstraites mais des cascades du souvenir et du contact, toujours compromettant, de son auteur avec le monde réel. Et cette forêt où l'esprit humain erre, anxieux et attentif, ce sont les profondeurs de l'âme où ne s'aventure que le poète, seul assez audacieux pour défier les Dieux.

La langue que l'on a sucée avec le lait de sa mère…

Ainsi nomme-t-on en wolof la langue maternelle. Je ne saurais dire dans quelle mesure la mienne a influencé mon expression littéraire en français mais je sais ce que je lui dois à travers la poésie sénégalaise, populaire ou classique, les romans et pièces de théâtre de Cheik Aliou Ndao et les conversations nouées avec mes amis ou entendues autour de moi. Je n'ai pourtant pris conscience de l'importance de cette moisson qu'au moment du passage à l'acte qu'a constitué l'écriture de *Doomi Golo*. Paradoxalement, c'est grâce à Birago Diop que j'ai réalisé ceci, qui me paraît aujourd'hui fondamental : dès que l'imaginaire de l'écrivain se met en branle, il est cerné de toutes parts, harcelé pour ainsi dire, par des paroles d'aujourd'hui ou de jadis, qui s'élèvent de partout et emplissent son quotidien de leurs sonorités. L'évocation d'une quelconque influence de Birago Diop dans mon choix d'écrire en wolof peut surprendre dans la mesure où il n'a jamais fait mystère de sa préférence pour le français. Voici d'ailleurs comment il décrit dans *A rebrousse-gens* – qui est le troisième tome de ses « Mémoires » - ses retrouvailles avec Cheikh Anta Diop à Saint-Louis, dans les années cinquante : « … J'avais appris dans la journée que Cheikh Anta Diop faisait une conférence […] sur 'L'enseignement des mathématiques en langue wolof'. J'y ai été. ». Après avoir rappelé son admiration pour « le fervent égyptologue qui a combattu tant de préjugés », Birago Diop exprime cependant son désaccord avec lui à propos de la question linguistique. Et après l'avoir écouté ce jour-là, il tranche tout net, se permettant au passage un néologisme assez taquin : « J'étais et je demeure inconvaincu. Peut-être suis-je toujours et trop acculturé, irrémédiablement. ». Il faut préciser au passage que pendant cette conférence de Saint-Louis le malicieux Birago a essayé, de son propre aveu, de coller le savant en lui demandant de traduire en wolof des mots tels que « angle» ou «ellipse »… Le scepticisme de Birago Diop n'a rien d'étonnant puisqu'il était largement partagé par les intellectuels de sa génération. Il s'y ajoute que cet homme à la fois facétieux et secret a choisi sa vie durant d'être ce qu'on peut appeler un témoin engagé. Il a ainsi été de tous les combats en donnant pourtant l'impression de ne s'être jamais mêlé de rien. Attentif, même au milieu de la foule, à ne pas s'éloigner de sa trajectoire personnelle, il a toujours agi selon son bon plaisir, en parfait « ramasseur de bois mort ». Il a en outre toujours détesté les discours qui sont à ses yeux inséparables d'un engagement direct et avoue quelque part, avec un petit sourire en coin : « Je ne sais pas parler. Je ne sais que dire. ». Voilà pourquoi revenu au Sénégal son diplôme de vétérinaire en poche, Birago Diop ne descend pas dans l'arène politique où il aurait pu si aisément cueillir des lauriers mais se consacre, hormis une parenthèse diplomatique à Tunis entre 1960 et 1964, à la mise en place d'une institution littéraire digne de ce nom. Père-Fondateur de l'Association des écrivains du Sénégal, il a joué un rôle décisif dans la création et l'évolution des Nouvelles éditions africaines. On lui doit notamment, aux dires de Annette Mbaye d'Erneville, d'avoir repéré et fait publier *Une si longue lettre* de Mariama Bâ.

Ce goût de la liberté explique également que, vivant à Paris pendant les années « Présence africaine », il ait suivi le mouvement de la Négritude de loin, comme de l'autre côté du boulevard St Germain. Mais faisons un saut dans le temps et allons le retrouver à Saint Louis. On imagine son sourire attendri lorsqu'il parcourt l'article de journal annonçant l'arrivée de Cheikh

Anta Diop dans la ville. Sans doute s'est-il dit, avec un mélange d'agacement et de respect pour l'obstination du savant sénégalais à se battre pour ses opinions : « Ce Cheikh Anta Diop, c'est un vieux copain, je l'ai connu au Quartier latin et déjà là-bas il nous bassinait avec ses histoires de langues africaines et le voilà qui vient encore emmerder le monde à Saint-Louis... Où faut-il donc aller sur cette terre pour lui échapper ? ». Elle ne manque certes pas de piquant, cette image d'un Cheikh Anta poursuivant Birago d'un continent à l'autre pour lui expliquer qu'il n'est point de salut pour lui hors de sa langue maternelle ! Au fond, le grief du premier au second pourrait être ainsi résumé : de quel droit, Birago, as-tu fait parler français à Amadou Koumba ? Ne penses-tu pas que ses contes auraient été bien plus savoureux si tu les avais directement écrits en wolof ?

L'échange, à peine imaginaire, entre ces deux hommes si différents, nous mène tout droit au cœur d'une controverse qui soulève encore bien des passions dans leur pays. A en juger par les impasses de l'actuelle littérature sénégalaise d'expression française et l'essor de celle en langues nationales, il est hors de doute que l'histoire est en train de donner raison à Cheikh Anta Diop. Le travail sur *Doomi Golo* et l'effort douloureux pour en faire *Les petits de la guenon* – traduire, sans traduire, tout en traduisant ! – m'ont donné la mesure de l'immense déficit de sens et d'émotion occasionné par le recours, en littérature, à une langue apprise à l'école mais si absente de la vie de tous les jours et donc de l'univers sonore du créateur.

Doit-on pour autant déclarer nulles et non avenues les œuvres en français ? Certainement pas, car elles témoignent d'une période historique importante, quoique bien riche en malentendus.

Quant à Birago Diop, il a un statut à part dans cette littérature de transition dans la mesure où il campe à la frontière entre le wolof et le français. Il est en effet presque impossible de démêler sa voix de celle d'Amadou Koumba et c'est cela qui fait l'originalité de son travail littéraire. Sa virtuosité a été saluée par tous, en particulier par Sembène et Senghor, pour une fois d'accord sur quelque chose... Dans sa préface aux *Nouveaux contes d'Amadou Koumba*, Senghor note qu'il « rénove » les contes « en les traduisant en français, avec un art qui, respectueux du génie de la langue française – cette « langue de gentillesse et d'honnêteté » –, conserve, en même temps, toutes les vertus des langues négro-africaines. » Quant à Sembène, il confie à Carrie Moore les propos que voici, repris par Samba Gadjigo dans la biographie consacrée à l'écrivain-cinéaste : « Un roman africain écrit en français ou en anglais recèle des beautés mais j'ai la certitude que dans les langues africaines il y a énormément d'autres beautés que les gens ignorent. Le seul écrivain que je considère comme un maître en la matière, c'est Birago Diop. Je ne sais pas ce que ça donne dans la traduction anglaise... Ce n'est même pas une traduction mais quelque chose qu'on a versé dans la langue française sans changer ni virgule ni mot. Ca, c'est un maître ! C'est le seul qui, à ma connaissance, est arrivé à cette prouesse. Et tout le monde reconnaît que les contes de Birago sont les plus authentiques de la langue wolof....». Comme chacun sait, le nom de l'auteur des *Bouts-de-bois-de-Dieu* est volontiers associé à ceux de Zola, Gorki et Wright et il est intéressant d'apprendre que Birago, auteur si peu « engagé », n'a pas moins compté pour lui.

Par sa quête d'une sorte de troisième voie, d'une synthèse entre ses deux langues, Birago Diop a dans une certaine mesure ouvert la voie à Kourouma. Tous deux ont surtout montré que le débat linguistique relève peut-être autant d'un conflit entre le français et les langues africaines que de l'opposition entre oralité et écriture. Les exemples légitimant cette piste de réflexion ne manquent pas. Tout en s'efforçant de faire le meilleur usage de ce que Kateb Yacine appelle non sans coquetterie son « butin de guerre », les auteurs veillent à s'ouvrir de vastes espaces et chez Kourouma l'impétueux souffle malinké balaie la syntaxe française. Le Malien Masa-Makan Diabaté qui s'est vanté de « faire des petits bâtards à la langue française » était lui-même griot, tout comme Amadou Koumba dont Birago Diop se veut le fidèle interprète. Et Senghor – on a tendance à l'oublier –

s'est toujours reconnu comme modèle Marone Ndiaye, la poétesse de son village.

La prégnance de l'oralité signifie, entre autres, que la langue écrite n'est pas le tout de l'univers romanesque. On peut même douter qu'elle y joue un rôle prépondérant dans la mesure où les romans en français de Mongo Beti, très proches de ceux de l'anglophone Ngugi Wa Thiong'o, n'ont rien de commun avec ceux de tel de ses confrères de l'Hexagone écrivant pourtant en français comme lui. Faut-il en déduire que, même avec les mots de l'autre, on écrit toujours dans sa propre langue ? Celle-ci, en résonance avec une histoire particulière, vient des âges les plus lointains d'une société et n'a de sens que par ses mystérieux accords. En traduisant *Doomi Golo* en français, je me suis bien rendu compte à quel point il est crucial de ne pas rater les vibrations, le bourdonnement du wolof. Et c'est peut-être aussi pourquoi on a parfois l'impression que dans un roman la synonymie est toujours trompeuse : d'un endroit du texte à l'autre le même mot, sans doute parce qu'il respire chaque fois un air différent, peut connaître une inflexion de sens plus ou moins forte. Bref, traduire, comme l'a dit quelqu'un, c'est passer non pas d'une langue à une autre mais d'un texte à un autre. En la matière, comme sans doute dans toute relation amoureuse, la loyauté importe plus que la fidélité.

Sans la création en wolof, je n'aurais probablement jamais saisi la relation intime, tour à tour tendue et complice, entre le texte écrit et les clameurs de la vie quotidienne, qu'il s'agisse du parler populaire ou de celui de la couche sociale d'origine de l'auteur. Le grand écrivain est celui qui réussit à capter cette musique du réel que l'on appelle parfois, pour aller vite, une *atmosphère*. Les phrases fleuries et bien tournées tournent justement à vide et manquent de caractère et peut-être qu'à force de chercher à trop bien écrire on finit presque toujours par écrire très mal. Si on joue à ce jeu-là avec une langue étrangère, on peut même s'exposer au ridicule. Léon Laleau a exprimé un jour son « désespoir » d'avoir à « apprivoiser avec des mots de France ce cœur [qui lui est] venu du Sénégal». Pour comprendre ce qu'entendait par là le poète haïtien, il suffit d'observer le contraste frappant entre l'effervescence, les bruits, les couleurs, pour tout dire l'ambiance délirante de villes telles que Kinshasa et Dakar et nos romans où les personnages dissertent si doctement sur de graves sujets qu'on a parfois du mal à les imaginer en train de rigoler, boire et forniquer, d'avoir en somme une vie hors de l'ordinateur où ils ont été conçus. Au bout du compte, n'est-elle pas aphasique, cette littérature où l'on *écrit* sans jamais pouvoir *dire* et où chaque mot, surgi de loin en boitillant avec gaucherie, semble être un nouveau pas vers le silence ? La perte poétique est encore plus nette pour l'écrivain décrivant des sociétés où la maitrise du verbe est particulièrement valorisée.

Face à ce risque d'asphyxie, chacun y est allé de sa petite ruse de guerre, de son stratagème esthétique destiné à ouvrir des brèches dans le carcan. Birago Diop par exemple a choisi de faire de la synthèse un projet délibéré d'écriture. Mais son subtil mixage des langues exige de lui un tel effort qu'il est souvent obligé de rapporter en wolof et entre parenthèses les propos d'Amadou Koumba avant de les traduire en français… Ce procédé hache et alourdit ses contes et on a envie de lui demander, comme jadis Cheikh Anta Diop : pourquoi ce grand écart, ami Birago, pourquoi ne pas restituer directement les propos d'Amadou Koumba dans son parler d'origine comme cela se fait partout sur la terre ? La même question aurait pu être posée à Kourouma au sujet du malinké. L'auteur de *Les soleils des indépendances* a été porté aux nues pour avoir « révolutionné la langue française ». J'aime certains de ses livres mais je juge cet éloge bien étrange et en tout cas moins flatteur qu'il y paraît à première vue. Cela ne rappelle-t-il pas en effet de mauvais souvenirs de l'époque coloniale ? Naguère, on exaltait l'amour de la « patrie » et la bravoure des soldats africains face à l'Allemagne. Aujourd'hui, les intrépides tirailleurs, ce sont les écrivains francophones, sur un autre champ de bataille, face à un autre ennemi : la langue anglaise… Quoi que l'on dise, c'est trahir sa propre histoire que de se satisfaire de ce rôle dégradant de supplétif. La créativité de Kourouma lui permet de se tirer à peu près d'affaire mais il lui arrive tout de même de flirter dangereusement avec le français bamboula…

Il est par ailleurs significatif que Birago Diop et Ahmadou Kourouma n'aient pas fait école : personne aujourd'hui ne se hasarde à écrire « comme

Kourouma » ou « comme Birago Diop ». Il me semble que les modèles suggérés par leur écriture les expriment eux-mêmes avec tant de force qu'il eût été absurde de vouloir les répliquer ou s'en inspirer de manière trop visible.

Mais s'il est légitime de reprocher à ces deux grands écrivains de s'être arrêtés au milieu du gué, on ne doit pas non plus oublier qu'ils étaient très en avance sur leur temps. Contrairement à d'autres, ils ont pris conscience de l'inconfort de leur situation et imaginé des solutions, quitte à se résigner parfois à un certain bricolage. Aussi ont-ils des fils spirituels plutôt que des héritiers. Il me paraît juste de dire qu'ils ont balisé la voie à la minorité francophone prônant aujourd'hui une création littéraire dans les langues africaines. Je ne crois toutefois personnellement ni au brassage furieux, style Kourouma, ni au juste milieu distancié et ironique de Birago Diop. Même si je sais que l'oralité affecte toujours peu ou prou le texte africain, fût-il écrit dans le français le plus « classique » – l'exemple de Mongo Beti est très significatif à cet égard – j'ai pour le wolof une ambition plus haute que celle d'en faire une simple modalité tropicale de la langue de Molière. Il n'y a rien de gênant à ce que les deux littératures, en français et dans les langues africaines, coexistent aussi longtemps que possible mais je ne crois à aucune forme de fusion entre elles. Même les auteurs d'exception ne peuvent la réaliser qu'au détriment de leur investissement émotionnel dans le récit. Au bout du compte il se pourrait bien que ce savant mixage, tout en donnant la mesure de leur virtuosité, nous prive surtout de leur génie.

Si le texte est l'écho, retravaillé, d'une parole secrète entendue du seul narrateur, c'est bien la voix de la future Khadidja, remontant de mon enfance, qui a le plus compté pour moi. J'ai certes été très tôt un lecteur éclectique et vorace mais sans « Khadidja » j'en serais peut-être resté là. Ses fables thiéssoises, dont on retrouve de petits bouts dans certains de mes livres, m'ont d'autant plus bouleversé que j'ai été affreusement bègue pendant la plus grande partie de mon enfance : incapable de communiquer correctement avec les autres, j'ai eu spontanément tendance à surévaluer le dire et l'écrit, à croire en quelque sorte les mots sur parole. Marguerite Duras note dans *Ecrire* : « Ecrire c'est aussi ne pas parler. C'est se taire. C'est hurler sans bruit. C'est reposant un écrivain, souvent, ça écoute beaucoup. ». A travers ses histoires, la conteuse de mon enfance voulait surtout montrer le droit chemin aux gamins que nous étions mais on sentait aussi chez elle le pur plaisir de les raconter et le désir de nous convaincre de leur véracité. Je suppose que cela m'a influencé, car tout en étant fasciné par le merveilleux, je tiens beaucoup à restituer fidèlement dans mes romans ce que j'ai vu et entendu, à y faire sentir le poids du monde matériel. Je sais que je suis perçu comme un « écrivain engagé ». Ce que cela veut dire exactement, je ne suis pas tout à fait sûr de le savoir et je grimace en dedans chaque fois que j'entends l'expression dans la bouche d'un journaliste. A dire vrai cela ne me gêne pas outre mesure mais je reste persuadé qu'une peinture précise, scrupuleuse, impassible, du réel est la meilleure façon de transmettre les opinions les plus dérangeantes. Peut-être ne l'ai-je jamais autant ressenti qu'en lisant *Le monde s'effondre* et *L'âge d'or n'est pas pour demain* puis, plus tard, *Anna Karénine*. Je crois qu'il est suicidaire pour un romancier de vouloir exprimer ce qui lui paraît politiquement juste au détriment de son art. Cette leçon, je l'ai apprise, pour ainsi dire, par la négative en voyant certains aînés, pour qui j'avais beaucoup d'admiration, se lasser peu à peu de leur joie de déconner et se mettre à patauger dans le marécage des slogans simplistes. Exaspérés par un monde sourd à leurs appels à la liberté et à la justice, ils se sont mis à hurler de plus en plus fort et leur création s'est appauvrie au fil des ans. Je comprends et respecte leur colère mais les meilleures intentions ne justifient pas que l'on confonde ainsi sa plume avec une arme de poing. Cela s'appelle lâcher la proie pour l'ombre. N'auraient-ils pas mieux fait de se contenter de simples articles de journal pour « vendre » leurs généreuses idées ? Je pense qu'un écrivain est un citoyen comme les autres, qui a cependant la chance de pouvoir se faire entendre d'une partie plus ou moins importante de ses contemporains. Cette légitimité que son œuvre littéraire confère à ses interventions publiques relève certes parfois d'un cocasse malentendu mais il aurait tort de ne pas en profiter pour influer sur les opinions de ses lecteurs et, par ce biais, sur les décisions des autorités politiques. L'essentiel, à mon avis, est que cette générosité n'affecte pas sa création au point de lui faire écrire des textes par trop « carrés », si tributaires d'une époque qu'ils meurent avec celle-ci. Ce qu'on appelle *l'air du temps*, ce n'est pas forcément de l'oxygène, il fait vieillir assez vite le texte au lieu de le vivifier. On le voit bien avec le romancier Sartre, qu'il est devenu si difficile – voire si pénible - de lire, ce qui n'est pas le cas de Camus, qu'il regardait pourtant de bien haut. L'exemple de ce dernier est instructif dans la mesure où il montre que c'est la perspective de narration qui décide du contenu du roman et non l'inverse. A ce qu'il me semble, les grandes grèves et les guerres, même décrites minutieusement, ne rendent pas compte à elles seules de la profondeur historique des évènements. A cet égard, l'attention portée aux remous de la conscience individuelle peut être bien plus décisive que les discours militants. Voilà pourquoi Ibrahima Bakayoko nous émeut davantage dans ses moments de doute que lorsqu'il assène ses certitudes anticolonialistes. De même – toujours dans *Les-bouts-de-bois-de-Dieu* - sans la relation, pourtant marginale, entre la petite Adjibi'dji et la vieille Niakoro, le roman de Sembène nous toucherait un peu moins et chaque fois que je pense à *L'âge d'or n'est pas pour demain* ce sont le Maître et tel personnage secondaire en train de fumer un joint en bord de mer qui me viennent en premier à l'esprit car sans être au cœur du récit, ils lui donnent presque tout son sens et en sont la chair vive. De la même manière dans *La peste,* le candide Joseph Grand, occupé à sculpter à l'infini la première phrase de son maître-livre à venir,

31

nous en dit autant sur les ravages de l'épidémie que le Docteur Rieux et le Père Paneloux. De fait, la comédie humaine se moque de l'unité de lieu : elle se déroule simultanément partout depuis des siècles et l'écrivain ne peut en dire les singularités sans une audacieuse intrusion dans la part nocturne des êtres. C'est du reste ce que rappelle un autre proverbe wolof :

- *Waane weesuwul ni dangay nettali sa géntu moroom*

Autrement dit : le comble de l'arrogance, c'est de prétendre raconter au monde les rêves nocturnes de ton voisin...

Ne reconnaît-on pas là cet « orgueil fou » sans quoi, à en croire Sartre, personne n'écrirait de la fiction? Acte de folie ou errance nocturne, la difficile quête du récit - le déchiffrement des rêves - n'est toutefois jamais la même d'un écrivain à un autre.

Je ne me souviens pas personnellement d'avoir commencé un seul de mes romans en ayant une idée claire de l'histoire à raconter ou, encore moins, de la trajectoire du récit. Même pour *Murambi, le livre des ossements,* conçu sur le terrain, à partir d'une foule d'éléments factuels, je me suis arraché les cheveux pendant plusieurs semaines avant de choisir l'intrigue principale parmi plusieurs possibilités aussi tentantes les unes que les autres. Et, comme indiqué dans la postface de la nouvelle édition, je n'ai pu me décider qu'après avoir trouvé la formule permettant à la plupart des témoignages recueillis au Rwanda de figurer dans le roman.

J'ai entendu en mars dernier une romancière française connue, avec qui j'animais un « petit-déjeuner littéraire » à Durban, expliquer sa façon de travailler. Mariée et mère de trois jeunes enfants, elle profite, a-t-elle dit, de chaque répit au cours de la journée pour écrire. Il s'agit, d'après ce que j'ai compris ce jour-là, de très courtes séquences – parfois juste un quart d'heure – pendant lesquelles elle s'empresse de coucher quelques lignes du chapitre en cours sur le papier. Je me suis surpris à l'imaginer faisant ses comptes à la fin de chaque journée : « Ce lundi, j'ai bouclé tant de pages, il m'en reste environ tant, correspondant à tant de fois quinze minutes. ». J'ai été très impressionné par ces confidences, car elles supposent que les phrases du livre à venir se tiennent sagement en file indienne dans la tête de l'auteur et qu'à son commandement elles vont se déposer dans l'ordinateur exactement à la place qui leur a été assignée. Bien sûr, je force un peu le trait mais j'ai écouté ces propos, tout à fait authentiques, avec une pointe d'envie. Il faut avoir du caractère et un contrôle total de son univers mental, et aussi de ses émotions, pour pouvoir procéder d'une façon aussi méthodique.

A la différence de cette consœur, je ne perçois pas le temps dévolu à la création romanesque comme une donnée mathématique, une série d'heures ou de minutes que je pourrais utiliser en concurrence avec d'autres obligations sociales. Je le ressens plutôt comme une énergie diffuse, un flux continu mais surtout chaotique et incontrôlable. En d'autres termes, je peux être totalement disponible pendant plusieurs jours, voire plusieurs semaines et ne rien pouvoir écrire et, à l'inverse, abattre un volume de travail considérable en très peu de temps. Mais même au cours de ces périodes d'euphorique créativité, le texte ne se déroule pas comme un long fleuve tranquille. Il vient par à-coups, sous forme de blocs non reliés les uns aux autres. C'est pour cette raison que, hormis *Murambi, le livre des ossements* et *Doomi Golo* – deux textes très spéciaux, chacun à sa façon - je n'ai jamais réussi à boucler un roman en moins de quatre ans. Le fait est que tout en vaquant à mes occupations ordinaires et en ayant une idée très vague de ce que je veux faire, je laisse s'échapper de ma plume, au gré de mes envies, des centaines de pages. Et le moins que l'on puisse dire c'est que ces pages-là ne sont pas organisées ! En vérité, j'écris absolument n'importe quoi dans cette première phase de la création romanesque. Le même personnage peut y avoir plusieurs noms différents et les schémas narratifs les plus contradictoires peuvent s'y affronter. En fait, plus le brouillon est fourni et embrouillé, plus j'en suis satisfait car il me donne un plus fort désir de remise en ordre et augure d'une plus grande marge de manœuvre. J'aime bien du reste ce dernier mot qui souligne le caractère quasi manuel, évoqué plus haut, de la *fabrication* du roman.

Pour mes premiers ouvrages il m'est arrivé d'oublier le manuscrit pendant deux années ou trois et de le reprendre ensuite, à froid en quelque sorte. Dans cette ultime étape, j'ai besoin de n'avoir rien d'autre à faire pendant au moins six mois. Chacun de nous, qu'il soit écrivain ou critique, a probablement des moments de la journée où il sait pouvoir investir le meilleur de lui-même dans son activité intellectuelle. Dans mon cas, c'est très tôt le matin, à partir de cinq heures – et jusque vers quatorze heures - que je me sens le plus maître de la situation et en mesure de mener mes personnages là où ils me semblent servir le mieux le roman en cours.

Il ne me suffit pas, toutefois, de disposer de plusieurs semaines à consacrer au texte, il est également important pour moi d'être loin de mon environnement habituel, dans un pays étranger, un pays où mon cœur bat en quelque sorte moins fort. Pour le dire d'une autre manière : un pays où ce qui se passe, surtout au plan politique, ne me concerne en aucune façon. Ce point n'est pas négligeable, car j'ai un assez curieux défaut : où que je sois dans le monde, je me passionne très vite pour des conflits sociaux et politiques qui me restent pourtant assez obscurs. Ce n'est pas forcément mauvais puisque ces évènements exotiques peuvent innerver, même à mon insu, ma narration. Mais j'ai surtout besoin à cette étape-là de me concentrer sur la structure et je mesure ma disponibilité pour la création littéraire au fait que je ne comprends rien aux journaux du pays d'accueil ! Quand les sigles des partis ou des syndicats nationaux me passent par-dessus la tête, c'est vraiment bon signe, je peux me consacrer à mon travail sans craindre les interférences du monde extérieur… Il n'est pas étonnant que j'aie écrit deux de mes livres dans telle contrée, si horriblement paisible qu'elle se flatte volontiers d'être incolore et inodore.

Pour d'évidentes raisons, je n'ai pu commencer à travailler hors du Sénégal qu'au bout d'un certain temps, avec mon troisième roman, *Les traces de la meute,* écrit à Niamey grâce à une bourse de l'Union africaine offerte par Mangoné Niang, alors patron du Centre d'Etudes des Littératures et des Traditions Historiques et Orales (Celtho) mais surtout ami d'enfance et complice intellectuel de toujours. Cependant, même pour mes deux précédents ouvrages, *Le Temps de Tamango* et *Les tambours de la mémoire,* je me suis « exilé » tour à tour à St Louis, à Ziguinchor et sur l'île de Gorée. Les textes suivants ont vu le jour à Boswil, près de Zurich, Mexico et Tunis. La seule exception reste *Doomi Golo,* roman entièrement écrit à Dakar, ce qui n'est pas, bien évidemment, le fait du hasard. Je n'aurais de toute façon pas eu envie de l'écrire si je m'étais trouvé ailleurs qu'au Sénégal entre 2001 et 2004.

Le désir de me focaliser sur le roman en cours ne signifie pas que je suis à l'affût de l'inspiration, cet instant magique où toutes les difficultés se résolvent d'elles-mêmes. La vérité est beaucoup plus simple : j'ai une idée si tenue et fuyante de mon histoire que dans un premier temps j'écris volontairement n'importe quoi, dans l'espoir secret que les mots finiront par prendre dans leur filet les idées et les émotions qui bouillonnent en moi et que je ne sais pas encore nommer. Il s'agit en quelque sorte de susciter le texte à partir de ce magma plutôt que d'attendre qu'il vienne à moi, de prouver le mouvement en marchant. C'est une fois le brouillon constitué que je considère que le travail d'écriture peut débuter pour de vrai. Et je me suis rendu compte au fil des ans que pour moi, paradoxalement, écrire veut dire non pas ajouter du texte mais enlever du texte. Je me sens un peu, à ce moment-là, comme je l'ai dit dans un récent entretien pour *Interculturel* avec le Professeur Liana Nissim de Milan, dans la position du sculpteur qui crée de la forme en privant un tronc d'arbre ou un bloc de pierre de sa matière. L'exercice est délicat et il est essentiel, encore une fois, de s'y livrer dans un lieu où les remous de la vie politique du Sénégal ne dispersent pas mon énergie.

Faut-il en déduire que l'on ne peut pas écrire un roman à partir de Dakar ? Ce serait peut-être aller vite en besogne. Certes, si la romancière française dont j'ai parlé tout à l'heure vivait dans cette ville où il est quasi impossible de faire deux choses importantes dans la même journée, elle ne pourrait sûrement pas être aussi bien organisée. Je reconnais également qu'il est difficile de se consacrer à une activité de création, individuelle par essence, dans une société, la mienne, restée sourdement hostile à toute échappée solitaire. Birago Diop a d'ailleurs forgé un savoureux néologisme pour caractériser le phénomène. Le Sénégal, a-t-il dit un jour, est un pays « chronophage ». Oui, entre les embouteillages, les longues coupures d'électricité, les embrouilles et lourdeurs de l'administration et les contraintes sociales de toutes sortes, la vie dakaroise est, littéralement, mangeuse de temps.

Mais les choses ne sont pas si simples… Comment expliquer dès lors que l'essentiel de notre production littéraire ait été malgré tout conçue sur place ? Le Sénégal a la particularité de n'avoir pas eu une intelligentsia exilée, fuyant la répression politique. Senghor a permis à tout le monde de rentrer pour faire un bout de chemin avec lui ou même pour le combattre, parfois très durement. Les œuvres de Cheikh Hamidou Kane, Sembène Ousmane, Mariama Bâ, Cheik Aliou Ndao, Birago Diop, Cheikh Anta Diop, Lamine Diakhaté, Malick Fall et Senghor lui-même sont la preuve qu'une grande production littéraire peut bel et bien fleurir à partir de chez nous, même si évidemment cela n'a pas dû être facile.

Toutefois l'âge d'or de la littérature sénégalaise semble bien révolu et cela incite à se poser des questions. Pourquoi nos intellectuels se sentent-ils de moins en moins à l'aise dans leur pays ? Chacun a sans doute sa propre réponse. En ce qui me concerne, il s'est agi moins de fuir la famille étendue qu'une société qui, en particulier depuis ces dernières années, vous saute littéralement à la figure et où ce que Senghor appelait ironiquement la « politique politicienne » a capturé tout l'espace public. Il suffit de feuilleter n'importe quel journal pour se rendre compte de la place démesurée accordée aux querelles des différentes personnalités de partis au détriment de tout le reste et surtout de la culture. Et le suprême paradoxe avec ce nombrilisme, c'est qu'il éloigne de la réalité nationale bien plus qu'il n'aide à l'élucider. Je peux ainsi dire que j'ai mieux compris les enjeux politiques au Sénégal en me confrontant au génocide des Tutsi du Rwanda qu'en restant directeur du quotidien privé *Le Matin* à Dakar. C'est un gros dilemme, résolu à sa manière par Tchicaya U'Tamsi. A ses confrères congolais qui lui reprochaient amicalement de n'avoir presque jamais vécu dans le pays, le poète aurait fait une réponse restée célèbre : « Vous, vous habitez au Congo, moi le Congo m'habite… ».

Le temps de travail d'un auteur est naturellement tributaire de l'intérêt suscité par son œuvre. Les choses sont toujours beaucoup plus simples en début de carrière, car les attentes du public sont faibles, voire inexistantes. Mais au fil des années, les sollicitations du monde littéraire et la pression des éditeurs se font plus fortes et l'on y répond parfois par des livres que l'on sent soi-même inachevés. J'ai vécu de 2007 à 2009 à Mexico, une ville où l'on connaît bien Gabriel Garcia Marquez. On m'y a raconté que depuis son prix Nobel de littérature, le célébrissime Colombien se contente de ressortir de ses tiroirs les manuscrits refusés par les éditeurs du temps de sa galère.

35

Ceux-ci se précipitent sur l'aubaine et chaque roman est ensuite « vendu » aux lecteurs comme le nouveau chef-d'œuvre de Marquez, encore plus puissant que l'immortel *Cent ans de solitude* ! Je me souviens aussi d'avoir entendu Sony Labou Tansi dire en 1987 au National Theatre de Lagos : « J'écris dans les aéroports et dans les chambres d'hôtel. ». Je n'en suis heureusement pas là mais je reconnais avoir de plus en plus de mal à décider de mes priorités. Je suis ainsi resté six mois à Johannesburg, entre mars et septembre 2010, pour les besoins d'un ouvrage sur le capitaine Mbaye Diagne, qui a sauvé des centaines de personnes au Rwanda avant d'être tué accidentellement le 31 mai 1994, en plein génocide et à douze jours de son retour au Sénégal. J'avais déjà rencontré à Dakar sa famille et ses camarades de l'armée. Je me souviens d'avoir été vivement impressionné par sa leçon d'humanité aux diplomates français en poste à Kigali. Écœuré de voir tous ces gens – l'ambassadeur Marlaud en tête - tenir si peu compte de la vie des Tutsi et des Hutu modérés que lui Mbaye Diagne s'efforce de mettre à tout prix en sécurité, il leur jette avec mépris : « Je préfère ma situation de militaire impuissant, puisque tel est le choix de l'Onu, à la vôtre, vous qui avez les moyens et le pouvoir de sauver des innocents mais refusez de le faire. ». C'était le 11 avril 1994 au matin, dans la cour de l'hôtel des Mille Collines. Riche de ces entretiens et d'une abondante documentation, je suis allé en Afrique du Sud avec la ferme intention de terminer ce roman du reste annoncé à plusieurs reprises dans les medias sous le titre *Mort d'un Juste*. Je n'ai pourtant pas pu me mettre sérieusement à la tâche car à Johannesburg j'ai continué à honorer de nombreux engagements, en particulier en direction de *Murambi, le livre des ossements*. J'ajoute que la société sud-africaine est un formidable laboratoire social et que j'ai été si absorbé par mon effort pour comprendre ses contradictions – et, bien moins glorieusement, par la Coupe du Monde de football ! - que je n'ai rien pu tirer cette fois-ci de mes centaines de pages de brouillon. La parution du livre a dû être différée à deux reprises et chaque fois d'un an.

Aujourd'hui – et cela me permet de glisser en douceur vers la conclusion de ce trop long propos introductif ! - je ne suis plus sûr de pouvoir venir à bout de ce roman que j'avais finalement choisi d'intituler *Capitaine Mbaye Diagne*. Cela a-t-il à voir avec le vague sentiment d'être indiscret, d'avoir à rendre publics les secrets d'une famille qui n'est même pas la mienne ? Il se pourrait bien en effet qu'au-delà des questions de disponibilité, le blocage vienne du sujet lui-même, qui a quelque chose d'intimidant. L'histoire, très belle, semble se suffire à elle-même et n'ayant presque rien à y ajouter il m'est arrivé de douter moult fois de l'utilité de la raconter. Après tout, cette partie, la plus importante, de la vie de l'officier sénégalais tient en une phrase somptueuse que je viens de rappeler. Il serait certes excessif de soutenir qu'elle rend vain tout roman sur Mbaye Diagne mais cette affaire m'a en définitive appris ceci sur mon propre travail littéraire : c'est la phase initiale de mise en place du récit – avec ses obscurités, ses accidents et ses incertitudes – qui décide de ce que le récit lui-même sera au final, je veux dire autant de son contenu que de sa structure. Le roman raconte davantage la quête fiévreuse d'une histoire, le processus de son arrachement à on ne sait quels limbes qu'une somme d'évènements rapportés en une succession de chapitres.

J'ai évoqué plus tôt notre amitié pour me donner le droit de vous parler de façon aussi personnelle mais peut-être bien qu'au fond rien ne légitime un tel exercice. A la question « Qui êtes-vous, monsieur Borges ? » l'auteur argentin aurait un jour répliqué avec agacement : « Que voulez-vous donc que je vous dise ? Je ne sais rien de moi-même, d'ailleurs je ne connais même pas la date de ma mort ! ». La rebuffade est géniale mais elle trahit surtout le désir de voir sans être vu, de se tenir immobile et silencieux dans la pénombre pour mieux observer et raconter la comédie humaine. Voici à ce propos une anecdote que j'ai plaisir à partager avec vous. La seule fois de ma vie où j'ai rencontré Birago Diop en tête-à-tête, c'est après qu'il m'ait remis, en 1984, le prix du Bureau sénégalais du Droit d'Auteurs (BSDA) pour *Le Temps de Tamango*. Au cours de la visite de courtoisie que je suis allé lui rendre quelques jours plus tard, j'ai mentionné le nom d'un de mes anciens profs de la fac de Lettres, un critique littéraire qui le suivait pour ainsi dire à la trace en vue d'écrire sa biographie. Il a souri : « Ah oui, celui-là, il prétend raconter ma vie et même ma mort, paraît-il, mais on verra bien… ». Ca c'était du Birago, sarcastique et affectueux, plus vrai que dans le texte. Je ne sais plus qui du critique ou de l'écrivain est décédé avant l'autre mais quand j'ai lu *Summertime,* je n'ai pas pu m'empêcher de repenser à cette conversation où tant avait été dit en si peu de mots…

Bûcheron patient, passionné et solitaire ou cambrioleur de rêves et d'émotions, l'écrivain est celui dont on espère parfois des réponses ou même, contre tout bon sens, des solutions. J'en ai eu une nouvelle fois la preuve le 21 avril dernier à Toulouse où l'association *Survie* organisait à la librairie « Terra Nova » une signature autour de *Murambi, le livre des ossements*. Après les débats, un étudiant sénégalais du nom de C. Diallo est venu me souffler : « J'ai quelque chose à vous demander mais c'est très personnel… ». Nous nous sommes mis à l'écart et il m'a dit : « Voilà… Je suis jeune, je veux me battre pour l'Afrique et si vous aviez un conseil, un seul, à me donner, quel serait-il ? ». Il tenait visiblement à paraître aussi peu solennel que possible et même un peu désinvolte mais je le sentais assez tendu. En temps normal je lui aurais fait remarquer que l'Afrique est non pas un lieu unique et cohérent mais 54 corps éparpillés sur une immense carte avec des trous partout – notamment des trous de mémoire - et que chacun de ces corps, souffrant de maux spécifiques doit être soumis, au propre comme au figuré, à un traitement particulier. Plutôt que de lui demander de « commencer par envahir le Sénégal » (comme Damas le conseillait jadis aux tirailleurs sénégalais) je lui ai répondu comme j'ai pu, à la fois embarrassé et amusé par ce malentendu assez classique.

Le romancier, même s'il est assez arrogant pour prétendre démêler les cauchemars des autres, ne peut dire à personne ce qu'il doit faire de sa vie. Cette idée que chaque être humain est responsable de lui-même est au demeurant tout ce qui me reste d'une ardente jeunesse sartrienne. Cette idée et... un nom de plume. En fait, un écrivain reçoit toujours beaucoup plus qu'il ne pourrait donner. La création littéraire est une aventure dont il émerge chaque fois un peu plus riche. Je ne saurais dire, par exemple, tout ce que je dois à *Murambi, le livre des ossements.* En plus d'être une prodigieuse leçon d'histoire, l'expérience rwandaise m'a appris à mieux lire les mécanismes politiques des tragédies africaines. Elle m'a aussi permis de comprendre ceci : lorsqu'on en vient au devoir de mémoire, l'important c'est moins de se souvenir que de ne pas oublier car ces deux opérations mentales, que l'on peut croire identiques, sont en vérité radicalement différentes. Peut-être aussi que le long détour par une langue étrangère m'était-il nécessaire pour que, de silence en impasse, je finisse par comprendre que je n'aurais jamais dû reléguer la conteuse thiéssoise de mes années d'enfance au second plan, qu'un roman cela s'écrit non pas avec les mots sages et pétrifiés du dictionnaire mais avec des paroles en folie, celles de la vie de tous les jours.

Première partie

Écrivaines africaines et oralité

Chapitre I

L'oralité transposée des femmes africaines : « The Headstrong Historian » de Chimamanda Adichie

Gloria Onyeoziri
University of British Columbia

Résumé

En s'appuyant sur l'exemple d'une nouvelle sur une « femme traditionnelle » de l'auteure nigériane Chimamanda Adichie, cette étude est une réflexion sur le rôle et la nature de l'oralité dans la lutte des femmes africaines pour se faire entendre, pour se faire lire et pour se comprendre les unes les autres. L'analyse de la représentation de Nwangba et de sa petite-fille Afamefuna suggère le besoin d'une définition de l'oralité des femmes africaines élargie - ne se limitant pas à un répertoire de genres poétiques - et nuancée - remettant en question de nombreuses idées reçues au sujet de la femme africaine dite traditionnelle ainsi que du rapport entre l'oralité et l'écriture.

Pour qui voudrait comprendre le rapport entre les femmes africaines, leur condition sociale et leur lutte pour se faire entendre, l'oralité constitue un problème incontournable. Non seulement les femmes ont participé à de nombreuses formes d'oralité, aux niveaux de la création, de la performance et de la réception,[1] elles ont également joué un rôle primordial dans les échanges verbaux au sein de leurs communautés, échanges dont l'historiographie institutionnelle n'a pas souvent tenu compte. L'importance de l'oralité s'applique tant aux interprétations et reconstructions de l'histoire qu'à la politique identitaire de notre temps. D'où le besoin urgent de réfléchir sur plusieurs questions que je poserai au préalable, questions qui portent sur la notion d'oralité et sur son interprétation.

---

[1] Voir Larrier, Nnaemeka.

Quand nous associons l'oralité aux femmes, s'agit-il uniquement de certains genres d'expression formels ou formalisables tels que la chanson, le conte ou le poème ? Ou s'agit-il plutôt de l'exercice de la parole en général ? S'il s'agit bien de la parole en général, il faudrait alors parler de la représentation du dialogue, de la conversation ou de l'emploi de la parole dans différents contextes socio-politiques. Nous aurons à considérer la question des espaces publics et privés où s'exerce la parole dans des communautés sexuées. Existe-t-il dans certaines communautés africaines un temps et lieu où les femmes se parlent, ou parlent aux hommes, d'une façon qui révèle leurs rapports avec ces communautés et avec le reste du monde ? Mais si, en revanche, il convient mieux de limiter le rôle de l'oralité à un ensemble restreint de genres littéraires, le problème se pose de savoir distinguer entre les emplois formels et informels du parler humain. À quel moment peut-on dire qu'une chanson n'est plus l'expression spontanée d'un sentiment ou d'une pensée, qu'elle revêt une forme culturelle fixe ou prédéterminée ?

Si les écrivaines africaines inscrivent dans leur écriture formes et signes d'oralité, quel est le rapport entre l'oralité et l'écriture qu'elles représentent ? Peut-on parler d'un lien qui va de soi et qui serait différent chez les hommes africains ? Qu'est-ce que cela veut dire au juste quand on dit qu'une écrivaine africaine parle de la tradition orale ? Ou quand on dit qu'un personnage femme figurant dans un texte fictif écrit est une « femme traditionnelle »? Le mot « tradition » a-t-il ici le même sens qu'on associe à ce mot quand on parle de « traditions orales » ?

Si nous admettons que l'oralité des femmes concerne le recours à la parole en général, nous aurons tendance à comprendre le narratif en des termes dialogiques, ce qui pourrait suggérer que l'auteure cherche à nous rappeler la façon dont les femmes parlaient autrefois et continuent peut-être à parler aujourd'hui. Ou on pourrait croire que l'écrivaine se conçoit en dialogue avec d'autres femmes, surtout d'autres femmes qui n'auraient pas autrement de voix. Ou que l'auteure n'est pas satisfaite de la façon dont les femmes ont été contraintes par des conceptions sclérosées de la tradition et qu'elle tient à remettre en cause de telles représentations. Chacune de ces trois hypothèses serait pertinente au « Headstrong Historian » (« L'historienne têtue ») de Chimamanda Adichie, récit éminemment ironique de la vie d'une "femme traditionnelle".

Sans offrir de solutions finales, ce récit peut suggérer plusieurs réponses possibles à nos questions sur l'oralité des femmes : l'emploi stratégique du terme « historienne » dans le titre de la nouvelle ne manquera pas d'attirer notre attention sur un des grands champs de bataille de l'oralité : le problème de la véracité historique étayée par des archives écrites. Ne mourra pas de sitôt la vieille notion selon laquelle l'Afrique connaît un rapport problématique avec l'Histoire à cause de sa prétendue sur-dépendance vis-à-vis de l'oralité (voir Biakolo).

La jeune Afamefuna est identifiée à la fin du récit comme historienne professionnelle, mais dès le début, c'est Nwamgba, la grand-mère d'Afamefuna, qui paraît plutôt têtue. Il en résulte une ambiguïté quant à la référence du titre, ce qui nous mène à la question de savoir exactement ce que cela peut signifier quand on dit qu'une femme est historienne.

Le récit d'Adichie ne consiste donc pas seulement en des mémoires nostalgiques dédiés à une aïeule décédée. Son texte entame un débat qui rappelle implicitement le vieux conflit en historiographie africaine entre oralité et écriture. Ce rappel devient encore plus ironique quand on considère les stéréotypes connotés par le mot « headstrong » appliqués à des femmes qui remettent en question l'autorité patriarcale et qui osent s'insinuer dans des lieux sacrés du pouvoir masculin, dont sans doute le droit d'écrire les chroniques de l'Histoire. Toutefois, étant donné que le conflit entre oralité et écriture est aussi un lieu de dialogue, il est possible que l'oralité des femmes africaines telle qu'elle est représentée dans le texte d'Adichie se repositionne et se reconfigure moins comme une lutte à mort entre vieux préjugés et celles qui en ont souffert que comme une conversation sur la mémoire et l'espoir. Il ne s'agit pas d'oublier la lutte entre oppresseurs et opprimés, comme si l'oppression n'avait pas eu lieu : au contraire, c'est précisément le refus de se taire qui réunit la lutteuse et l'universitaire têtue. Ce qui nous surprend peut-être, c'est la façon dont Nwamgba et Afamefuna comprennent leur rapport entre elles. Elles ne se voient pas comme l'ancien opposée au nouveau, le traditionnel opposé au moderne, le passif opposé à l'actif ou la voix parlée opposée à l'écriture. Elles se voient plutôt comme deux femmes qui partagent l'information, la connaissance méthodologique et les pensées à travers le temps, qui apprennent ensemble ce qu'elles pourraient devenir.

Le fait de nommer quelqu'un ou de changer son nom, si important dans ce récit, constitue un aspect crucial de l'oralité des femmes car elle reflète la lutte entre la langue maternelle et la langue de colonisation dans le discours et dans l'esprit des historiennes têtues. La même lutte qui révèle la puissance de la langue anglaise affirme aussi l'existence, la puissance et la validité d'une langue igbo vivante qui, loin de se laisser reléguer à une existence « précoloniale », projette dans l'avenir le sens et le pouvoir pragmatique de ses mots.

Jeune veuve harcelée par les parents avides de son mari, Nwamgba (nom qui signifie en igbo « enfant qui lutte ») envoie son fils unique à une école de missionnaires dans l'espoir que celui-ci pourra un jour défendre la cause de sa mère dans le système judiciaire colonial (voir Nzegwu). Plus tard, embarrassée et découragée par l'aliénation culturelle de son fils qui en résulte, « elle pria et sacrifia aux dieux pour que sa belle-fille Mgbeke accouche d'un fils, parce ce serait son regretté mari réincarné pour réintroduire au monde un peu de bon sens. » (213-14).[2] Mais ce sera plutôt le deuxième enfant, une fille, qui comblera les désirs de Nwamgba :

> Du moment que Nwamgba la tenait, les yeux brillants du bébé fixés sur elle de la manière la plus charmante, elle a su que c'était bien l'esprit d'Obierika de retour. Cela semblait saugrenu qu'il soit venu sous forme de fille, mais qui pouvait prédire les voies des ancêtres ? Le révérend père O'Donnell lui a donné comme nom de baptême « Grace », mais Nwamgba l'a nommée Afamefuna qui veut dire 'Mon nom ne sera pas perdu' (214).

Afamefuna deviendra une historienne et universitaire formée dans des institutions « occidentales » mais c'est le lien intime avec la grand-mère qui l'amènera à vouloir réécrire l'histoire coloniale dans une perspective qu'elle voit comme étant africaine.

Il nous semble que c'est ce transfert mythico-culturel, basé sur une croyance traditionnelle igbo (à savoir que certains petits-enfants sont en fait l'esprit réincarné d'un de leurs grands-parents) qui permet à Adichie comme *écrivaine* de mettre à l'écrit la voix parlante de Nwamgba sans faire de celle-ci ni un artéfact culture ni un palimpseste d'elle-même. Nwamgba n'est pas le souvenir d'une historienne, elle est l'historienne têtue autant que sa petite-fille, d'où le sens double du titre du récit. En effet, l'histoire de sa parole, telle que représentée métonymiquement par son nom, loin d'être remplacée par le texte écrit, s'y prolonge et s'y complète. Adichie nous offre ainsi la preuve que la mémoire culturelle peut survivre à toute notion sclérosée de tradition. Les sociétés africaines et les identités culturelles, loin de mourir de leur belle mort, continuent à s'incarner de façons renouvelées et réinventées.

Dans son étude du rapport entre l'oralité et l'écriture des femmes, publiée dans la revue *Research in African Literature* en 1994, Obioma Nnaemeka dit que « les femmes, en tant que sujets parlants, ont été transformées en objets écrits grâce à la collusion entre le sujet impérialiste et le sujet patriarcal, alors que ces objets écrits harcelés sont maintenant en train de réinscrire dans leurs propres textes les signes de leur pertinence comme sujets parlants qui savent écrire. » (138).

Mais Nnaemeka part du point de vue de l'écrivaine plutôt que de celui de la femme qui parle. Le sujet parlant figure plus discrètement, comme un horizon idéal, représentant une communauté parlante qui ne peut plus apparemment parler pour elle-même sans le support de l'écriture. C'est ce

---

[2] Toutes les traductions de l'anglais dans cette étude sont les miennes.

modèle sous-jacent qui mène à l'embarras décrit par Nnaemeka quand elle dit :

> La place centrale des femmes au sein de la tradition orale africaine est incontestable, mais la question inquiétante demeure de savoir, si les écrivaines africaines se prétendent les héritières des grandes conteuses de la tradition orale (dans laquelle des femmes fortes [...] sont clairement reconnues), pourquoi trouvons-nous si peu d'exemples comparables dans la littérature écrite ? Comment expliquer la marginalité et la subalternité des personnages femmes qui représentent le changement ? Pourquoi les protagonistes femmes restent-elles partout ce que j'appellerais des 'personnages de réaffirmation' dans la mesure où elles réaffirment les lieux communs entourant la femme et sa 'réalité' (*ibid.*)

Si l'on admet que la dichotomie oralité/littérarité est aussi datée que l'opposition entre tradition et modernité, il devient d'autant plus urgent de repenser le rapport entre la femme africaine comme écrivaine et la femme africaine parlante qui figure dans le discours fictif de celle-ci.

Dans le récit d'Adichie, on pourrait parler d'un rapport linéaire entre Nwamgba et sa petite fille « occidentalisée » Grace, mais il est fort probable que cet ordre chronologique apparent ne soit effectivement qu'une apparence : un mirage narratif conventionnel démenti en fin de compte par le rapport effectif et efficace qui se forme entre les actes de parole de la grand-mère et ceux de sa petite-fille. De tous les récits recueillis dans *The Thing around Your Neck, Purple Hibiscus* et *Half of a Yellow Sun*, "The Headstrong Historian" est le seul qui parte du point de vue d'une femme qui n'aurait jamais écrit un texte en anglais. Et pourtant le récit se donne, à travers son intertexte et son auto-référentialité, le rôle du prélude d'un ouvrage d'historiographie écrite :

> C'était Grace qui, en passant par Agueke pendant son voyage de retour, serait hantée par l'image d'un village rasé, qui se rendrait à Londres, à Paris et à Onitsha, qui passerait au crible les dossiers moisis des archives et qui finirait par réincarner les êtres et les odeurs de l'univers de sa grand-mère pour le livre qu'elle écrirait : Les armes de la pacification : l'histoire du Nigeria méridional. (217)

L'auteure « têtue » implicite pourrait être Nwamgba ou Afamefuna-Grace. Tant la structure narrative que les évocations onomastiques du texte suggèrent une lutte (« wrestling match ») d'oralités (définies comme des cultures qui se parlent et qui parlent l'une au sujet de l'autre), ainsi qu'une écriture stratégique que l'une ou l'autre de ces deux oralités peuvent s'approprier à ses propres fins. Nwamgba est lutteuse, non pas à cause d'une sexualité normative (que la narratrice conteste sans complètement la nier), mais plutôt à cause de la force de son caractère. Même si elle « joue le rôle » de la femme traditionnelle, Nwamgba voit dans la parole écrite une alliée, alors même qu'elle juge totalement insignifiants les noms anglais « imprononçables ».

L'écriture devient encore une fois l'alliée de Nwamgba/Afamefuna quand la petite-fille passe par le système juridique de Lagos pour changer officiellement (c'est-à-dire par écrit) son nom de Grace (acte de parole du prêtre blanc) à Afamefuna (acte de parole de Nwamgba). Le nom Grace était déjà un signe ambivalent du don des missionnaires : un don qui sauve et qui anéantit en même temps.

N'est-il pas possible de voir en Nwamgba une femme qui partage les fonctions déontiques et épistémiques de l'historienne têtue bien que ce soit Afamefuna qui gagnera les lettres de créance de l'historiographe (au nom de sa grand-mère) ? Nwamgba est la première à entamer des conversations afin de se documenter. Elle s'appuie sur les expériences de son ami Ayaju, commerçante et voyageuse, pour affermir ses connaissances de l'histoire coloniale : « Ayaju avait été la première à rapporter les coutumes bizarres des commerçants igala et edo, à parler des hommes de peau blanche qui arrivèrent à Onitsha munis de miroirs, de tissus et des plus grands fusils que les gens de cette région avaient jamais vus. » (201). Et plus tard :

> Ayaju est revenue d'un de ses voyages de commerce avec une autre nouvelle : les femmes d'Onitsha se plaignaient des hommes blancs. Elles avaient accueilli le comptoir des blancs, mais maintenant ceux-ci voulaient leur dire comment faire le commerce, et quand les anciens d'Agueke, un clan d'Onitsha, ont refusé de mettre l'empreinte du pouce sur un document, les soldats blancs sont venus […] raser le village. Il n'en restait plus rien (204).

Le refus d'apposer le pouce sur un document n'est pas forcément le rejet de l'écriture en tant que telle, mais plutôt un acte de résistance face à l'emploi de l'écriture pour imposer des conditions inéquitables. On peut penser ici à la « croix » que le fils de Man Ya lui impose, dans *Exil selon Julia* de Gisèle Pineau, pour procurer à sa mère contre son gré une pièce d'identité française. L'empreinte du pouce est le signe de la fausse confession qui nous force à nous incriminer nous-même, à adhérer à un acte de parole dont on nous cache les implications.

Historienne véritable, Nwamgba reste sceptique en ce qui concerne la vraisemblance du témoignage d'Ayaju : « Nwamgba ne comprenait pas. Quelle sorte de fusils les blancs possédaient-ils ? » (204). On observe encore la réflexion de Nwamgba dans sa réaction à l'histoire d'Iroegbunam. (Le nom de celui-ci constitue en lui-même un récit oral de l'histoire des Igbo par rapport à la Traite des esclaves et à leur résistance, libération et évangélisation : Iroegbunam veut dire en effet « Leur inimitié ne me tuera pas ».) L'expérience d'Iroegbunam reflète en effet plusieurs aspects de l'histoire précoloniale et coloniale igbo : la traite des esclaves résiduelle qui a persisté sur le territoire des Igbo bien au-delà de l'époque de l'abolition officielle de l'esclavage à l'échelle mondiale (voir Isichei) ; le rôle dans cette pratique de commerçants d'esclaves d'origine igbo, la fusion progressive du travail des missionnaires catholiques et protestants, des mouvements d'abolition en Europe et de la colonisation à l'aube du 20ᵉ siècle. Sans insister sur le moment de la première rencontre de Blancs et d'Africains, la narratrice laisse entendre qu'Iroegbunam est venu lui-même à titre de missionnaire au village de Nwamgba :

> L'histoire d'Iroegbunam hantait Nwamgba parce qu'elle était convaincue que [sa vente aux esclavagistes] serait précisément la manière par laquelle les cousins d'Obierika se débarrasseraient de son fils à elle. [...] Elle a remarqué également qu'Iroegbunam repassait inconsciemment à la langue des Blancs de temps en temps. C'était une langue qui lui semblait nasale et dégoûtante. Elle n'avait pas la moindre envie de la parler elle-même, mais elle forma sur le champ l'intention ferme de faire en sorte que son fils Anikwenwa arrive à la parler suffisamment bien pour pouvoir tenir tête aux cousins d'Obierika dans la cour des Blancs [...]. Dès lors, quelques jours après le retour d'Iroegbunam, elle a annoncé à Ayaju qu'elle allait emmener son fils à l'école (207).

En fait, c'est Nwamgba elle-même qui a pris la décision d'assurer l'aliénation linguistique d'Anikwenwa, même si, au moment de sa décision, elle n'en savait pas les conséquences en termes d'aliénation culturelle et identitaire. Elle rejette l'école de la mission anglicane parce celle-ci emploie la langue igbo comme langue d'instruction et elle choisit le programme de la mission catholique qui vise une acculturation plus complète.

Toutefois, il faut se demander quelles étaient les intentions de Nwamgba quand elle essayait de reconstituer les fondements historiques de la colonisation de son peuple. Le fait qu'elle était préoccupée par les menaces des parents de son mari n'a-t-il pas compromis son objectivité d'historienne ? La notion d'objectivité historique n'est peut-être rien de plus qu'un mythe (ce que suggère sans doute le titre du « manuel » qu'Afamefuna porte dans son sac quand elle se rend au chevet de sa grand-mère : « La pacification des tribus du bas Niger »). En tout état de cause, on pourrait prétendre que l'enquête d'historienne de Nwamgba est éminemment impartiale pour la simple raison qu'elle ne conçoit pas le colonisateur comme son ennemi. Même au moment critique de sa vie, où son univers culturel semble s'écrouler devant elle (« elle se disait qu'elle mourrait sous peu, qu'elle rejoindrait Obierika et qu'elle serait enfin libre d'un monde qui de plus en plus n'avait plus de sens » 212), elle persiste à voir le colonisateur comme un étranger, c'est-à-dire comme quelqu'un dont on peut toujours évaluer les actions d'un œil critique, sans investissement passionnel. Elle connaît très bien la supériorité des armes à feu du Blanc ainsi que la puissance (surtout juridique) de sa langue, mais elle continue à chercher en priorité à exploiter cette puissance pour résoudre un conflit qui appartient finalement à son propre univers socio-culturel. Il s'agit d'un conflit sexuel qui oppose une femme-lutteuse plausible mais peut-être un peu iconoclaste à une culture politique qui, malgré une structure complexe de freins et contrepoids, tend quand même à favoriser le patriarcat :

> Les cousins d'Obierika se sont approprié une terre importante en disant aux anciens qu'ils allaient la cultiver pour elle, une femme qui avait émasculé leur frère mort et qui refusait toujours de se remarier malgré les soupirants qui ne manquaient pas et la rondeur toujours intacte de ses seins. Et les anciens ont pris leur parti. (206)

Elle sera certes trahie par le monde blanc et par la puissance tant de ses fusils que de sa langue, mais la plus grande ironie de cette trahison provient du fait que c'est le fils qu'elle a envoyé apprendre ce qu'elle croyait être une langue émancipatrice qui devient un patriarche plus absolu qu'aucun des anciens qu'elle avait connus. Ce sont les mêmes anciens qui ont soutenu le droit des femmes d'établir les règles concernant la baignade dans les eaux d'Oyi. Ils estimaient que la déesse responsable de la protection des femmes avait le droit de formuler ses propres règles à l'égard du sacré. Mgbeke, la femme d'Anikwenwa, est opprimée, non pas parce qu'elle est tiraillée entre tradition et modernité, comme le dictent les clichés, mais parce que son mari est un phallocrate (formé par les missionnaires à leur image) qui craint avant tout que le mode de vie de sa femme réduise son prestige de catéchiste. Comme le remarque Nnaemeka : « La politique sexuelle et les idéaux victoriens de l'éducation coloniale ont créé une hiérarchie qui avantageait les hommes à force d'effacer pour l'essentiel toute présence effective de la part des femmes. » (139)

L'icône verbale récurrente « C'était Grace qui… » vient clore le récit. Alors que la plus grande partie du texte a été consacrée à l'histoire de Nwamgba, les deux dernières pages présentent en résumé la vie de Grace comme universitaire prometteuse transformée en « historienne têtue ». Son succès professionnel reste plus ou moins intact mais au prix d'un isolement social croissant. Ce n'est pas sans importance qu'elle va occuper brièvement un poste d'enseignante dans le village d'Agueke qui avait été bâti sur les ruines d'une communauté autrefois détruite par les Anglais. C'était en effet le récit d'Ayaju au sujet de cet événement qui avait déclenché chez Nwamgba une réflexion sur son rapport avec l'Autre : l'étranger qu'elle croyait assez étranger à son existence pour lui servir d'appui contre son adversaire ; elle croyait pouvoir incorporer le pouvoir de l'autre à son propre pouvoir d'agir.

L'expression récurrente « C'était Grace qui... » suggère la réinsertion de l'oralité dans un texte au moment même où on semble affirmer la réintégration de celui-ci dans le lieu sûr des archives. Mais l'expression semble charrier une ironie encore plus suggestive. C'était cette même Grace qui, ayant dû quitter secrètement l'école en plein milieu de ses examens pour se tenir seule au chevet de sa grand-mère, cherchera à réécrire l'histoire. Cette réécriture n'est donc pas simplement la traduction écrite de la parole de sa grand-mère. En effet, Afamefuna est le témoin vivant d'une langue vivante. Elle est plus proche des apprenties de la lutteuse-sculpteur, ayant appris le sens de l'histoire écrite d'une femme qui, sans pouvoir écrire, avait compris l'écriture comme seule une vraie historienne aurait pu le faire.

Mais le terme « apprentie » lui non plus ne saurait représenter pleinement l'interdépendance de Nwamgba et d'Afamefuna. La personne à qui se référait le possessif de « mon nom ne sera pas perdu » était Obierika, lutteur lui aussi. Les conditions culturelles et politiques du Nigéria postcolonial sont telles qu'Afamefuna devient également Nwamgba en luttant en tant que femme avec un monde patriarcal naissant. Afamefuna, mon nom ne sera pas perdu, ce qui sera confirmé par l'acte de parole juridique postcolonial de Grace qui adopte le nom Afamefuna dans une cour de Lagos. Il s'agit d'une réincarnation dans un sens à la fois mythologique (igbo) et postcolonial de l'esprit de son grand-père et de sa grand-mère.

Pour conclure, l'oralité peut être un concept utile dans la mesure où elle nous fournit un sens plus large de la communication au sein de cultures enchevêtrées pendant de longues périodes de temps. En revanche, elle peut devenir profondément nuisible si elle réduit notre conception de la voix des femmes africaines à une pratique culturelle formelle au lieu de nous aider à comprendre ce que disent les femmes, pourquoi elles le disent et pourquoi nous aurions intérêt à écouter. Ces questions urgentes font intégralement partie du texte écrit.

Références bibliographiques

Adichie, Chimamanda Ngozi. *Purple Hibiscus*. New York: Anchor Books, 2003.

---. *Half of a Yellow Sun*. Toronto: Vintage Canada, 2007.

---. "The Headstrong Historian", in *The Thing Around Your Neck*. New York: Knopf, 2009. Pp. 198-218.

Biakolo, Emevwo. "On the Theoretical Foundations of Orality and Literacy". *Research in African Literatures*, 30.2 (1999): 42-65.

Isichie, Elizabeth. *A History of the Igbo People*. London, Macmillan, 1976.

Larrier, Renée. *Francophone Women Writers of Africa and the Caribbean*. Gainesville: University Press of Florida, 2000.

Nnaemeka, Obioma. "From Orality to Writing: African Women Writers and the (Re)Inscription of Womanhood". *Research in African Literatures*, 25.4 (1994): 137-157.

Nzegwu, Nkiru. *Family Matters: Feminist Concepts in African Philosophy of Culture*. Albany: State University of New York Press, 2006.

Pineau, Gisèle. *L'Exil selon Julia*. Paris: Stock, 1996.

Chapitre II

Critique et écriture de l'oralité dans le roman africain : discursivité[1] orale chez Aminata Sow Fall

Médoune Guèye

Virginia Tech

Résumé

Le débat soulevé par le colloque international "Traditions orales postcoloniales" fait écho à la question que la critique littéraire se pose au sujet de la référence aux formes orales dans le roman africain. C'est là un débat portant spécifiquement sur les rapports entre la création et la société comme sur la spécificité d'une démarche critique et épistémologique africaine. Nous examinons la question de l'oralité dans l'œuvre d'Aminata Sow Fall pour montrer que la dimension socioculturelle est la référence incontournable en vue d'une meilleure compréhension de la littérature produite en Afrique.

Abordant le sujet de la littérature en Afrique, il est important d'éviter le sable mouvant de la "spécificité africaine", en soulignant que la question n'est pas de savoir ce qui constitue l' "africanité" d'une œuvre et de son auteur ; il s'agit plutôt, comme le précise David Ngoran, d'explorer les conditions de compréhension de cette "africanité" (Ngoran 17-18). Que cette spécificité soit mythe ou réalité, donnée culturelle ou historique, la question pertinente qui se pose à l'état actuel des recherches est - selon Kasende - celle de son statut fonctionnel en tant qu'élément générateur d'un certain discours critique, artistique ou social.[2] Donc à la question de savoir "quelle est la spécificité d'une œuvre donnée ?" se substitue une autre, plus complexe, d'ordre fonctionnel : comment la spécificité négro-africaine (culturelle, socio-historique…) participe-t-elle à la mise au point de la représentation par l'auteur d'un tel univers de signification, d'une telle

---

[1] Dans la mesure où le roman n'est pas un genre oral, le terme de discursivité orale traduit mieux le processus d'adaptation des stratégies discursives, issues de la littérature traditionnelle. C'est en ce sens que le terme d' "oralité feinte" s'applique à cette esthétique.

[2] En effet, pour le critique, l'objet de la recherche c'est l'impact de cette spécificité dans la mise au point de la structure et de l'univers de l'œuvre. Voir Kasende 50.

structure narrative ?[3] Pour répondre à ces questions, nous considérons l'inscription des stratégies narratives et discursives, issues de l'oralité, dans les textes d'Aminata Sow Fall. Nous discuterons l'adaptation de cette esthétique précisément dans *Le Revenant*, *L'Appel des arènes*, et *Le Jujubier du patriarche*.[4]

L'aspiration à une moindre dépendance par rapport aux contraintes matérielles et symboliques imposées par le centre[5] est à l'origine de la formation du champ littéraire en Afrique. En effet, l'autonomisation de la littérature africaine s'est accomplie en opposant les formes de la « périphérie » à celles dominantes du « centre ». C'est dire que la spécificité des « littératures portant l'Afrique comme désignations qualificatives et définitoires » émane de stratégies spécifiques pour « s'instituer, s'imposer et se faire reconnaître » (Ngoran 17-18). Il s'agit, comme le conclut David Ngoran, d'une construction issue d'un arbitraire sociologique et historique, conférant ainsi toute sa légitimité ou sa recevabilité esthétique et institutionnelle à l'œuvre africaine et à son auteur (17-18). En analysant le contexte de la naissance du roman africain, Amadou Koné montre qu'après la Traite et la colonisation, et l'éclatement des structures communautaires qui en suivit, la référence à la culture africaine devient un élément de l'esthétique romanesque et un moyen de lutte indispensable à la survie de l'individu. Cette référence à l'Afrique prouve qu'écrire en français ne veut pas dire abandonner les valeurs esthétiques africaines (Koné 26).

La critique qui produit un discours sur l'œuvre africaine tente de répondre à la question de savoir comment lire, interpréter, comprendre ou juger cette littérature (Mateso 13). Nous distinguons dans cette affirmation l'écho d'un débat sur l'oralité et le paradigme postcolonial dans la littérature en Afrique : « Que suggère une oralité postcoloniale qui informe le texte de fiction postcolonial africain ? ».[6] Il s'agit ici de montrer que l'intervention de

---

[3] Kasende précise ainsi que cette interrogation « permet d'établir le concept d'africanité dans son statut de mythe fondateur de discours multiples. [...] elle cesse d'être considérée comme objet de recherche générateur des discours tautologiques, paraphrastiques ou hyperboliques » (51).

[4] Le cadre restreint de cette communication ne permet pas la dicussion approfondie de plusieurs romans de l'auteur.

[5] Il s'agit du champ franco-parisien pour la littéraire francophone d'Afrique.

[6] Colloque international : Traditions orales postcoloniales. Université de British-Columbia, Vancouver, Canada, du 4 au 5 avril, 2012. Cette interrogation rejoint celle énoncée par Ngoran car elle possède l'avantage de donner les moyens de répondre à la question fondamentale et déterminante pour tout projet interprétatif, à savoir restituer leurs sens au « comment » et au « pourquoi » d'une forme textuelle particulière à un moment historique donné dans une société bien déterminée (Ngoran 23).

l'artiste africain consiste en une relecture de la tradition : il faut comprendre cette intervention comme une défense et illustration de l'oralité.

S'il faut prendre en compte les espaces sociaux dans lesquels se trouvent situés les agents qui contribuent à créer les œuvres culturelles, comme le maintient Bourdieu (4), le « vaste texte virtuel et objectif de la tradition »[7] et les intertextes qu'il suscite dans la littérature moderne[8] ne peuvent pas être ignorés dans toute perspective critique. En effet, l'oralité littéraire comme mode de culture et de communication ne se définit plus négativement par l'absence d'écriture.[9] Ainsi la prétention logocentrique à ériger l'écriture phonétique en fondement de la critique doit être dépassée ; la possibilité théorique de la critique en situation d'oralité n'est plus à démontrer. Voilà pourquoi le philosophe sénégalais Mamoussé Diagne proclame « la dignité théorique » de la pensée orale et analyse les procédés discursifs dans les sociétés africaines[10] en se posant des questions pertinentes : Y a-t-il des lois spécifiques et des processus intellectuels qui organisent la parole vive, traditionnelle ? Et s'il y a au cœur de l'oralité comme une écriture ? Et par là il entend, l'écriture en son double sens d'inscription et de production. Il va sans dire que la référence aux formes orales dans le roman africain tient du débat sur les rapports entre la création et la société en Afrique et aussi du débat sur la spécificité d'une démarche critique et épistémologique africaine.[11]

D'où le concept d'« écriture sous tension » que la critique africaniste emploie pour traduire une manière d'écrire typiquement africaine, ce style particulier dans les textes écrits en langues europhones qui tient d'une pratique esthétique littéraire définie comme acte poétique.[12] En effet cet acte poétique est illustré par une construction qui produit par rapport à l'usage naturel de la langue un écart, un effet d'étrangeté, une différence constituant la caractéristique même de la littéralité selon Paul Aron et Alain Viala (37).

---

[7] Pour reprendre une expression de Ngal. (Cité par Mateso 30).

[8] Il y a en Afrique un réseau de textes différents par leur statut comme l'a déjà montré V Y Mudimbe : la littérature orale appartenant au cadre socioculturel traditionnel ; la littérature écrite en langues africaines utilisant l'alphabet arabe et européen ; et la littérature écrite en langues européennes : la littérature moderne de l'Afrique. Voir Mateso 29.

[9] Voir Baumgardt et Dérive, *Littératures orales africaines* (Paris : Khartala, 2008) quatrième de couverture.

[10] Selon Mamoussé Diagne, il faut rejeter l'arraisonnement de la raison par le seul mode de la pensée écrite ; libérer la pensée de la seule autorité de l'écriture, et l'ouvrir à la parole traditionnelle. (2005: 5-10).

[11] « Il faut veiller à ce que la littérature africaine ne soit pas édulcorée par un universalisme abstrait et déraciné. [Certains critiques] estiment qu'à côté des méthodes inspirées de l'Occident, il y a une voie propre à l'Afrique » (Mateso 295).

[12] « Et c'est à ce point que nous voulions en arriver [...] : réfléchir à la notion d'*oralité feinte* utilisée pour caractériser la littérature africaine d'expression française, en la rapportant à ce concept d'esthétique littéraire qu'est l'*écart* » (Bachir Diagne 2-3).

Puisque l'œuvre se construit en construisant son contexte, et que le contexte africain est caractérisé par le fait que la littérature orale est toujours vivante dans la société à travers l'éducation,[13] alors la présence des formes d'expression culturelles de l'oralité dans le roman doit être un facteur de réflexion dans l'interprétation des œuvres africaines. Le travail du critique consiste donc à « faire ressortir la continuité relative du discours traditionnel oral au discours écrit » et à examiner « la survie de la tradition dans un contexte de modernisation » (Mateso 339-340).

L'écriture de la romancière sénégalaise Aminata Sow Fall dans *Le Revenant* (1976), *La Grève des Bàttu* (1979), *L'Appel des arènes* (1982), *L'Ex-père de la nation* (1987), et *Le Jujubier du patriarche* (1993) illustre tout à fait la survie de la tradition dans un contexte moderne à travers la construction et la symbolique de ces romans. Au niveau de la forme, elle adopte dans ses romans des genres, des motifs et des procédés narratifs qui sont inspirés par la littérature traditionnelle. Au niveau de la fonction, Sow Fall revalorise la pensée wolof par la production d'un ethnotexte qui introduit de multiples références à l'oralité sous la forme de proverbes, de dictons et de syntaxes wolof dans son texte français.[14]

Aminata Sow Fall fait partie de la première génération de romancières du Sénégal. Le premier roman écrit par une femme, *De Tilène au Plateau* (1975), est paru sous la plume de Nafissatou Niang Diallo, le deuxième, *Le Revenant* (1976), sous celle d'Aminata Sow Fall, le troisième est *Une si longue lettre* (1979) de Mariama Bâ. Cette rentrée des femmes dans le domaine littéraire a produit des œuvres de valeur humaine et esthétique internationalement reconnue. Au Sénégal, la littérature écrite par des hommes devance d'un demi-siècle celle des femmes. Ainsi la position discursive de la femme a longtemps été présentée uniquement à travers l'œuvre d'écrivains mâles. C'est pourquoi les années 70, qui verront la venue à l'écriture de romancières comme Nafissatou Niang Diallo, Mariama Bâ et Aminata Sow Fall, marqueront le début d'une autre ère. Comme le dira Sow Fall : « En rentrant au Sénégal je me suis dit que la littérature africaine

---

[13] En effet l'univers africain reste encore très proche des mythes qui informent la littérature orale. Voir Kesteloot et Dieng 12. Notons toutefois que l'oralisation du langage n'est pas un procédé absolument spécifique aux romanciers francophones, même s'il se trouve qu'ils sont nombreux à l'utiliser ; pas plus que le recours à la fiction d'une énonciation orale. En Europe des romanciers ont créé des cadres fictifs d'oralité pour justifier la narration de leurs histoires. Voir Dérive 196.
[14] Rappelant la perception bakhtinienne du roman comme phénomène pluristylistique, plurilingual et plurivocal, Amadou Koné soutient que : « La spécificité du discours romanesque, c'est qu'il est traversé de 'discours étrangers' à l'intérieur d'un même langage » (61).

devait évoluer et dépasser le stade de la réhabilitation de l'homme noir » (Pfaff 136).

Dans son premier roman *Le Revenant*, Aminata Sow Fall construit une structure dualiste, présentée comme une syntaxe minimale qui formalise le discours du récit traditionnel et décrit ce que Denise Paulme appelle la progression d'une situation initiale de manque à la négation de ce manque[15] ou vice-versa. Le roman illustre ainsi l'emprunt de la structure du conte de type I, ascendant et du type II, descendant à travers les actions des personnages principaux, Bakar et sa sœur Yama. Frère et sœur vivent dans une famille très pauvre qui a immigré dans la capitale du pays en espérant mener une vie meilleure à tout prix. Yama se sert de sa beauté comme d'un adjuvant pour gravir les échelons de sa société, et Bakar utilise la ruse du malhonnête pour s'enrichir rapidement.[16] Leurs actions mènent finalement à la ruine totale. À la fin du roman, Yama subit une crise nerveuse et Bakar est obligé de se séparer de sa communauté et de sa famille.[17] Dans cette œuvre, Aminata Sow Fall introduit aussi trois proverbes wolof qui participent du contenu sémantique et idéologique du récit et constituent, avec l'introduction de mots wolof dans le texte, des éléments déterminant l'oralité feinte, effet de l'interférence linguistique, voire culturelle. Ces proverbes commentent indirectement l'orientation morale du récit : *Bañ gàcce nangu dee*, pas la honte, plutôt la mort (31) ; *Àddina neexul*, la vie réserve des surprises (32) ; et *Nit nit ay garabam*, l'homme est le remède de l'homme (109). Il est important de noter que « dans la logique de l'oralité, les proverbes sont des pratiques discursives, qui font partie des procédés de dramatisation (de l'idée), des mécanismes gouvernant la production, l'archivage, et la transmission du savoir individuel et collectif » (Mamoussé Diagne 18). On

---

[15] Un grand nombre de contes africains peuvent être considérés comme la progression d'un récit qui part d'une situation initiale de manque (causé par la pauvreté, la famine, la solitude ou une calamité quelconque) pour aboutir à la négation de ce manque en passant par des améliorations successives. Voir Paulme 135. Dans la démarche inverse, moins fréquente selon Paulme, le conte débute par une situation stable qu'un événement quelconque (le plus souvent une faute du héros) vient troubler et se termine par une punition qui peut aller jusqu'à la mort, d'un ou de plusieurs personnages. Et c'est pourquoi, Paulme distingue deux types de contes, ascendant et descendant.

[16] Il semble bien que Yama et Bakar reproduisent exactement l'itinéraire du héros dans le conte traditionnel, car comme le précise Paulme : « Il y a deux sortes d'épisode dans un récit : ceux décrivant un état (d'équilibre ou de déséquilibre) et ceux décrivant la transition de l'un à l'autre […] Ainsi l'amélioration de la situation initiale résultera aussi bien de l'ingéniosité du héros que d'une épreuve qu'il surmonte seul, soit par son courage, soit par une ruse » (Paulme 135-136).

[17] Il arrive encore que le manque initial, comblé dans un premier temps, soit suivi d'une catastrophe. Dans un cas comme dans l'autre, l'état final, qu'il se traduise par une récompense ou un châtiment, ressemble à l'état initial mais sans se confondre avec lui. Voir Paulme 135.

peut dire qu'en incorporant dans sa technique d'écriture des éléments de l'univers symbolique wolof, Aminata Sow Fall révèle clairement l'ancrage référentiel de son œuvre.

Les personnages de *L'Appel des arènes* se situent autour d'un projet central à la réalisation duquel tous participent et qui se cristallise selon trois axes : un désir à réaliser, une communication à effectuer et une lutte à soutenir. En effet, l'intérêt que Nalla exprime à l'égard de la tradition anime l'intrigue à laquelle tous les personnages de *L'appel des arènes* participent directement ou indirectement : sa grand-mère Mame Fari, son père Ndiogou, sa mère Diattou, Monsieur Niang, le tuteur, André et Malaw, deux lutteurs traditionnels et amis de Nalla, et enfin le griot Mapaté. Leur projet qui consiste à influencer l'adolescent dans une direction jugée bénéfique pour son éducation et son développement est donc une adaptation de rôles actantiels pour que Nalla puisse réussir comme les héros des récits traditionnels. En considérant la fonction des personnages de *L'Appel des arènes*, nous retrouvons autour des trois axes les figures abstraites traditionnelles comme destinateur, objet, destinataire, adjuvant, opposant, et sujet. Ainsi le roman illustre le motif de la quête qui donne à l'œuvre sa facture de récit initiatique ou de roman de formation. Les rôles actanciels déterminent la position de chaque actant par rapport au projet central du récit ; et le discours identitaire révèle comment Aminata Sow Fall recrée les modalités de l'énonciation épique en construisant le roman avec des éléments mythiques issus du patrimoine culturel wolof. En effet l'auteur utilise les catégories romanesques de l'espace et du temps pour évoquer un épisode de l'épopée wolof du Kajoor.[18] La localisation du récit à Louga, une ville du Kajoor - qui délimite l'un des espaces géographiques des grands royaumes du Sénégal - et le nom du lutteur Malaw[19] sont autant de codes évoquant la figure épique du héros national du Sénégal, Lat Dior Diop, qui a longtemps résisté à la domination coloniale. À travers les motifs que *l'Appel des arènes* évoque, on remarque ainsi toute une typologie archéologique de l'épopée traditionnelle.[20] D'où la pertinence des procédés narratifs et des

---

[18] « L'épopée du Kajoor [...] résume les caractéristiques essentielles des épopées wolof [...]. L'épopée wolof, qui charrie les éléments culturels des grands groupes ethniques de la sous-région, apparaît comme un lieu de synthèse et de redynamisation des schémas et motifs mythiques et épiques [...]. On y retrouve surtout les valeurs de courage et de fierté d'un peuple, résumées par la quête obsédante de l'honneur qui mène les héros au sacrifice. » Kesteloot et Dieng 249-250.

[19] Le nom de Malaw dans un contexte épique wolof rappelle nécessairement celui du dernier palefroi de Lat Dior. À ce parallèle s'ajoute le fait que les deux (Malaw) jouent le même rôle narratif. Le palefroi de Lat Dior et Malaw le lutteur sont deux figures dont la fonction de compagnonnage est déterminante dans les épreuves que les héros affrontent respectivement.

[20] Voir Dieng, « les genres narratifs et les phénomènes intertextuels dans l'espace soudanais (Mythes, épopées et romans) » 43-59.

stratégies discursives qui lient le roman à l'épopée du Kajoor, le monument majeur de la littérature orale wolof. L'adaptation ou la suggestion de tels éléments, participant à la mise en œuvre de la fonction éducative du symbolisme initiatique dans le parcours de Nalla, révèlent aussi la dimension hypertextuelle de *l'Appel des arènes*.

Le ressort dramatique du *Jujubier du patriarche* se développe autour d'une action principale engageant la famille contemporaine de Yelli. Celui-ci, face à sa situation économique catastrophique, à un conflit familial et à la décrépitude morale qui parcourt la société, décide d'organiser un pèlerinage annuel à Babyselly afin d'écarter ce tournant désagréable du destin. Ce qui fait du voyage un prétexte pour aller se ressourcer à la tombe de l'aïeul qui gît en ce lieu marquant les plus beaux jours de l'histoire de leurs nobles ancêtres. Ce retour vers le passé, en face d'un présent problématique, est emblématique, car *le Jujubier du patriarche* est une œuvre qui raconte un présent dramatique opposé à un passé héroïque. Un récit qui narre à la fois, en termes romanesques, le prosaïsme d'une vie urbaine de « fin du vingtième siècle » (12), que mènent Yelli, Tacko et compagnie, et, en termes épiques, l'héroïsme d'une époque qui s'étale sur « sept cents ans d'histoire de la lignée des Almamy et de celle des chasseurs du Foudjallon » (14-15). Lu sous cet angle, le roman rejoint d'autres œuvres d'Aminata Sow Fall par sa peinture d'une communauté aliénée où la recherche de valeurs authentiques se présente comme la solution ultime aux dysfonctionnements sociaux. Ainsi *Le Jujubier du patriarche* s'ouvre sur le mode de la fiction romanesque et se ferme sur celui de la poésie épique. L'œuvre, construite dans un rapport dialogique entre le roman et l'épopée, est caractérisée par le tissage d'éléments mythologiques traditionnels dans un texte romanesque contemporain. Cette stratégie littéraire permet à l'auteur de produire une narration écrite en fiction d'oralité[21] en créant un cadre d'énonciation orale par la technique de voix alternées où « [l'on] passe de la voix du narrateur qui mentionne l'épopée à la voix du personnage qui chante la même épopée ».[22] En réalisant un collage de la parole traditionnelle dans son discours romanesque, Aminata Sow Fall produit également un contre discours ethno nationaliste sur la société sénégalaise postcoloniale. Au niveau de la symbolique du *Jujubier du patriarche*, on peut lire l'intention discursive de l'auteur de célébrer le processus de la rencontre, de la

---

[21] Jean Dérive explique ce trait formel en soulignant que le style a évidemment été l'une des propriétés majeures des œuvres au moyen de laquelle s'est exprimée la revendication d'altérité. Voir Dérive 191.

[22] En transposant et en traduisant par exemple des épopées et mythes fondateurs, cet emprunt, cette traduction, cette transformation sérieuse, pour être fidèle aux expressions de Genette, ne modifient pas fondamentalement le cadre premier de narration du récit, c'est-à-dire le cadre diégétique. Voir Samba Diop 80.

symbiose, comme une sorte de panacée contre les maux sociaux qui interpellent l'Afrique postcoloniale. Ainsi, dans ce roman, bien que l'épopée du Foudjallon soit située dans un espace ethnique spécifique aux peuls[23], on peut dire qu'elle charrie les éléments culturels des grands groupes ethniques de la sous-région ; et qu'elle apparaît comme un lieu de synthèse et de redynamisation des schémas et motifs mythiques et épiques de la zone ouest sahélienne, comme Dieng et Kesteloot le constatent par rapport aux épopées de la même région (250).

La fonction symbolique de l'intertextualité dans cette œuvre est de signifier la polyphonie sociale en figurant l'écho des voies multiples qui forment la société sénégalaise à l'image de la polyphonie que constitue l'intervention de personnages comme Naani, Naarou et les griots qui, dans le passé comme dans le présent, ont déclamé l'épopée du Foudjallon à Babyselli.

La fécondation du roman par l'oralité dont rêve le narrateur dans *Giambatista Viko* de Ngal s'applique à la création romanesque d'Aminata Sow Fall qui témoigne, à travers l'introduction de formes et de stratégies narratives inspirées de la littérature traditionnelle, d'une discursivité orale signalant la présence de l'univers symbolique africain dans le roman, genre emprunté à l'Occident. Son écriture démontre que malgré la rupture avec l'oralité, il y a eu continuation avec la littérature orale dans les langues occidentales. Cet aspect de l'écriture d'Aminata Sow Fall renvoie à des déterminations liées aux conditions historiques de son écriture, aux codes et normes tant socioculturels que littéraires, qui informent son œuvre.

À travers l'histoire de Bakar et de Yama (*Le Revenant*), de Nalla (*L'Appel des arènes*), de Narou, de Yelli, de Tacko (*Le Jujubier du patriarche*), les romans d'Aminata Sow Fall se présentent comme une œuvre enracinée dans une communauté sénégalaise dont elle assume la revendication identitaire. Ainsi, par ses textes romanesques et leur fonctionnement esthétique, l'auteur illustre la notion d'identité narrative, à savoir « l'identité à laquelle un individu ou une communauté accède par la médiation du langage [...] notamment par l'ensemble des textes romanesques et narratifs saisis comme totalité » (Ngal 73). Notre approche archi-textuelle n'est pas guidée par une idéologie animée principalement par l'apologie de l'africanité ;[24] au contraire elle s'inscrit dans la perspective

---

[23] Selon Jean-François Durand, le chant tel qu'Aminata Sow Fall le reconstitue ne s'appuie pas sur une épopée particulière, mais s'efforce de donner une image syncrétiste du passé africain – même si celui-ci est plus étroitement limité aux peuls du Foudjallon. Voir Durand 95.
[24] Selon Josias Semujanga, l'africanité dégagée par la critique est plus souvent le produit de son propre discours que celui de l'analyse du texte. Voir Semujanga 17.

d'une étude du roman comme processus d'*invention du fictif* (Sy 40), inséparable du cadre contextuel, puisque le roman rend compte de l'expérience humaine, de la réalité. Et comme « parler du roman africain, c'est en un sens parler de l'africanité du roman » (Sy 35), il faut appréhender le sujet, les codes et les stratégies énonciatives, issus de la culture africaine dans l'œuvre des auteurs. L'africanité du roman est déterminée par un discours africaniste qui est tout simplement la mise en action de la langue par un sujet, selon des codes, selon des stratégies, dans une situation historique donnée et en vue d'une certaine action sur le monde et les autres hommes (Delas 5). Voilà pourquoi, le critique africaniste doit privilégier une approche fondée sur des données sociales et textuelles pour montrer que les traits esthétiques des récits oraux de la littérature traditionnelle, qui se trouvent chez les auteurs africains, ne sont pas décoratifs mais fonctionnels.[25]

Selon Josias Semujanga, il est impératif de repenser la signification des œuvres africaines dans une perspective polymorphe et transculturelle (Semujanga 191). Notre approche se conforme à cette injonction ; ce qui nous permet d'affirmer aussi que parler du roman africain, c'est parler du roman, genre d'origine occidentale. Il s'agit de réfléchir sur le fait que le roman africain participe de l'esthétique du roman contemporain pour replacer les textes africains dans l'histoire du roman, car les formes du roman africain sont celles du roman en général même si les contenus peuvent différer suivant les enjeux idéologiques et sociaux (Semujanga 190). Il n'est donc pas choquant ou révolutionnaire de constater l'africanité du roman africain, car les traits ethno-textuels y coexistent avec le discours colonial, primitiviste, les résidus de lectures de la littérature française, les discours politiques et culturalistes sur l'Afrique (Dieng 58-59). Ces traits du roman africain justifient bien la réflexion sur l'apport de la tradition africaine au roman, comme de tout autre par ailleurs, car ils soulignent un des aspects les plus importants de la modernité africaine, à savoir l'hybridité synthétique des cultures du continent (Semujanga 191). Les problématiques que pose cette modernité sont liées à la tradition[26] dont les aspects les plus dynamiques continuent à se manifester à notre époque. Cette dialectique

---

[25] « À ce niveau de l'évolution du discours critique et théorique sur la littérature africaine d'expression française, une analyse effective des œuvres axée sur le rapport fonctionnel entre l'énonciation et l'idéologie s'impose. Elle se fonde logiquement sur les contextes historiques et sociodiscursifs des romans étudiés. » (Kasende 51).
[26] « La tradition apparaît comme l'équation qui justifie les structures sociales actuelles et préfigure les structures sociales potentielles à venir […]. La tradition elle-même est mouvante et doit s'adapter à tout moment » (Agblemagon 139-140).

qu'Agblemagnon formule clairement constitue une réponse formelle à la question posée par le colloque « traditions orales postcoloniales ».[27]

Si le terme de comédie humaine sénégalaise sied parfaitement à la fiction romanesque d'Aminata Sow Fall, c'est que l'auteur tient un miroir à la société dans son œuvre. L'orientation realiste de cette œuvre, essentiellement liée à la fonction didactique de son art littéraire,[28] explique sa technique de construction des personnages où les rôles sont souvent inspirés de récits traditionnels. Cette inspiration est l'expression d'une poétique fondée sur la conjonction de la modernité et de la tradition. Il faut surtout comprendre qu'Aminata Sow Fall tient un discours sur la tradition et la société. Cependant son discours ne vise pas la confrontation de la tradition et de la modernité. Il a pour objectif une représentation authentique de l'être au monde du Sénégalais et de l'Africain en général que la colonisation, les indépendances et l'après-indépendance, avec leurs escortes de problèmes sociaux et identitaires, ont marqué fermement.

---

[27] « Nous saisissons, au niveau du matériel oral et du conte en particulier, le processus normal d'adaptation des 'structures traditionnelles' aux diverses formes de 'conditions nouvelles' » (Agblemagon 140).
[28] Comme le font remarquer Cabakulu et Camara, le réalisme d'Aminata Sow Fall « reste critique [...] elle veut sans doute attirer l'attention du lecteur sur les maux de la réalité décrite et le faire réfléchir. » (Cabakulu et Camara 61).

Références bibliographiques

Agblemagon, F. N'sougan. *Sociologie des sociétés orales d'Afrique noire.* Paris: Éditions Silex, 1984.

Aron, Paul et Alain Viala. *Sociologie de la littérature.* Paris: PUF, 2006.

Baumgardt, Ursula et Jean Dérive. *Littératures orales africaines.* Paris: Khartala, 2008.

Bourdieu, Pierre. « Le Champ littéraire. » *Actes de la recherche en sciences sociales* 89(1991): 3-46.

Cabakulu, Mwamba and Boubacar Camara. *Comprendre et faire comprendre La grève des Battù d'Aminata Sow Fall.* Paris: L'Harmattan, 2001.

Case, Frédérick Ivor. « Littérature traditionnelle et forme romanesque. » *Éthiopiques* 4 (1987): 32-52.

Cauvin, Jean. *Les Contes.* Versaille: Les classiques africains, 1992.

Colloque international: Traditions orales postcoloniales. Université de British Columbia, Vancouver, Canada, du 4 au 5 avril, 2012.

Delas, Daniel. « De quelle voix parlent les littératures francophones ? » *Actes du colloque international Littératures francophones : langues et styles.* Paris: L'Harmattan, 2001. 5-12.

Derive, Jean. « Style et fiction d'oralité dans la narration de quelques romans francophones. » *Actes du colloque international Littératures francophones : langues et styles.* Paris: L'Harmattan, 2001. 191-201.

Diagne, Bachir. « De l'oralité à l'écriture : transcription et création. » *Sénégal-Forum, Littérature et Histoire.* Sous la direction de Papa Samba Diop. Frankfurt: IKO, 1996. 1-7.

Diagne, Mamoussé. « Civilisation de l'oralité et dramatisation de l'idée. » *Annales de la Faculté des Lettres et Sciences Humaines de Dakar* 11 (1991): 7-31.

---. *Critique de la raison orale.* Paris: Khartala, 2005.

---. *De la philosophie et des philosophes en Afrique noire.* Paris: Khartala, 2006.

Dieng, Bassirou. « Les genres narratifs et les phénomènes intertextuels dans l'espace soudanais (mythes, épopées et romans). » in *Sénégal-Forum, Littérature et Histoire.* Sous la direction de Papa Samba Diop. Frankfurt: IKO, 1996. 43-59.

Diop, Papa Samba. *Archéologie littéraire du roman sénégalais. Glossaire socio-linguistique du roman sénégalais 1920-1986. La lettre/Tome 1*, Frankfurt: IKO, Verlag für Interkulturelle Kommunikation (Band 14), 1995.

Diop, Samba. *Discours nationaliste et identité ethnique à travers le roman sénégalais*. Ivry-sur-Seine: Silex/Nouvelles du Sud, 1999.

Durand, Jean-François. « La tradition orale dans *Le Jujubier du patriarche* d'Aminata Sow Fall. » *Littératures africaines : Dans quelle(s) langues(s) ?* Ivry-sur-Seine: Nouvelles du Sud, 1997. 93-102.

Gadjigo, Samba. « La comédie humaine sénégalaise : interview accordée par la romancière sénégalaise Aminata Sow Fall, le 14 janvier 1987. » *Komparatische Hefte* 14/15 (1987): 219-224.

Goldenstein, J-P. *Pour lire le roman*. Bruxelles: De Boeck-Wesmael, 1988.

Greimas, A.J. *Sémantique structurale*. Paris: Librairie Larousse, 1966.

Guèye, Médoune. *Aminata Sow Fall : Oralité et société dans l'œuvre romanesque*. Paris: L'Harmattan, 2005.

Halen, Jean. « Les stratégies francophones du style : l'exemple de quelques sauvages du nord. » *Actes du colloque international Littératures francophones : langues et styles*. Paris: L'Harmattan, 2001. 213-227.

Kane, Mohamadou. « Sur les 'formes traditionnelles' du roman africain. » *Revue de littérature comparé* 48.3 et 4 (1974): 536-568.

Kasende, Jean-Christophe Luhaka A. *Le Roman africain face aux discours hégémoniques*. Paris: L'Harmattan, 2001.

Kesteloot, Lilyan et Bassirou Dieng. *Les Épopées d'Afrique noire*. Paris: Karthala, 1997.

Koné, Amadou, *Des textes au roman moderne*. Frankfurt: Verlag für Interkulturelle Kommunikation, 1993.

Makouta-Mboukou, J.P. *Introduction à l'étude du roman négro-africain de langue française*. Dakar: NEA, 1980.

Mateso, Locha. *La Littérature africaine et sa critique*. Paris: Karthala, 1986.

Modiohouan, Guy Ossito. « Le phénomène des 'littératures nationales' en Afrique. » *Peuples noirs-Peuples africains* 27 (1982): 57-70.

Ndaw, Alassane. *La pensée africaine*. Dakar: NEAS, 1997.

Ngal, Georges. *Création et rupture en littérature africaine*. Paris: L'Harmattan, 1994.

Ngoran, David, K. *Le champ littéraire africain*. Paris: L'Harmattan, 2009.

Paulme, Denise. « Morphologie du conte africain. » *Cahiers d'études africaines* 12.1 (1972): 131-163.

Pfaff, Françoise. « Aminata Sow Fall : l'écriture au féminin. » *Notre librairie* 91(1985): 135-139.

Ricœur, Paul. « L'identité narrative. » *Esprit* 7-8 (1988): 295-314.

Rioux, Marcel. « Remarques sur les concepts de vision du monde et de totalité. » *Anthropologica* 4.2 (1962): 273-291.

Semujanga, Josia. *Dynamique des genres dans le roman africain.* Paris, L'Harmattan, 1999.

Sow Fall, Aminata. *Douceurs du bercail.* Abidjan: NEI, 1998.

---. *L'Appel des arènes.* Dakar: NEA, 1982.

---. *L'Ex-père de la nation.* Paris: L'Harmattan, 1987.

---. *La Grève des Bàttu.* Dakar: NEA, 1979.

---. *Le Jujubier du patriarche.* Dakar: Khoudia, 1993.

---. *Le Revenant.* Dakar: NEA, 1976.

Sylla, Assane. *La Philosophie morale des Wolof.* Dakar: IFAN, 1994.

Tine, Alioune. « Pour une théorie de la littérature africaine écrite. » *Présence Africaine* 133-134 (1985): 99-121.

Van Lent, Peter. « Initiation Rites as Literary Motif in the Fiction of Massa Diabaté and other Francophone Writers. » *Commentaries on a Creative Encounter. Conference on the Culture and Literature of Francophone Africa, Oct. 1987, State University at Buffalo College.* Albany: New York African-American Institute, 1988. 39-45.

Chapitre III

De la palabre au livre : une *oraliture* du texte sénégalais ?

Mbaye Diouf
Université de Moncton (Edmundston)

Résumé

Les traces d'oralité dans la littérature sénégalaise se réfèrent à des modes discursifs et des signes verbaux ancrés dans un parler populaire qui sémantise de manière particulière les discours sociaux locaux et les rapports au monde. Des emprunts wolofs à la formation onomastique en passant par les proverbes et autres tours verbaux, le texte sénégalais ne semble cependant *dire* sa société et le monde qu'en les *écrivant* à travers notamment une scénographie oralitaire qui affirme gaiement sa posture postcoloniale. Tout en élaborant ses effets esthétiques, cette scénographie rend possible l'intercommunication entre des langues, des codes et des registres différents au profit d'une même signifiance romanesque[29].

Si l'identification de traces d'oralité dans le texte littéraire – le texte africain en particulier – a longtemps été un sujet de controverse institutionnelle, d'« étrangeté » socioculturelle voire de rejet éditorial, c'est qu'elles ont souvent été considérées comme des « corps parasites » infiltrés dans l'écrit au lieu d'être lues comme des composantes verbales solidaires du script littéraire. La littérature sénégalaise en offre un exemple significatif car elle naît et s'énonce dans un contexte d'oralité qu'elle traduit et déplace à la fois.

---

[29] Cette recherche a été réalisée avec l'appui financier du FQRSC que je remercie vivement.

Ce travail montre comment les romans d'auteurs comme Aminata Sow Fall et Fatou Diome recyclent la palabre dans l'écriture à travers diverses modalités d'insertion et de signification. Celles-ci, loin d'être une banale opération de greffe, semblent plutôt dévoiler une véritable poétique romanesque postcoloniale qui donne à lire autrement les discours sociaux dominants.

Écriture, oraliture

Parmi les nombreux modes d'inscription de l'oral dans le texte écrit, je retiendrai l'écriture diglossique[30] et ses effets rhétoriques. William Marçais concevait la diglossie uniquement dans un contexte historique et social déterminé où coexistent plusieurs langues qui entretiennent des rapports variés d'assimilation et de hiérarchisation (Marçais : 1930). Perspective reprise et approfondie par Charles Fergusson (1959) et Joshua Fishman (1972). La diglossie littéraire, pour sa part, conserve le principe de coexistence linguistique mais le requalifie dans un contexte fictif.

Dans les romans sénégalais – et depuis les débuts – la coexistence linguistique se traduit dans les textes écrits en français par la présence parfois massive de termes wolofs courants ou d'autres termes empruntés et déformés de l'arabe. Les romans de Fatou Diome et de Sow Fall en offrent plusieurs exemples : « teralgane », « teranga » (VA: 171)[31], « wallaye, wallaye » (VA: 175), « ndeyssan ! » (JP: 21), « Sëmbëx ! » (JP: 58), «athia ! athia waaye ! » (VA: 178), « yalla yalla bey sa toll » (DB: 11), « Allahou Akbar!», « Alhamdoulilah ! » (VA: 35), « inch'allah » (VA: 175). En second lieu, les auteures agrémentent leurs textes d'onomatopées courantes en contexte oral. Il en est ainsi de l'excitation de l'appétit pour les glaces *Miko* : « hum! hâm! hâââmmm! » (VA: 21) ou des coups de pilons qui annoncent l'aurore au village : « Pong! Pong! Rakasse! Kamasse! Pong! » (VA: 26).

Par ailleurs, l'onomastique des personnages diomiens traduit l'analogie symbolique du mode de nomination en pays *sérère* : Salie (« outragée »), Simâne (« dénommé »), Ndétare (« Monsieur X »), Diome (« dignité »),

---

[30] L'écriture à proprement parler a toujours existé en Afrique, si l'on pense aux systèmes scripturaires *aroko* des Yoruba, au *vaï* du Cameroun, au *mandé* du Mali, au *nsibidi* du Nigéria et aussi aux hiéroglyphes égyptiens si, suivant les thèses de Cheikh Anta Diop, on leur reconnaît une imprégnation nègre.

[31] Ces sigles désigneront désormais les romans à l'étude : VA pour *Le Ventre de l'Atlantique*, JP pour *Le Jujubier du patriarche*, DB pour *Douceurs du bercail* et GB pour *La Grève des Battù*.

Gnarelle (« seconde épouse »), Yaltigué (« le nanti »). Chez Sow Fall, les noms génériques wolofs, expliqués en notes en bas de page, relèvent de ce que Tine appelle des « traductions de type interlingual » (Tine 101) repérables par leur faculté narrative. On peut citer des occurrences comme la mère («*Yaay* », *JP*: 31), la grand-mère (« *Maam* », *JP*: 43), le serviteur dévoué (« *Baay Faal*», *JP*: 25), le travesti (« *goor-jigéen* », *JP*: 45), des appellations symboliques comme *Goudi* (« nuit », *JP*: 45) et la substantivation d'adjectifs comme « indigne » (« *ňaak jom* », *JP*: 13) ou « fainéant » (« *ňaak njarin* », *JP*: 13).

En revanche, le genre oral le plus significatif chez Sow Fall et Fatou Diome est le proverbe. Les deux écrivaines affectionnent en effet particulièrement l'emploi de maximes, d'adages et autres aphorismes provenant de la sagesse populaire : « Battre un poltron ne fera jamais d'un homme un héros » (VA: 25), « Bon converti sera meilleur prêcheur » (VA: 134), « On ne piétine pas deux fois les couilles d'un aveugle » (VA: 17), « Chaque miette de vie doit servir à conquérir la dignité » (VA: 34, près de 15 occurrences dans le texte), « La fortune n'habite nulle part » (*JB*: 64).

Emprunts wolofs, onomatopées, onomastique symbolique et proverbes sont tirés d'un parler populaire qui sémantise de manière particulière le discours social, accentue l'injonction ou l'interjection et articule la discussion. À l'oral, ces modes discursifs ouvrent immédiatement un univers de sens localement marqué qui détermine à la fois les codes d'interprétation et les dispositions illocutoires.

Mais transposés dans le texte littéraire, les énoncés proverbiaux sont régulièrement reniés par l'énonciation elle-même, le texte revenant sur lui-même pour déployer une sorte de faux procès qui analyse, retourne et conteste les mêmes paradigmes tout en les formulant. Les proverbes, lit-on dans *Le Ventre de l'Atlantique*, relèvent d'« un verbiage exotique, mille fois falsifié, que les Occidentaux nous collent à la peau pour mieux nous mettre à part » (VA: 25).

En réalité, il s'agit d'un déplacement d'enjeu à l'intérieur des romans. L'important n'est pas le sens originel du propos oral mais son enrôlement dans le dispositif textuel nouveau, ce n'est pas le référent que ce propos désigne mais la construction narrative à laquelle et de laquelle il participe, ce n'est plus ce qu'il signifiait mais ce qu'il contribue à dire au moment où l'écrit s'énonce.

Le « dire » du *Ventre de l'Atlantique*, de *Douceurs du bercail*, du *Jujubier du Patriarche* ou de *La Grève des Battu* devient ainsi une déconstruction narrative de tous les concepts qui désignent la situation de l'Africain contemporain et qui posent la question de l'immigration en France comme en Afrique : « tradition communautaire », « hopeless continent »,

« fracture sociale », « préférence nationale », « rapatriement forcé », « immigration choisie ». Tout en inscrivant ces sujets dans les programmes narratifs, les romans indexent aussi les faillites des sociétés nationales : mauvaise gouvernance, licences patriarcales, drames conjugaux, échec démocratique. Sow Fall et Diome semblent donc modeler leurs textes dans une interrelation entre difficultés locales et exigences globales.

Sous cet angle, la performance textuelle du propos oral procède de ce que Maximilien Laroche appelle une « oraliture », c'est-à-dire une appropriation par l'écrit de modèles formels ou sémantiques oraux qui instituent dans le texte « une double scène de la représentation ». Cette « double scène de la représentation » déroule une « combinatoire des images et des mots, puis des images par les mots et finalement des images dans les mots » (Laroche 19). Sous cet angle, l'écriture apparaît comme une reconfiguration graphique des ressources de l'oral en ce sens qu'elle intègre et réutilise des formes, des contenus, des langages et des idéologies véhiculés par le discours oral.

L'absorption des images oralement représentées dans les mots prend par exemple des tours totalement ludiques dans un roman souvent perçu comme « sérieux » ou « émotif » comme *La Grève des Battu* de Sow Fall. Ce roman montre la complexité du phénomène de la mendicité dans la société sénégalaise. Traqués, pourchassés et brutalisés par les agents du « Service de salubrité publique », les mendiants sont finalement forcés de rester chez eux ou de se réunir dans la maison de Salla Niang, devenue « la maison des mendiants » (*GB*: 72), en attendant de meilleurs jours. C'est dans ce contexte d'angoisse et de peur que la charité prend ses accents les plus comiques car pendant que les mendiants réfléchissent sur la riposte à opposer aux autorités, un des leurs, l'aveugle au « col amidonné », prend la parole :

> Nguirane reprend sa guitare […] et demande à toute l'assistance de chanter avec lui :
> Salla, fais cuire le couscous
> Du bon *baasi salté*
> Manioc, *ñebbé* et courge
> *Baasi salté jolof*
> Gras de *diw ñor*
> Rouge de tomate
> *Baasi salté buur* (*GB*: 85)

Le comique d'action que Sow Fall met en œuvre dans cet extrait est différent du comique de position qui, dans *Le vieux nègre et la médaille* (Oyono, 1956) par exemple, expose le vieux Meka attendant douloureusement de recevoir sa médaille des mains du Commandant blanc. Il est également différent du comique de parole qui, dans la fresque de Hampaté Ba, découle des espiègleries et des manigances de Wangrin, interprète « répond-bouche » (Bâ, 1973 : 173) d'un autre Chef-Commandant colonial. Le comique de Sow Fall ressort plutôt d'un encodage sémantico-verbal complexe. Pour faire sens et spectacle à la fois, il est intimement relié au processus énonciatif et diégétique de réinscription du propos oral dans le roman. Ce « passage du discursif établi au textuel » (Robin 107) instaure l'idéologème de la mendicité dans un champ signifiant tout en le diluant dans un procès verbal débridé, léger, caustique et agencé dans une architecture rythmique particulière[32].

En axant sa comptine sur le thème du comestible, l'aveugle Nguirane Sarr réitère le sens premier de la charité : la préservation de la vie par la dévolution de la pitance du nécessiteux. La comptine affirme indirectement la dignité humaine des mendiants et éclaire toute une isotopie[33] du bestiaire[34] qui tout au long du roman illustre la condition des *bàttu*. Nguirane Sarr interprète ainsi à sa manière le sujet de la charité en débat dans la société et dans l'œuvre, et fait écho aux multiples chants d'exhortation quotidiennement audibles dans les villes sénégalaises. Mais cette prise de parole de l'aveugle artiste se singularise du discours commun par une savante combinaison de jeux de mots et de jeux de composition. Le *baasi salté*, référence culinaire récurrente dans l'œuvre, est expliqué ailleurs, en note en bas de page, comme étant un « couscous préparé avec une sauce délicieuse » composée de « raisins secs, macédoine de légumes, dattes et prunes » (*GB*: 54). Le *baasi salté* n'est donc pas un mets quelconque ou ordinaire, il apparaît dans l'imaginaire collectif comme un plat de nantis. Mais il est ici gaiement déclamé et réclamé par des démunis marginalisés et battus.

Le tour verbal auquel se livre l'aveugle artiste apporte une note comique à un débat polémique. Dans *baasi salté*, l'adjectif qualificatif postposé est un emprunt dialectisé du français qui signifie « sale », « nauséabond »,

---

[32] Gérard Dessons et Henri Meschonnic définissent le « rythme » comme « l'organisation du mouvement de la parole par un sujet » (28). Ce mouvement montre « comment se fait la signification d'un texte et comment elle se fait à chaque fois, différemment, spécifiquement » (7).

[33] L'isotopie, dit Anne Pierrot, est « un parcours interprétatif qui met en valeur un sème récurrent, commun à plusieurs signes, dans une séquence ou dans un texte dont on cherche à dégager la cohérence sémantique » (186).

[34] Lors une altercation entre un monsieur et un mendiant devant un magasin, le second réplique : « - Ah ! Parce qu'on est des mendiants, on croit qu'on est des chiens ! On commence à en avoir assez ! » (*GB*: 6). Au cours d'une chasse aux mendiants, l'un d'entre eux remarque : « Ils commencent à nous rendre l'existence impossible. Parce qu'on est des mendiants, ils croient qu'on n'est pas des hommes faits comme eux ! » (*GB*: 29). Un passant s'indigne de la « réaction inhumaine » (*GB*: 31) contre les mendiants traités comme « des bêtes » (*Ibid.*). La même complainte revient après le décès d'un des mendiants consécutif à des brutalités policières : « Nous ne sommes pas des chiens, poursuit Nguirane Sarr ! Est-ce que nous sommes des chiens ? » (*GB*: 31) ; « Nous ne sommes pas des chiens ! Vous le savez bien, que nous ne sommes pas des chiens. Il faut qu'eux aussi ils en soient persuadés. » (*Ibid.*)

« répugnant ». Il infère à l'image publique répulsive qu'inspirent les mendiants mais contraste avec le substantif *baasi*, mets attractif et prestigieux réservé à cette catégorie de riches « aux beaux boubous toujours propres et bien repassés » (*GB*: 18). Le procédé de contraste mêle non seulement deux univers sociaux aux attributs réels et symboliques différents, mais il réunit aussi deux langues (le français et le wolof) aux usages morpho-syntaxico-sémantiques tout aussi différents. Le contraste qui naît de ces associations scelle la réappropriation humoristique du statut social opposé (ou dominant) dans le vers final de la comptine, car « *buur* », dans « *Baasi salté buur* » signifie « roi »[35].

Ces considérations m'amènent à dire que la dimension oralitaire du roman sénégalais revêt une réelle portée esthétique car elle ménage un passage entre les deux scènes de l'oral et de l'écrit en rendant possible l'intercommunication entre des langues, des codes et des registres différents au profit d'une même signifiance romanesque. Ce faisant, elle réalise le but de toute littérature puisque, comme le rappelle Amedegnato, « la littérature est l'oralité maximale, sa subjectivation poussée à son point le plus haut. L'oralité devient alors le mode de signifier où le sujet subjectivise sa parole, rythme sa parole » (Amedegnato 20)[36]. Mais l'inscription oralitaire du roman sénégalais soulève une seconde problématique car elle supprime la chape « communautariste » qui plane encore sur le texte africain postcolonial.

---

[35] Tel qu'il apparait dans le titre du roman de Cheik Aliou Ndao. *Buur Tilllen, roi de la Médina*. Paris: Présence africaine, 1972.

[36] Est-il besoin de rappeler que par leurs textes, Platon, Aristophane et Xénophon ont immortalisé Socrate, « celui qui n'écrit pas » (selon Nietzsche), mais qui pourtant inspire et constitue la matière de leurs écrits.

Fétichisme du signifié

L'inscription oralitaire met à nu une certaine critique[37] dépréciative et persistante du texte africain en général, aux accents plus anthropologiques que sociocritiques, et qui réitère à l'envi un supposé effacement du sujet africain dans et par sa communauté d'origine. Cette critique aime rappeler les immenses charges familiales qui finissent par avoir raison de Bakar dans *Le Revenant* ou de Moussa dans *Le Ventre de l'Atlantique*. Cette même critique relie la schizophrénie de Nalla dans *L'Appel des arènes* à l'éloignement de sa famille et soutient l'hypothèse que *Douceurs du bercail* ou *Celles qui attendent* n'envisagent un épanouissement de l'Africain d'aujourd'hui que dans sa communauté.

Souvent, cette critique réduit Sow Fall, Fatou Diome, Mariama Bâ ou Nafissatou Diallo par exemple à de simples passeures de cultures. Tantôt placées aux premières loges du féminisme africain, tantôt perçues comme militantes du culturalisme, on leur construit encore l'image d'intellectuelles africaines conscientes de la menace que la modernité occidentale fait peser sur les traditions africaines et de l'urgence de les protéger voire de les sauver. Leur œuvre dirait alors un témoignage pressant qui n'implique ni progression ni abstraction ni figuration ni rupture entre les premiers écrits et les plus récents. Ces impressions quelque peu rapides continuent de confiner leurs textes dans un rôle : celui d'une « prise de parole » qui unit la première génération d'écrivaines sénégalaises postcoloniales à la dernière. Pourtant, si l'on observe de près les entretiens et les réflexions de ces auteures depuis 20 ans[38], on constate qu'elles s'emploient régulièrement à ôter ce costume trop étroit qui leur est taillé sur mesure.

---

[37] Nous pouvons citer ici les études de Susan Stringer. « Cultural Conflict in the Novels of Two African Writers, Mariama Bâ and Aminata Sow Fall ». *Sage Supplement* (1988): 36-41; Odile Cazenave. « Gender, Age and Reeducation: A Changing Emphasis in Recent African Novels in French, as Exemplified in *L'Appel des arènes* by Aminata Sow Fall ». *Africa Today* 38-3 (1991): 54-62.

[38] Entretien avec Françoise Pfaff. « Aminata Sow Fall : l'écriture au féminin ». *Notre Librairie* 81 (1985). Entretien avec Simon Kiba. « Le 5ème livre d'Aminata Sow Fall : *Le Jujubier du Patriarche* ». *Amina* 276 (avril 1993). Entretien avec Mbaye Diouf. « La littérature, un pari sur le réel ». *Le Didiga* 2-3 (2ᵉ semestre 2010). [http://revueledidiga-auf.org/diouf.htm]. Entretien avec Mbaye Diouf. « J'écris pour apprendre à vivre. Entretien avec Fatou Diome ». Gehrmann, Susanne et Viola Prueschenk (dir.). *Klang, Bild, Text: Intermedialitaet in afrikanischen Literaturen gbd*, ''Stichproben. Vienna Journal for Critical African Studies" 17 (2009): 137-151.

L'écrivaine sénégalaise, certes, n'est pas extérieure – et ne saurait l'être! – à une historicité dont elle est doublement le « produit » et l'« agent » (Jacques Pelletier : 1991). Cet intérêt pour l'Histoire et la forme de participation qu'elle induit ne sauraient cependant réduire l'œuvre en une sorte de tribune culturaliste. Dans son activité littéraire, l'écrivaine sénégalaise n'est pas un *Zorro* littéraire, autrement dit la gardienne consacrée des derniers vestiges d'une civilisation menacée. Félix Couchoro, Ousmane Socé Diop, Amadou Hampâté Bâ et d'autres encore ont très tôt annoncé cette intention dans leurs œuvres. En ce qui concerne Sow Fall et Diome, une telle posture dicterait une écriture de l'urgence et érigerait son objet au rang d'objet-culte. On oublierait alors que l'enjeu premier de leur littérature est un enjeu scriptural et langagier qui incorpore de manière critique, ironique voire fantaisiste des sujets aussi divers que l'immigration, la dictature, la mondialisation, la mendicité, la vieillesse ou la mort.

En assimilant souvent le « héros africain » (historique ou imaginé) à son groupe de référence, l'anthropologie littéraire[39] présente l'un et l'autre comme deux entités réversibles : l'un peut être (re)présenté, miré, *dissout* dans l'autre, et vice versa. Dans une Afrique tourmentée et condamnée selon la formule des « Afropessimistes », le « héros » présente un profil symptomatique, il est le portrait-robot typique du « martyr africain ». Ce dernier serait reconnaissable aussi bien dans les figures royales ou anticoloniales (Ghezo, Behanzin, Lat Dior, Samory) que dans les personnages « singuliers » de Mongo Beti, Henri Lopès, Koffi Kwahulé, Labou Tansi, Mudimbe, Alain Mabanckou, Fatou Diome ou Sow Fall. L'anthropologie littéraire laisse donc entendre que les actes de ce « martyr africain », ses sensations, ses débordements, incohérences, rêves, transes seraient aussi ceux de sa communauté d'appartenance voire de son pays ou même de son continent. Reflet microscopique d'un corps malade plus grand, il serait par conséquent un raccourci fiable et riche en enseignements pour saisir « l'Homme africain » bien défini par Nicolas Sarkozy [40].

On est ici en présence d'une approche pour le moins *essentialiste* du sujet africain, mais ses promoteurs oublient que le texte africain, loin de fétichiser un quelconque « martyr » historique ou épidermique, crée un « personnage » qui, selon Catherine Ndiaye, est primordialement tributaire d'un « effet

---

[39] Dans son ouvrage consacré à l'œuvre de Mongo Béti, Bernard Mouralis (1981) dénonce le fait que de Hegel à Tempels, de Marcel Griaule à Pierre Loti, nombre d'ethnologues et écrivains européens ont tenté de percer le mystère de la « Loi structurale » des sociétés africaines.

[40] Il est troublant de remarquer une sorte de continuité sémantique et idéologique entre le « nègre inférieur » de Hegel, le « droit des races supérieures » de Jules Ferry (juillet 1885), l'« homme africain qui n'est jamais entré dans l'histoire » de Nicolas Sarkozy (Juillet 2007) et la théorie des « civilisations qui ne se valent pas » de Claude Guéant (février 2012).

esthétique » (Ndiaye 159). Le héros de la fiction africaine est donc un acteur figuré qui n'existe qu'à travers un processus de reconversion permanente à l'intérieur de la société romanesque. Il n'est pas un « type » anthropologique prédéfini et reproductible mais il se scénarise plutôt dans une fabulation du texte, à l'instar des personnages de Sow Fall et de Diome.

L'idée d'une oralité symptomatique d'un retard civilisationnel ou esthétique participe d'un même discours de hiérarchisation et de dépréciation, et rejoint ce que Mongo Beti assimilait à un « ethnologisme décadent » (Beti 11-12) bien expliqué par Mamoussé Diagne :

> On rencontre çà et là, consciemment ou non, des présupposés non interrogés et même certains préjugés mobilisant les notions de "primitif" ou de "prélogique". Ils s'enracinent dans l'idée d'une incapacité supposée de l'Africain d'accéder au royaume prétendument supérieur de l'abstrait (Diagne 30).

Il faut donc réviser l'approche pour, d'une part, reconsidérer ces récits pour ce qu'ils sont – des textes littéraires, et d'autre part, les situer dans une poétique postcoloniale moderne[41], telle que définie par Cécilia Francis, c'est-à-dire une poétique qui s'intéresse « aux formes de la marginalité, de l'ambiguïté, aux stratégies de refus du binaire, aux manifestations de pastiche, de parodie et de dédoublement qui décloisonnent les limites du signe rationnel et atemporel » (Francis 38)[42]. La présence de traces d'oralité dans le texte sénégalais obéit précisément à ce programme pour exprimer un point de vue sur le monde tout en faisant autrement du roman.

Références bibliographiques

Amedegnato, Sénamin. « La littérature comme paradigme littéraire du signe linguistique ». *Revue de l'Université de Moncton* 34.1-2 (2003): 3-30.

---

[41] De Jacques Derrida à Michel Foucault, de Valentin Mudimbe à Umberto Eco, de Linda Hutcheon à Édouard Glissant, la pensée philosophique et littéraire contemporaine élabore patiemment (et heureusement) des catégories déconstructivistes et relativistes de la modernité.
[42] Francis précise par ailleurs que le terme *postcolonial* renvoie à « une série de pratiques transgressives, se modifiant avec le siècle, dont la critique étudie les formes et les enjeux » (38). L'écriture postcoloniale est à la fois critique de la néocolonialité et refiguration du langage littéraire : « la prise de parole des minorités et des immigrés a attiré l'attention sur la singularité de ces littératures émergentes par rapport au canon littéraire occidental. Elle a montré qu'il est indispensable de se pencher sur ces nouveaux 'modes d'écriture' qui, s'ils sont d'abord polémiques à l'égard de l'ordre colonial, évoluent par la suite vers le déplacement, le jeu, la déconstruction des codes européens tels qu'ils sont affirmés dans la culture concernée. » (*Ibid.*).

Béti, Mongo. « Identité et tradition ». Guy Michaud. *Négritudes : Traditions et développement*. Bruxelles: Ed. Complexe, 1978.

Dessons, Gérard et Henri Meschonnic. *Traité du rythme. Des vers et des proses*. Paris: Dunod, 1998.

Diagne, Mamoussé. *Critique de la raison orale. Les pratiques discursives en Afrique noire*. Paris: Karthala, 2005.

Diome, Fatou. *Le Ventre de l'Atlantique*. Paris: Anne Carrière, 2003.

Francis, Cécilia W. « Lecture sémiotique et récit identitaire francophone au féminin ». *Revue de l'Université de Moncton* 34.1-2 (2003): 31-64.

Fergusson, Charles. « Diglossia ». *Word* 15 (1959): 325-340.

Fishman, Joshua. *Sociolinguistique*. Paris: Labor Nathan, 1972.

Laroche, Maximilien. *La Double scène de la représentation. Oraliture et littérature dans la Caraïbe*. Québec: Grelca 8 (Essais), Université Laval, 1991.

Marçais, William. « La diglossie arabe », *L'enseignement public* 97 (1930): 401-409.

Mouralis, Bernard. *Comprendre l'Œuvre de Mongo Béti*. Paris: Saint-Paul (Les Classiques Africains), 1981.

Ndiaye, Catherine, *Gens de sable*, Paris, P.O.L., 1984.

Pelletier, Jacques, *Le Roman national*, Montréal, VLB Éditeur, 1991.

Pierrot, Anne Herschberg. *Stylistique de la prose*. Paris: Éd. Belin, 1993.

Robin, Régine. « De la sociologie de la littérature à la sociologie de l'écriture : le projet sociocritique ». *Littérature* 70 (1988): 99-109.

Sow Fall, Aminata. *Douceurs du bercail*. Dakar/Abidjan: Khoudia/NEI, 1998.

---. *Le Jujubier du patriarche*. Dakar: Khoudia, 1993.

---. *La Grève des Bàttu*. Dakar: NEA, 1979.

Tine, Alioune. « Pour une théorie de la littérature africaine écrite ». *Présence africaine* 133-134 (1985): 99-121.

Deuxième partie

Boubacar Boris Diop :
entre oralité, histoire et mémoire

L'intertexte oral et le refus de l'Histoire dans *Le Cavalier et son ombre* de Boubacar Boris Diop

Jonathan Russel Nsangou
Université Laval

Résumé

Dans *Le Cavalier et son ombre* de Boubacar Boris Diop, les contes imaginés par Khadidja se confondent avec le récit de Lat-Sukabé, le narrateur. L'histoire du génocide rwandais y apparaît de biais, celle des dictatures africaines sous forme de mythe parodié. Au final, l'Histoire n'arrive à s'énoncer que par fragments. Nous voudrions montrer comment Boubacar Boris Diop parvient à subvertir l'Histoire pour n'en laisser que des bribes. L'impossibilité de dire l'Histoire ressort du dialogisme. Plusieurs récits s'entrecroisent et renient la possibilité à l'Histoire de se dire. À travers l'intertextualité générique l'Histoire est réfractée et transformée.

Boubacar Boris Diop a fait son entrée en littérature en manifestant une volonté de conquérir l'autonomie et la modernité du roman africain. Cela se ressent dès la publication, en 1981, de son premier roman, *Le temps de Tamango*, dont la célèbre préface de Mongo Beti loue l'arrière-pensée esthétique. Le romancier y montre d'emblée son intention d'apporter quelque chose de nouveau à la littérature africaine et prétend lui ouvrir une phase autoréférentielle. Les romans de Diop se démarquent aussi par l'hybridité générique : la plupart des récits sont traversés par des contes et des mythes. Dans *Le Cavalier et son ombre*, Prix des Tropiques 1997, Lat-Sukabé, le narrateur, attend le passeur pour retrouver Khadidja, la femme qu'il a aimée et qui serait en train de mourir. Pendant trois jours, en attendant l'embarcation, l'homme chemine dans sa propre mémoire. Il se souvient de sa rencontre avec la jeune femme dans une ville européenne ainsi que des humiliations de leur vie commune au pays natal et revoit Khadidja qui est obligée d'inventer des contes oraux pour amuser un auditoire invisible. Progressivement, le « cavalier et son ombre », un conte imaginé par Khadidja, se confond avec le récit de Lat-Sukabé. L'histoire du génocide rwandais et celle des dictatures africaines y apparaissent de biais, sous forme de mythe parodié. Au final, l'Histoire ne va pas s'énoncer, sinon de façon fragmentaire. Nous nous proposons de montrer comment l'oralité chez Boubacar Boris Diop subvertit l'Histoire en n'en laissant que des bribes. Nous verrons d'abord que le dialogue des genres à travers le conte et le mythe ainsi que la polyphonie des voix conduisent à l'entrecroisement des récits. Comment peut se lire, derrière cet entrelacement des récits et des voix, la parodie des mythes qui ont longtemps aveuglé les peuples? Nous situerons enfin l'écriture du romancier dans cette vaste entreprise du roman réaliste dont parle Jacques Dubois dans *Les romanciers du réel*. Le roman sera alors perçu comme un interlocuteur de l'Histoire qu'il refaçonne en discours décroché d'un discours plus officiel. Parce que toute parole s'origine dans un espace social dont elle véhicule les discours, il serait intéressant, avant cela, de dire un mot sur la trajectoire de Boubacar Boris Diop afin de voir dans quelle mesure ses *dispositions* ont pu influencer ses *positions*[43], c'est-à-dire son inscription dans le champ littéraire africain en tant que romancier de l'Histoire et des traditions orales.

Boubacar Boris Diop : entre Histoire et traditions orales

De son vrai nom Boubacar Diop, Boubacar Boris Diop naît le 26 octobre 1946, à Dakar, au Sénégal. Boris, le prénom dont il s'est doté à vingt ans, celui par lequel l'appellent ses proches, s'inspire du nom de Boris Serguine, un jeune personnage « anarcho-existentialiste » (Nissim 23-50) de *Les chemins de la liberté* de Jean-Paul Sartre. Son père, qui possédait une riche bibliothèque, était un fonctionnaire de l'administration coloniale et un « fervent admirateur de la France » (Nissim 24) ; sa mère, une conteuse professionnelle. En 1969, avec des camarades, il fonde à son domicile familial, dans le quartier populaire dakarois des Habitations à Loyer Modéré (HLM), le Club Culturel Frantz Fanon. Cette action se situe dans le prolongement des révoltes auxquelles il avait activement pris part l'année précédente dans son université. En compagnie de ses condisciples, Diop consacre beaucoup de temps à des débats sur Fanon, Lénine, Marx et Mao Tsé Toung[44]. « Sceptique, solidaire et plutôt libertaire[45] » comme Ndongo, le

---

[43] Selon Jacques Dubois (*L'institution de la littérature*, Bruxelles, Labor, 2005 [1978], p. 110), la position occupée par l'agent, sa façon d'assumer le statut littéraire n'est autre que la traduction de sa définition sociale à l'intérieur des possibilités particulières qu'offre la littérature à une époque particulière.

[44] Ces détails sur le Club culturel Frantz Fanon sont tirés d'une correspondance privée avec Boubacar Boris Diop.

héros de *Le temps de Tamango*, Diop commence à remettre en cause le marxisme. De 1976 à 1980, Diop milite dans le Rassemblement National Démocratique (RND), le parti de Cheikh Anta Diop. Il fait également partie des dix écrivains qui ont participé, en 1998, au projet « Rwanda : écrire par devoir de violence », une résidence d'écriture initiée par deux journalistes[46] dans le but d'amener des écrivains à produire des fictions sur le génocide rwandais.

À analyser cette brève trajectoire, on constate que deux instances de l'enfance et de l'adolescence ont marqué Boris Diop et ont contribué à façonner ses œuvres, sa personnalité et sa vision du monde. D'une part sa famille. Encore tout petit, il a été charmé par les contes que lui racontait sa mère. Il affirme à ce sujet : « Lorsque j'étais gamin, ce qui est à l'origine de ma vocation d'écrivain, c'est que j'entendais beaucoup de contes et ils avaient sur moi un très fort impact. J'étais très impressionné par les contes que j'entendais et ces contes étaient dits par une conteuse, ma mère » (Bouka et Thompson). La bibliothèque de son père lui a permis d'être un grand lecteur et de compléter un patrimoine génétique riche des deux formes de littérature, orale et écrite. Dans l'interview accordée à Liana Nissim, l'auteur avoue avoir connu des poètes romantiques comme Victor Hugo, Lamartine, de Musset, Vigny grâce à son père pour qui « tout ce qui semblait proche de la culture française était bon à prendre » (Nissim 25). D'autre part, il y a l'engagement sociopolitique. Après la désillusion par rapport à l'idéologie marxiste, Diop se tourne vers Cheikh Anta Diop dont la figure joue un rôle capital dans ses ouvrages[47]. Malgré sa méfiance à l'égard des idéologies, le romancier considère cet historien comme son maître à penser qui lui a laissé une empreinte ineffaçable. Il confie à El Hadji Gorgui Wade Ndoye :

> C'était tout simplement un grand homme. […] J'étais un gamin quand Cheikh Anta Diop venait voir ma grand-mère maternelle Faguène Baffa Guèye, dans la maison natale de la rue 5, à la Médina. […] Beaucoup plus tard, en 1976, Cheikh Anta Diop a fondé le rassemblement national démocratique. J'y ai milité à ma manière, c'est-à-dire sans aucun esprit de discipline. Un beau jour, je suis allé lui dire que j'arrêtais mais que je souhaitais continuer à rester en contact avec lui. […] C'est […] à la suite d'un processus

---

[45] Il le dit lui-même dans l'interview accordée à Liana Nissim : « Aller au cœur du réel, entretien », *art. cit.*, p. 26.

[46] Il s'agit de Nocky Djedanoun et Maïmouna Coulibaly, deux journalistes africains installés à Lille, en France.

[47] Nguirane Faye, le narrateur de *Les petits de la guenon* donne un portrait physique de Cheikh Anta Diop aux pages 227-230. Dans « Le Sénégal entre Cheikh Anta Diop et Senghor » (Cf. *L'Afrique au-delà du miroir, op. cit.*), Boubacar Boris Diop lui a consacré des pages entières.

lent tortueux, douloureux, que j'ai compris l'importance de cet homme et que je suis capable de dire aujourd'hui tout ce que je lui dois (Ndoye).

Ainsi, la littérature et l'engagement socio-politique constituent pour Boubacar Boris Diop un enjeu depuis son enfance. C'est pourquoi les questions relatives à l'écriture et au rôle de l'écrivain dans la société occupent une place de choix dans ses œuvres, de même que des questionnements sur l'Histoire. Son écriture est influencée par la tradition orale et la pensée de Cheikh Anta Diop. Du *Temps de Tamango*, son premier roman aux *Petits de la guenon*, les personnages sont obsédés par la quête du passé et de l'histoire africaine que l'auteur reconfigure par le biais des contes et des mythes.

Contes et fabulation de l'Histoire

Dès ses débuts dans les années 50, le roman africain s'est beaucoup inspiré de l'histoire de la colonisation. On se souvient encore de cette vive querelle qui opposa Mongo Beti à Camara Laye au sujet de *L'enfant noir*, le premier reprochant au second de produire une « littérature rose » au moment où l'Afrique subissait les affres de la colonisation. Rappelons ici les termes de cette querelle :

> Laye ferme obstinément les yeux sur les réalités les plus cruciales, celles justement qu'on s'est toujours gardé de révéler au public d'ici. Ce guinéen, mon congénère, qui fut, à ce qu'il laisse entendre, un garçon fort vif, n'a-t-il donc rien vu d'autre qu'une Afrique paisible, belle, maternelle? Est-il possible que pas une seule fois, Laye n'ait été témoin d'une seule petite exaction de l'administration coloniale ? (Biyidi 420).

Dans la même veine que Mongo Beti, les autres écrivains africains, comme Sembène Ousmane, produisent une « littérature-reflet » (Bisanswa 32), en s'engageant sur la voie d'une littérature qui se fait le témoin de l'Histoire et qui en change le cours, comme le précise Mongo Beti dans « Choses vues au festival des arts africains de Berlin-Ouest » : « L'écriture n'est plus en Europe que le prétexte de l'inutilité sophistiquée, du scabreux gratuit, quand chez nous, elle peut ruiner des tyrans, sauver les enfants des massacres, arracher une race à un esclavage millénaire, en un mot servir; oui, pour nous, l'écriture peut servir à quelque chose, donc, doit servir à quelque chose » (Biyidi 54). Pour Mongo Beti, la littérature est une urgence face aux menaces de l'égarement humain. La littérature africaine devrait éviter la voie du ludisme que lui a reconnue Richard Bounot[48] afin d'être un instrument pour témoigner et dénoncer l'histoire africaine dont les maîtres mots sont la traite négrière, l'impérialisme, l'apartheid ou encore le néocolonialisme et ses corollaires.

Boubacar Boris Diop, dont la filiation avec Mongo Beti est par ailleurs connue[49], est aussi un témoin de l'histoire africaine, mais il la traite différemment dans *Le Cavalier et son ombre*. Comme hypothèse de base, notons que cette œuvre a partie liée avec les évènements du génocide rwandais ainsi que l'atteste son auteur dans un entretien accordé à Alain Mabanckou : « Le génocide rwandais en Avril 1994 a changé l'écriture de mon roman. Plus je lisais les documents, plus j'étais horrifié. Je me rendais compte que les Africains ne s'y intéressaient pas davantage. […] Certains des faits de mon roman proviennent des documents authentiques » (Mabanckou 73). Cependant, cette histoire est subvertie par le conte : « J'ai toujours pensé qu'il fallait écrire des textes traversés par le souffle de l'oralité. La meilleure façon était de transformer les évènements contemporains en fables » (Mabanckou 71).

La structure du roman montre un récit-cadre où Lat-Sukabé, le narrateur intradiégétique, fait une rétrospection sur sa vie commune avec Khadidja. Une première allusion est faite au Rwanda. Par le commentaire, Lat-Sukabé évoque les événements liés au génocide, en se basant sur des faits relatés par les journaux et la télévision. La mise en relief de ces moyens de communication a pour effet de créer l'illusion de la réalité, avec des chiffres à l'appui : « Les journaux sont remplis de chiffres incroyables et de récits d'horreurs. J'ai lu quelque part qu'on en est à huit cent mille morts » (Diop 59). Toutefois, d'autres récits sur le génocide seront mis en abyme pour contester sa véracité. Ils apparaissent dans les contes de Khadidja. Dès le début la conteuse précise dans un monologue intérieur qu'il s'agit d'un simple jeu qui n'aurait aucune prise sur la réalité :

> De l'autre côté de la porte se trouvait, dissimulé par la pénombre, un enfant qu'elle allait devoir distraire par des histoires plus ou moins amusantes. C'était lui que ce faux jeton de gardien appelait tout le temps « Monsieur » […]. Pendant qu'elle s'échinerait à trouver des

---

[48] Pour Bounot, cité par Issa Traoré (« La nouvelle littérature africaine », *Culture francophone.12* (2001) : 23.), « La littérature africaine est essentiellement ludisme, fête et rêverie. Elle ne s'attèle pas – sauf fortuitement – à répercuter le cri de l'homme étranglé dans une Afrique exsangue. Son rôle est de bercer et amuser les âmes par la magie du verbe africain : n'attendez pas d'elle qu'elle répercute les cris de l'homme ».

[49] Les deux écrivains sont de tendance marxiste. Mongo Beti a préfacé Le premier roman de Boris Diop, *Le temps de Tamango*. Diop a publié avec Odile Tobner, la veuve de Mongo Beti, l'essai *Négrophobie*.

choses drôles à lui raconter, le gamin serait plongé dans un profond sommeil ou en train de regarder le dessin animé du jour à la télévision (Diop 48).

Cette mise en garde montre la difficulté du roman à rendre compte de la vraie histoire. Malgré ce qui apparaît de la narration des événements par Lat-Sukabé qui s'appuie sur des moyens dignes de foi (journaux), la conteuse tient à montrer au lecteur qu'elle l'engage dans un véritable jeu et qu'il aurait affaire à des histoires évanescentes. Sa voix vient ainsi rejeter l'histoire racontée par le premier narrateur en introduisant le comique dans le sérieux de la représentation entamée par ce dernier.

Nicole Belmont, dans sa *Poétique du conte*, a défini cette fonction fabulatrice du conte : « Les conteurs considéraient les contes merveilleux de leur répertoire comme des fictions. Contrairement aux légendes ou aux récits de 'peur', dont la narration s'accompagne d'un ancrage dans la réalité, donc d'un effet de croyance, les contes étaient annoncés comme des 'mensonges' » (60). C'est dans cette optique que Khadidja invente « Le cavalier et son ombre », un conte où la discrimination entre Mwa et Twi est d'abord évoquée sous la banalité d'un fait : un souverain Mwa refuse de donner sa fille à un Twi parce qu'il aurait des dents de Chacal et décide par la même occasion d'exterminer tous les Twi. Deux autres contes se superposent au « Cavalier et son ombre » et en constituent des micro-récits : « L'Histoire de la mère Mwanza » raconte ce jeu auquel des gamins se livrent en violant une vieille femme en pleine rue parce qu'elle est Twi. « L'histoire des vendeurs d'agonie », quant à elle, se fonde sur l'extermination des Twi par des miliciens.

Le romancier brouille les pistes pour rendre compte du génocide. Plusieurs récits se superposent pour en parler et enlèvent à l'Histoire toute sa gravité. De nombreuses voix s'entremêlent comme si la réalité de l'évènement variait d'une personne à l'autre, comme si l'évènement n'était qu'un prétexte pour féconder l'imaginaire des différents narrateurs : la radio, la presse, la voix de Lat-Ṣukabé, celle de Khadidja. On peut y voir un balbutiement à dire l'Histoire par le biais du conte. Le récit sur la mère Mwanza est d'ailleurs raconté par bribes par un narrateur qui décide d'occulter des séquences :

-Vas-tu vraiment raconter cela aussi?
- Je suis heureuse que tu m'en aies empêché. La honte faisait ma langue déjà si lourde…
- Leur monde est si moche. Où irions-nous si la fable ne nous laissait un peu rêveur. (153).

Il s'agit bien de fable et même de fabulation dans les différents récits qui constituent *Le Cavalier et son ombre*. Le texte est bien étrange. Il mêle une histoire, des contes et même des frontières qui se fondent entre le monde des vivants où vivent Lat-Sukabé et Khadidja et celui des morts où évoluent le Cavalier et la princesse Siraa. C'est pourquoi le lecteur semble un peu y naviguer sur un fleuve enrobé de brume, où il aperçoit les rives de temps à autre, des percées de clarté et parfois, tout devient opaque. C'est pourquoi le narrateur laisse le lecteur libre de choisir le statut réel des personnages. Aussi, la conteuse est-elle obligée de mimer elle-même le public, car elle raconte des histoires fausses qui ne sauraient capter l'attention d'un public sérieux. Du génocide rwandais, elle avoue d'ailleurs ne rien connaître :

> Tu te donnes tout ce mal, juste pour ne pas crever de faim à Nimzatt, ma petite, n'essaie pas de me faire croire que le Rwanda t'empêche de dormir plus que les autres. Là-bas, du côté des vraies collines de Kigali, ils ont arraché les yeux à des vieillards et pilé des centaines de milliers d'enfants dans des mortiers, mais la vie continue. […] Tu exagères parce que tu ne sais rien des grandes tragédies du peuple noir, ni du Rwanda ni ailleurs. Je ne te fais pas de reproche, c'est ici que tu vis et tu dois payer ton loyer, mais ne crois pas que je suis dupe. Tu mens (225).

Les mots et expressions « faire croire », « vraies collines », « vérité », « tu ne sais rien », « dupe », « tu mens » soulignent le caractère fugace et inconsistant des récits de Khadidja et montrent la difficulté pour la conteuse de dire la vérité sur le génocide. Pour elle, si l'histoire du génocide a existé, elle ne saurait se limiter à un conte. Cette histoire va bien au-delà du simple jeu et suppose des réalités que seuls les mots d'un narrateur ne sauraient mettre en lumière. Par-là, Khadidja participe à la disqualification du roman comme genre pouvant se prévaloir de la vérité historique. Il en sera de même pour les mythes qui traversent ses récits.

Mythes et contestation de l'Histoire

Le Cavalier et son ombre est traversé de récits mythiques dont la pertinence est contestée par rapport à l'Histoire de leur société d'origine. Le roman évoque le mythe de Wagadu Bida, bien connu dans toute l'Afrique de l'Ouest. Le monstre Nkin'tri exigeait annuellement le sacrifice d'une fille du roi de Dapienga. Afin que sa ville soit épargnée des calamités, le roi est contraint de sacrifier sa fille Siraa. Mais un jour, arrive Samba Guelladié, un guerrier intrépide qui tue le monstre, refuse le trône que lui offre le roi, sous prétexte de poursuivre son programme contre les injustices, mais accepte Siraa, la fille miraculée du roi. Le conte de Khadidja, « Le Cavalier et son ombre », qui est une parodie de ce mythe, vise à divertir l'enfant. Dans cette entreprise, la conteuse a d'abord voulu se livrer à un récit historique, assez proche du mythe, tel que le rapportaient les livres d'histoires ou les griots :

Initialement, elle avait conçu *Le Cavalier et son ombre* comme un récit historique de facture classique, collant au plus près à la réalité, du moins à celle qui se trouve dans les manuels scolaires. Le but était louable : amuser et éduquer l'enfant. Travail facile, aussi. Il s'agissait seulement de répéter ce que disent les livres d'histoire - ou les griots - en exagérant, au besoin, certains exploits, ressassés jusqu'à l'écœurement, de nos souverains et chefs d'armée (89).

Mais, peu à peu, Khadidja inverse les valeurs héroïques du mythe :

Sans la moindre hésitation, Khadidja modifia du tout au tout le schéma de son histoire. Il n'était plus question d'élever à la noble connaissance de soi un petit enfant malheureux, mais de débusquer par tous les moyens un individu arrogant et pervers. [...] La nouvelle idée de la conteuse Khadidja était simple : prouver que l'histoire de notre pays était une infâme succession de trahisons et de lâchetés, dont il ne reste aujourd'hui que mensonges éhontés (97).

La conteuse actualise le mythe de Wagadu Bida, en imaginant la création d'une commission d'experts pour choisir un héros national. Au terme d'une mascarade, le médiocre fonctionnaire Dieng Mbaalo s'impose. Par la suite, les guerres victorieuses du téméraire Samba Guélladié seront vidées pour être remplacées par une guerre intestine entre Mwa et Twi, face à laquelle le Cavalier s'avoue impuissant.

On constate qu'en parodiant les mythes à des fins burlesques, Boris Diop déconstruit l'Histoire. La vérité historique du mythe est très souvent remise en cause par Boubacar Boris Diop. Face à une situation, il fait allusion au mythe pour signifier immédiatement qu'il a daté. Le sens théorique donné au rôle du mythe, selon deux définitions de Mircea Éliade, permet d'articuler cette activité contestatrice. Dans *Aspects du mythe*, la première présente le rôle du mythe comme étant de « [raconter] une histoire sacrée, [de montrer], comment, grâce aux exploits des Êtres Surnaturels, une réalité est venue à l'existence, [et que] c'est cette irruption du sacré qui *fonde* réellement le Monde et qui le fait tel qu'il est aujourd'hui » (Eliade 15). Dans *Le Sacré et le profane*, la deuxième montre que la « fonction maîtresse du mythe est [...] de 'fixer' les modèles exemplaires de tous les rites et de toutes activités humaines significatives [...] » (Eliade 87). Chez Boubacar Boris Diop, le mythe est déchargé de ses usages sociaux. Il devient tout simplement un langage-objet. Lat-Sukabé du *Cavalier et son ombre* serait un pastiche grotesque du grand roi Wolof Lat-Sukaabé qui régna sur les royaumes de

Kojor et Bawol de 1697 à 1719[50]. Il s'agissait d'un roi puissant dont la cour était pleine de fastes, un roi différent du pauvre vendeur de jouets thaïlandais dont le seul trésor est Khadidja et ses contes. Même le Cavalier qui, sur le plan mythique, serait Samba Guelladié, s'enfuit du champ de la guerre pour finalement devenir un minable voleur. Comme nous l'avons souligné avec le conte, l'on comprend aussi que l'Histoire basée sur le mythe est un leurre. Le rappel des figures mythiques se fait sur la base du burlesque, afin de montrer au lecteur que la vraie histoire est ailleurs et ne saurait se comprendre à travers des personnages qui ont daté et qui, définitivement, devraient se réduire à des êtres de fiction sans aucune prise sur la vérité.

---

[50] Voir l'analyse de Jean Sob dans son ouvrage *L'impératif Romanesque de Boubacar Boris Diop*. Ivry/Seine : Éditions A3, 2007, p. 201.

Le Cavalier et son ombre : roman du réalisme et de la modernité

À l'observation, on peut dire que *Le Cavalier et son ombre* épouse les canons du nouveau réalisme dont parle Dubois dans *Les romanciers du réel* ou du roman africain contemporain, tel que perçu par Justin Bisanswa. Pour Bisanswa, « c'est par bien des côtés que le roman africain a prise sur l'Histoire et que l'Histoire a prise sur lui » (197). Si Boubacar Boris Diop parle de l'Histoire, il la reconstruit et la déconstruit au gré des fictions. Même si certains personnages du *Cavalier et son ombre* représentent des figures historiques bien connues, ils n'en sont pas des copies conformes au sens de la *mimesis* d'Auerbach. Ces personnages sont présentés, par conséquent, dans l'espace du texte beaucoup plus comme des objets de récits. Ils sont devenus un simple langage, autrement dit des matériaux de littérature. Au sujet de Maa Ndumbe, par exemple, le narrateur du *Cavalier et son ombre* note qu'il n'est pas un dictateur comme on en voit dans les livres d'histoire : « Le Président n'était pas, en vérité, un dictateur féroce et folklorique, comme nous en avons tant connu dans les livres et, trop souvent, hélas, dans la vie réelle » (180). Si le roman de Boubacar Boris Diop a partie liée avec l'histoire des dictatures, il s'agit d'une histoire réfractée, dont le romancier érode les arêtes pour n'en laisser que des bribes. La parodie des mythes et le caractère ludique des contes travestissent l'Histoire. L'histoire de Dieng Mbaalo (pourtant désigné héros national) est transformée dans un bar par un fantasque joueur de Kora qui en fait sa propre histoire. Celle-ci se trouve ainsi vidée de sa consistance. De même, les contes de Khadidja, racontés par Lat-Sukabé, qui les considère lui-même comme des mensonges, participent d'un jeu :

> De la question de savoir si la conteuse avait été réellement témoin d'événements aussi lointains […] au constat que l'histoire était enfin allée se jeter dans la mer […], nous savourions les délices d'une sorte de danse amoureuse. Nous veillions avec beaucoup de soin à respecter toutes les règles, si subtiles de l'art du conte. Je mettais sérieusement en doute la véracité de l'histoire à venir, prenant un malin plaisir à souligner le fait, bien connu du reste, que les conteurs étaient tous des fieffés menteurs. (51)

Chaque fois, le lecteur se rend compte que Boubacar Boris Diop procède à une citation de l'Histoire (luttes de libération, échec des indépendances, etc.). Mais cette (h)istoire, « effet de réel » au sens de Barthes (et al. 81-90), ou « illusion référentielle » selon Riffaterre (91-108), vaut surtout comme manière d'attirer l'(H)istoire à soi pour mieux se revendiquer d'un discours autonome sur les grands événements. L'auteur évoque l'Histoire de manière latérale et allusive comme c'est le cas avec les contes de Khadidja où le fait banal (viol de la mère Mwanza, par exemple) sert de détour pour parler du génocide. Si Diop parle du génocide, des indépendances ou des dictatures, ce ne peut être que dans l'imaginaire d'une écriture. Il se livre à des simulations qui conjoignent réalité et fiction de la façon la plus trompeuse. C'est pourquoi ses personnages traversent l'Histoire en diagonale, et dans un état de semi-hébétude. La vision qu'ils en ont demeure toute fragmentaire : fragments de contes, fragments de mythes, fragments des souvenirs de Lak-Sukabé et de Khadidja, fragments de la mémoire de Gormack.

Par ailleurs, il y a brouillage du temps et des lieux dans *Le Cavalier et son ombre*. L'espace y est circulaire. Les personnages s'y déplacent mais il est généralement arrêté et se retourne sur lui-même. Le roman débute par le récit de Lat-Sukabé à la Villa Angelo et se termine au même lieu. Les personnages n'arrivent pas à se situer dans le temps. La mémoire de Lat-Sukabé oscille entre le passé et le présent, d'où la succession des séquences prospectives et rétrospectives qui poussent le lecteur, qui veut comprendre, à anticiper sans cesse ou à aller en arrière. Le flou qui entoure le cadre spatio-temporel pourrait traduire un parti pris littéraire d'un romancier qui évite la référentialité. L'œuvre est, de ce fait, sa propre histoire dans laquelle l'auteur fait de façon fictive le roman de son propre roman. Les bases du mythe, telles qu'énoncées par Greimas (34-65), sont sapées. Il n'y a pas *un avant* et *un après*. Il n'y a pas d'évolution dans l'espace. L'histoire se déroule entre deux seuils (Villa Angelo et Bilenty) sans donner la possibilité de progresser.

On peut alors relever sur le plan pragmatique deux attitudes de Boubacar Boris Diop à travers le roman. En subvertissant l'Histoire, il voudrait donner aux mythes et aux contes oraux un autre sens. Pour lui, ces récits sur lesquels se basent les croyances populaires ne peuvent pas permettre la connaissance de l'Histoire. Ils sont tout simplement un jeu. Ensuite, la réécriture des mythes et récits oraux chez Diop inscrit son écriture dans la quête de la modernité du roman africain. Son œuvre se positionne ainsi dans le courant du réalisme moderne car il ne s'agit plus de copier servilement les faits historiques, mais d'en faire une représentation oblique qui soit porteuse d'autres sens. Il s'agit d'opérer une mise à distance de l'Histoire pour la conquête de ce lieu stratégique qu'est l'écriture. Sur l'importance de l'écriture dans la mise en fiction de la réalité, Bourdieu dira fort à propos : « C'est à travers le travail sur la langue, qui implique à la fois et tour à tour résistance, lutte et soumission, remise de soi, qu'opère la magie évocatoire qui, comme une incantation, fait surgir le réel. C'est lorsqu'il arrive à se laisser posséder par les mots que l'écrivain découvre que les mots pensent pour lui et lui découvrent le réel » (183-184). Dans la même optique, nous terminerons cette étude par les mots de Boubacar Boris Diop à propos des critiques des textes africains, propos qui s'inscrivent parfaitement dans la logique des arguments que nous avons défendus :

Mais si beaucoup d'entre eux, à force de se rencontrer dans des colloques, ont fini par se retrouver autour de certaines idées ou par nouer de solides amitiés, il est difficile, en Afrique, de parler d'école littéraire au sens où on l'entend ailleurs. La faiblesse quantitative de la production littéraire et l'approche critique [...] ne favorise d'ailleurs pas ce genre de batailles. Lorsqu'il arrive aux spécialistes de la littérature africaine de laisser de côté le thème de l'engagement ou la question de la langue d'écriture, c'est pour initier aussitôt des débats sans fin et quelque peu mystérieux sur les littératures nationales (Diop 1999 : 10).

Ainsi, nous avons vu comment Boris Diop, s'inspirant de la tradition orale héritée de sa mère, reconstruit l'histoire de l'Afrique non plus comme le faisaient Cheikh Anta Diop ou les romans historiques, mais de la façon la plus biaisée qui soit. Nous y reconnaissons la médiation de l'écriture à la base de son entreprise romanesque. Il ne cherche pas à proposer des solutions aux maux de la société, ni à se faire le chantre des peuples sans voix. Son combat n'est plus de définir l'identité africaine ou de dénoncer les oppressions postcoloniales, mais de faire de « l'écriture en tant que telle un enjeu de la société » (Diop 1999 : 8). En s'investissant dans la recherche esthétique, Boubacar Boris Diop se situe dans le champ littéraire africain comme un pionner de sa modernité. Pour cela, *Le Cavalier et son ombre* est, de notre point de vue, son roman le plus élaboré.

Références bibliographiques

Auerbach, Erich. *Mimesis. La représentation de la réalité dans la littérature occidentale.* Paris : Gallimard, 1962.

Barthes, Roland. « L'effet de réel. », *Littérature et réalité.* Seuil. Paris, 1982. 81-90.

Belmont, Nichole. *Poétique du conte.* Paris : Gallimard, 1999.

Bisanswa, Justin K. *Roman africain contemporain.* Paris : Honoré Champion, 2009.

Biyidi, Alexandre. « Choses vues au festival des arts africains de Berlin-Ouest », *Peuples noirs, peuples africains.* 11 (1979) : 54.

Biyidi, Alexandre. « L'enfant noir », *Présence africaine.* 16 (1954) : 419-422.

Bouka Yollande et Thompson Chantal. « Interview with Boubacar Boris Diop », *Lingua Romania* 2, (1) (2004): 1. *Linguaromana.* Web. 7 août 2012.

Bourdieu, Pierre. *Les règles de l'art, genèse et structure du champ littéraire.* Paris : Seuil, 1992.

Diop, Boubacar Boris. « Où va la littérature africaine », *Notre Librairie.* 132 (1999) : 6-11.

Diop, Boubacar Boris. *L'Afrique au-delà du miroir.* Paris : Philippe Rey, 2007.

Diop, Boubacar Boris. *Le Cavalier et son ombre.* Paris : Philippe Rey, 2009.

Dubois, Jacques. *L'institution de la littérature.* Bruxelles : Labor, 2005. [1978].

Dubois, Jacques. *Les romanciers du réel.* Paris : Seuil, 2000.

Eliade, Mircea. *Aspects du Mythe.* Paris : Gallimard, 1963.

Eliade, Mircea. *Le sacré et le profane.* Paris : Gallimard, 1965.

Greimas, Julien. « Éléments pour une théorie de l'interprétation des récits mythiques », *Communications 8,* Seuil. Paris, 1981. 34-65.

Mabanckou, Alain. « Écrire ou tutoyer l'inconnu », *Notre Librairie.* 136 (1999) : 70-73.

Ndoye, El Hadji Gorgui Wade. « La tragédie de l'Afrique c'est la trahison de l'élite », *Continent premier,* (Mai 2006) : *Africatime.* Web. 7 août 2012.

Nissim, Liana. « Boubacar Boris Diop-Liana Nissim, "Aller au cœur du réel". Entretien », *Interculturel francophonie*. 18 (2010) : 23-50.

Riffaterre, Michael. « L'illusion référentielle », *Littérature et réalité*. Seuil. Paris, 1982. 91-108.

Sob, Jean. *L'impératif romanesque* de Jean Sob. Ivry/Seine : Éditions A3, 2007.

Traoré, Issah. « La nouvelle littérature africaine », *Culture francophone*. 12 (2001).

Chapitre V

L'oralité et l'écriture du génocide rwandais

chez Boubacar Boris Diop

Pierre Vaucher
Université Laval

Résumé

Dans cet article, nous nous proposons d'interroger l'apport de l'oralité dans l'écriture du génocide rwandais, en nous fondant sur le roman *Murambi : le livre des ossements* de Boubacar Boris Diop. À partir de la notion de *performance* développée par Paul Zumthor, nous analysons comment le romancier met en scène une parole sur le génocide qui se manifeste avant tout à travers ses failles et ses manques. Celle-ci est constamment avortée, reprise, révélant des non-dits qui sont en rapport étroit avec la position de l'écrivain concernant le témoignage du génocide. L'œuvre affiche ainsi des préoccupations qui sont au centre de l'entreprise d'écriture de Boubacar Boris Diop.

Murambi : le livre des ossements de Boubacar Boris Diop[1] interroge l'inévitable écart du langage envers une représentation juste et véridique des faits du génocide. À travers un dispositif fictionnel, l'écrivain sonde ses limites pour appréhender une réalité qu'il ne peut concevoir que dans l'équivoque et non sans une certaine mauvaise foi. Il est à l'image de Cornelius Uvimana – le personnage clé du roman – qui non seulement échouera à comprendre, à se faire le « témoin » (le relais) des événements survenus en 1994, mais qui, de plus, perdra son innocence. En apprenant l'implication de son père dans les massacres de l'École technique de Murambi, celui-ci découvre en effet qu'il est devenu l'incarnation vivante de l'horreur aux yeux des survivants.

---

[1] Dans le cadre de cet article, la première édition du texte servira de référence (Boubacar Boris Diop. *Murambi: le livre des ossements*. Paris, Stock, 2000). Lorsque la réédition de 2011 est mentionnée, nous précisons l'année entre crochets.

Comme certains critiques l'ont déjà soulignés (Sob; Semujanga), la figure de Cornelius n'est pas sans évoquer la trajectoire de Boubacar Boris Diop qui a lui-même séjourné au Rwanda dans le cadre du projet de Fest'Africa intitulé « Rwanda : écrire par devoir de mémoire »[2]. Rappelons-le, ce projet avait permis à des écrivains africains établis (pour la plupart) à l'étranger de s'installer pendant deux mois au Rwanda. L'enjeu était de produire une œuvre qui serait éditée et discutée, comme en témoigne les rencontres organisées par Fest'Africa[3] en vue de présenter les réalisations des auteurs. Toutefois, durant leur séjour, leur présence sur le sol rwandais et, incidemment, leur statut de « tiers témoins » firent l'objet de plusieurs critiques. Nocky Djedanoum, directeur de Fest'Africa, affirme à ce propos que : « Quand nous sommes arrivés, les enfants nous ont demandé où nous étions avant 1994. On n'a pas su quoi leur répondre... » (Marcelli) Pour Boubacar Boris Diop, ce reproche mettait en cause une trahison bien plus profonde. Il avait le sentiment d'avoir failli à sa « responsabilité d'écrivain », lui pour qui l'engagement était au centre de la pratique littéraire. Il lui fallait aller « au-delà du miroir »[4], dénoncer les implications extérieures dans le génocide, de même que son propre silence, inadmissible justement parce qu'en tant qu'intellectuel il pouvait savoir. Ainsi le romancier rappelle-t-il ironiquement que :

> [l]es interlocuteurs de Fest'Africa, tous des cadres de la guérilla du FPR à peine sortis du maquis, éprouvaient surtout de la méfiance à l'égard de notre chœur de pleureuses de la vingt-cinquième heure. Pourquoi cet intérêt subit pour leur histoire de la part d'écrivains de langue française, de surcroît à travers un projet partiellement financé par une fondation française ? [...]. À l'époque je ne pouvais savoir que Venuste Kayimahe, un des deux participants rwandais (avec Jean-Marie Vianney Rurangwa) au projet de Fest'Africa, abandonné aux tueurs par ses supérieurs et ses collègues français de l'ambassade de France et du Centre culturel, n'avait échappé à la mort que par miracle (Diop *Murambi* [2011] 235-36).

Le projet de Cornelius de réaliser une pièce de théâtre sur les massacres sans se douter que son père en a été l'un des orchestrateurs entre en

---

[2] Ce projet fut mis sur pied par les journalistes lillois Nocky Djedanoum et Maïmouna Coulibaly. Pour avoir un aperçu sur le programme de la résidence d'écriture auquel il donna lieu, voir l'entretien réalisé par Noémie Bénard avec Boubacar Boris Diop (Bénard).
[3] Un colloque est organisé du 27 mai au 5 juin 2000, à Kigali, puis à Butare. Les textes sont mis en scène dans un spectacle de Lamko, intitulé *Corps et voix, paroles rhizomes*. Enfin, d'autres rencontres ont lieu du 4 au 11 novembre 2000 à Lille, et les 18 et 19 du même mois à Paris.
[4] Nous faisons, ici, allusion au recueil d'essais de l'auteur (Diop *L'Afrique au-delà du miroir*) qui réunit plusieurs articles publiés précédemment dans la presse écrite.

résonnance avec cette sorte « d'ignorance coupable » auquel Boubacar Boris Diop fut particulièrement sensible :

> Le génocide des Tutsi du Rwanda a profondément influencé ma réflexion et si je mets sans cesse l'accent sur sa dimension françafricaine, c'est aussi parce que je suis Sénégalais. Mon pays a été une colonie française, il est indépendant depuis 1960 mais reste sous étroite surveillance et cela veut dire que, si la situation s'y prête, je peux avoir mes morts du Rwanda au Sénégal. […], j'essaie simplement de faire comprendre en quoi les cadavres de Murambi et de Nyamata m'ont ramené à des notions telles que l'impérialisme ou le néo-colonialisme (Nissim 44-45).

Il faudrait interroger l'homologie qui se profile entre la posture que l'écrivain s'est construite à travers ses essais et ses entretiens – celle d'un intellectuel africain découvrant « à travers le miroir » la vérité insoupçonnée de son implication dans les faits – et ses *prises de positions*[5] esthétiques dans *Murambi*. Ainsi, on peut voir qu'à la manière des écrivains de la résidence d'écriture, Cornelius se bute à un reproche informulé. Si celui-ci semble d'abord être la conséquence de son absence lors des massacres de 1994, il se révèle en fait beaucoup plus profond. Un mur s'est interposé entre lui et la communauté rwandaise, dont ses amis d'enfance.

Le roman illustre alors un sujet de conscience mû par le désir de recouvrer un « sens » après l'horreur[6], mais qui est aux prises avec des non-dits, des silences troublants, dont il est lui-même l'origine. Toutefois, à la différence des auteurs du projet « écrire par devoir de mémoire », ce retour sur une vérité pénible et imprévue est préparé par l'oncle de Cornelius – Siméon Habineza – qui charge ses deux anciens amis – Jessica Kamanzi et Stanley Ntaramira – de lui révéler les atrocités commises par son père :

> – [Jessica] Tu vas demain à Murambi et tu dois savoir que ton père y a organisé le massacre de plusieurs milliers de personnes. Le carnage à l'École technique de Murambi, c'était lui. Tu dois aussi savoir qu'il a fait tuer là-bas ta mère Nathalie Kayumba, ta sœur Julienne, ton frère François et toute ta belle-famille (*Murambi* 101).

Sans ramener l'œuvre à l'auteur, nous voudrions aborder ici comment la mise en cause de l'écrivain pour dire le génocide s'actualise de manière tout à fait singulière dans *Murambi*. En particulier, nous montrerons que la métaphore d'une parole problématique sur les événements touche à

---

[5] Nous empruntons cette expression à Pierre Bourdieu qui, dans sa théorie sur le champ artistique, la rapporte aux diverses productions de l'auteur (œuvres littéraires, discours polémiques, etc.) en tant qu'elles sont déterminées par un *champ* structuré (Bourdieu).
[6] Le terme *sens* se lit ici à la fois comme une quête de la vérité et un désir de communion.

l'inscription d'une oralité mouvante, le romancier renouvelant par là un procédé que l'on a tôt fait d'assimiler à une spécificité du texte africain. En réalisant un travail esthétique sur les frontières (poreuses) entre l'écriture et la parole, il interroge les failles et les dilemmes qui sous-tendent l'écriture du génocide. Il fait ressortir les hésitations, les équivoques et les orientations parfois malicieuses du témoignage, de même qu'il en questionne la réception critique.

La particularité du texte est alors de faire voir à quel point raconter le génocide rwandais constitue une entreprise incertaine et précaire. Dans le récit, la parole ne semble jamais atteindre son but parce qu'elle comporte toujours une part d'inavouable, un reproche informulé ou une vérité insoupçonnée. Au détour du dit, le texte révèle des non-dits, des « silences parlants », à partir desquels la représentation du génocide s'effectue plus sûrement. En cela, le trajet de retour de Cornelius se confond avec la quête difficile d'un sens à donner à l'horreur, une quête qui se complique à partir du moment où Cornelius découvre que son histoire familiale est intimement liée aux événements.

Notamment, Boubacar Boris Diop donne à voir la parole du témoin dans une situation de performance, de la même façon que pour un conte (sans toutefois en effectuer une mise en scène explicite). Par-là, cette parole ne semble plus aller de soi. Nous empruntons à Paul Zumthor le concept de *performance*, qui le définit comme : « l'action complexe par laquelle un message poétique est simultanément transmis et perçu, ici et maintenant. Locuteur, destinataire(s), circonstances [ajoute-t-il] se trouvent concrètement confrontés, indiscutables » (Zumthor 32). Au lieu de ramener l'oralité à l'incorporation de procédés narratifs oraux, nous envisagerons plutôt comment elle travaille en profondeur l'écriture du génocide et, de la sorte, en oriente la représentation. D'une certaine manière, il s'agit par la fiction de réinscrire le corps qui pour Roland Barthes, est le propre de la parole et revient de façon indirecte dans l'écriture[7].

Une problématisation de la parole

Jean Sob souligne que chez Boubacar Boris Diop « [i]l ne suffit … plus d'avoir quelque chose à dire pour écrire. Il faut d'abord conquérir le

---

[7] « Dans l'écriture, ce qui est *trop* présent dans la parole (d'une façon hystérique) et *trop* absent de la transcription (d'une façon castratrice), à savoir le corps, revient, mais selon une voie indirecte, mesurée, et pour tout dire *juste*, musicale, par la jouissance, et non par l'imaginaire (l'image) » (Barthes *Le grain de la voix : entretiens 1962-1980* 12).

comment écrire et c'est là que réside … la véritable performance de l'écrivain africain » (Sob 9). Cette obsession du « comment écrire » qui transparaît dans toute l'œuvre romanesque implique corollairement la mise en texte d'une dépossession de l'écriture. Le locuteur n'est jamais tout à fait certain de ce qu'il avance. De ce fait, il effectue des va-et-vient constants dans l'écheveau des voix narratives, comme l'illustre la figure du « Narrateur » du *Temps de Tamango* (Diop *Le temps de Tamango*) qui ramène son récit à des notes restées partiellement obscures. Or, dans *Murambi*, cette dépossession atteint un paroxysme : la figure du narrateur extradiégétique disparaît complètement pour faire place à un texte protéiforme, affichant ouvertement ses lacunes et ses ruptures sans aucune clé de résolution. Le lecteur est ainsi laissé à lui-même. Sur le plan général déjà, espace de parole et scène d'écriture se côtoient sans qu'il n'y ait vraiment de continuité entre les deux univers sémiotiques. Aussi, deux séries de *témoignages* (fictifs) portant sur les événements coupent l'intrigue principale – la quête de Cornelius – tout en restant autonomes par rapport à elle : c'est comme si la parole des témoins qui apparaît dans les première et troisième sections du roman ne pouvait être « écrite », c'est-à-dire donner lieu à une fixation définitive. À ce propos, on peut se rapporter à la notion « d'*ob-scene* » d'Alexandre Dauge-Roth (Dauge-Roth) qui fait appel à une esthétique de l'interruption ; à un espace intangible et inintelligible. L'*ob-scene*, en effet, renverrait à un lieu qui se situe au-delà de la scène cultuelle définie par les discours circonscrivant nos cadres de référence. Il s'apparenterait à « l'étranger » de Jacques Derrida, cet « arrivant absolu » qui nous oblige à remettre en question nos acquis. Il se trouve que Boubacar Boris Diop, à travers l'inscription d'une forme de mouvance textuelle, cherche à bouleverser les cadres tout en suggérant quelque chose qui ne peut pas être, pour l'instant, appréhendé.

L'esthétique de *Murambi* souligne alors les diverses facettes d'une parole problématique sur le génocide. Celle-ci opère sur le mode d'une élucidation progressive. Par toutes sortes de procédés, on veut accréditer un savoir sur les événements. En même temps, la possibilité de raconter le génocide est continuellement mise en défaut par des éléments parasites qui font obstruction. On peut y voir la posture de l'écrivain qui refuse d'inscrire le récit des faits dans une continuité fataliste :

> [S]'il nous est toujours si facile d'oublier l'avertissement de Césaire ('Un homme qui crie n'est pas un ours qui danse') c'est en raison de notre propension à voir dans les tragédies africaines non pas des événements singuliers mais des séquences successives et répétées à l'infini d'un cataclysme généralisé (Diop *Murambi* [2011] 245).

Le texte s'ouvre ainsi sur une mosaïque de voix narratives qui offrent chacune un regard différent sur les massacres de Murambi. À tour de rôle, divers acteurs du génocide – Michel Serumundo, Faustin Gasana, Jessica, etc. – témoignent de ce qu'ils ont vu, entendu ou ressenti durant le déroulement des événements. À première vue, le texte romanesque s'affiche comme un récit commémoratif visant à fixer durablement une « histoire du génocide rwandais », à la manière des recueils publiés par Jean Hatzfeld (*Dans le nu de la vie : récits des marais rwandais; Une saison de machettes*). Cette suite de *témoignages* est secondée par une autre série qui se situe chronologiquement à la fin des massacres lors de la reprise du contrôle par le FPR. De nouveau, les voix convoquées sont sélectionnées pour leur valeur exemplaire. Au fil du texte se dessine ainsi une rhétorique du témoignage qui entend afficher son authenticité grâce à une couverture étendue des événements de Murambi. Cependant, à y regarder de plus près, les témoignages actualisent des sujets dont la perception reste absolument contingente. Chaque discours, au lieu de s'agencer aux autres dans une vision cohérente de la réalité, s'individualise pour ne refléter que la partialité des points de vue[8]. Dès lors, les voix qui apparaissent sont prises dans l'étau d'une perception relative et souvent contradictoire des faits. Bien que les événements du génocide soient filtrés par une multiplicité de regards, il n'en ressort pas, au final, l'amorce d'une compréhension. La mouvance des points de vue ne donne lieu à aucune complétude de type scriptural.

On peut ainsi saisir comment le témoignage de Faustin Gasana – un milicien Interahamwe – met en jeu un langage intériorisé, presque inarticulé, qui vient gêner l'entour du dit :

> Comme je prends congé du vieux [...] des idées bizarres commencent à m'assaillir. Juste des mots dont le sens m'est resté complètement obscur sur le moment. Penser l'impensable. L'haleine fétide du père. Le père qui n'en finit pas de mourir. Tout le temps en train de maudire et de chasser quelqu'un de sa maison (Diop *Murambi* 32).

En attirant l'attention sur ces indices d'atmosphères, Faustin réintroduit quelque chose qui perturbe ce qu'il affirme par ailleurs en toute mauvaise foi : le bien-fondé du projet d'extermination, mais qui reste malgré tout au seuil du discours. Sa parole devient confuse. Elle entraîne des sous-entendus, révèle des failles qui contribuent à mettre en crise ce vers quoi son témoignage voudrait tendre : une maîtrise du sens à donner à l'événement. Pour reprendre Zumthor, des « bruits » (au sens d'éléments hétérogènes) surviennent qui désorganisent la performance en cours (Zumthor 156).

---

[8] À la suite de Michael Bakhtine, on peut parler de langages « dialogiquement corrélatés » (Bakhtine). Les perspectives s'éclairent mutuellement de façon à mettre en perspective l'absence de véritables repères qui pourraient les composer.

Des paroles avortées

Comme pour les témoignages fictifs, la section consacrée au retour de Cornelius révèle la faillite d'un « je » qui voudrait dire le génocide. Durant tout son périple jusqu'à Murambi où il rencontrera son oncle Siméon, Cornelius est obsédé par les événements survenus en son absence, sans toutefois pouvoir véritablement amorcer le dialogue avec ses deux amis à ce sujet. C'est que ces derniers sont les détenteurs d'une vérité trop lourde à porter – l'implication du père de Cornelius dans les massacres –, au point de prendre la forme d'une sourde réprobation qui va concourir à enrayer les conversations et provoquer de nouveaux malentendus. Tandis qu'il tente de lever les doutes qui l'assiègent de toutes parts, Cornelius creuse ainsi l'abîme avec ses compagnons :

> [Cornelius] s'avisa brusquement que, depuis qu'ils s'étaient revus à l'aéroport, Stanley lui avait paru soucieux et peut-être même un peu distant à son égard.
> [...]
> – Stan, il ne faut rien me cacher. Si Siméon Habineza est mort, il faut me le dire.
> [...]
> – Ne parle pas de malheur, Cornelius.
> Il semblait lui en vouloir d'avoir pensé une chose aussi épouvantable.
> – Je dois tout savoir, dit Cornelius, un peu confus. Siméon est l'unique survivant de ma famille (Diop *Murambi* 62-63).

C'est alors à travers la figuration des impressions de Cornelius que Boubacar Boris Diop évoque de façon indicielle la question du génocide. Notamment, il recourt à une mise en scène gestuelle, à des situations de performances qui vont rappeler, par leurs équivoques, la déroute du langage. Ainsi, régulièrement, les dialogues s'amenuisent au profit de procès de perception qui suggèrent le désarroi de Cornelius face aux actions incompréhensibles des autres. On peut citer l'exemple du chauffeur de taxi qui « chaque fois qu'il [le] croyait ... occupé à regarder ailleurs, ... l'observait avec attention dans le rétroviseur, comme pour lire quelque chose sur son visage » (Diop *Murambi* 54). Au café des Grands Lacs, les regards qui convergent vers lui suscitent mille interrogations dans son esprit (Diop *Murambi* 69), le faisant dès lors fuir toute discussion. Et lorsque les personnages se mettent à parler, il arrive souvent que l'acte amorcé soit étouffé comme un poussin dans l'œuf. De la sorte, Gérard Nayinzira, observant Cornelius, trouble le cercle des buveurs par le prélude d'une révélation qui sera finalement esquivée :

[...] il annonça son intention de faire éclater enfin la vérité, puis lâcha des reproches énigmatiques [...] au milieu d'un silence de plus en plus lourd. [...] Finalement, en dépit de diverses exhortations, le Matelot annonça qu'il allait partir en promettant de parler une autre fois, n'ayant pas réussi ce soir-là [...] à dire ce qu'il avait sur le cœur (Diop *Murambi* 70-71).

À sa suite, Barthélémy lâche des propos incompris par Cornelius : « Dans la vie, dit Barthélémy, l'essentiel pour chacun de nous est de ne pas passer à côté de sa vérité. Le reste... eh bien, le reste ne compte pas » (Diop *Murambi* 72).

On le voit, Boubacar Boris Diop multiplie les scènes de prise de parole par lesquelles des personnages désirent raviver publiquement une mémoire du génocide. Mais ces velléités oratoires sont à chaque fois avortées. La promesse d'un récit n'est jamais satisfaite. Gérard renonce finalement à prendre la parole après avoir sollicité son entourage, parce que son propos implique une révélation qui effraie les uns et les autres : l'étrange parenté qui lie Cornelius aux massacres de Murambi. Or, à travers elle, Gérard entrevoit la résurgence du mal dont il sera pourtant lui-même l'initiateur :

– Tu étais là au café des Grands Lacs, très à l'aise, sûr de toi, et tu ne savais pas que tout le monde suivait tes moindres gestes et écoutait tes propos. Des gens venaient exprès voir de leurs yeux le fils du Boucher de Murambi, il y avait des types de la sûreté, tu ne te rendais compte de rien. [...].
Au fond de lui-même, il se sentait agacé par les accusations de Gérard, mais il n'osait le montrer. Gérard n'attendait qu'une occasion de laisser éclater sa colère. 'Il me tient comme un animal tient sa proie et il ne me lâchera pas de sitôt', songea-t-il. [...].
Il était décidé à crever l'abcès. Autant entendre Gérard le traiter de fils d'assassin que de le laisser jouer si cruellement avec lui (Diop *Murambi* 191-92).

Le « blocage » de la parole conduit le discours à bifurquer sans cesse, produisant un déséquilibre. À un dire extériorisé mal assumé et chargé de silences s'oppose une sorte de « langage intérieur » qui s'en détache et annihile sa portée. Décalé, il rappelle le désarroi d'une parole qui n'adhère plus. Ne réussissant à dire ce qui le préoccupe, Cornelius est ainsi amené à évoquer le passé et l'ailleurs qui reviennent constamment en force. N'ayant pas prise sur le présent, lui-même « irradié » par les événements de 1994, il se remémore les instants heureux partagés avec Jessica, Stanley et Siméon, de même qu'il est ramené à l'image de Zakya, restée à Djibouti. Si ce « temps du souvenir » permet le rétablissement d'une identité et favorise par là le recul nécessaire pour dire le passé traumatique, il ne peut toutefois pas encore donner sens au présent.

Un silence suffocant

La sourde menace qui pèse sur le dire aboutit à un silence qui se perçoit autant à l'échelle des échanges entre les personnages que si l'on considère le monologue intérieur de Cornelius qui se développe en contrepoint. Cette révélation du silence par le langage – un langage dès lors toujours défaillant – trahit les limites de la parole et force à concevoir, à l'autre bout, une nouvelle voix présentée comme virtuelle. Ainsi, gêné par l'attitude énigmatique de ses pairs, l'aridité soudaine de ses rapports avec ceux restés au pays, de même que par les mystères que son retour de Djibouti soulève, Cornelius conçoit en son for intérieur un univers hypothétique. Détaché du présent, celui-ci lui permet alors de donner libre cours à ses préoccupations les plus profondes qui le ramènent sans cesse aux événements. Notamment, alors qu'il raconte Djibouti à ses amis, une voix intérieure au discours indirect libre prolonge le cours du récit en y révélant les angoisses cachées de Cornelius :

> Cornelius avait beaucoup de raisons d'aimer Djibouti, à commencer par son amour pour Zakya. Mais la plus forte était peut-être celle-ci : c'était l'unique endroit au monde où il avait eu le sentiment qu'on pouvait recommencer quelque chose. Il aurait pu ajouter qu'à Djibouti il n'avait jamais senti la mort à ses trousses comme pendant son enfance à Murambi (Diop *Murambi* 53).

L'histoire est toujours reprise depuis le début étant donné les non-dits qui, dans la trame narrative, sont révélés par le discours tout en provoquant sa paralysie. Hormis l'échange final avec Siméon, seule la révélation de Jessica sur le carnage organisé par le père de Cornelius débloquera, pour un temps, la parole.

Pourquoi cette violence qui agite tant Cornelius n'est-elle jamais abordée frontalement ? Comment se fait-il qu'elle soit réduite au "bredouillement" (Barthes *Le bruissement de la langue* 99) d'un langage inaudible ? Tous les échanges entre les personnages mettent en abyme – au même titre que les scènes de « témoignage » – la trop grande proximité des horreurs de 1994 qui, paradoxalement, n'ont laissé aucune trace visible. Cette « blessure intérieure », tout comme l'embarras de Cornelius, n'est jamais avouée, mais se manifeste sous une forme symptomatique ; celle d'une distance infranchissable entre les interlocuteurs.

Une fiction en deçà de la réalité

La question de la distance adoptée par rapport à l'événement est centrale dans *Murambi*. Diop adopte un schéma narratif par lequel le récit oscille entre une parole immédiate, mais n'offrant qu'une vue chaotique et altérée de la réalité, et une perception plus distante et réfléchie. Cette dernière est prise en charge par l'écriture fictionnelle, elle-même mise en abyme à travers la pièce sur le génocide que Cornelius projette d'écrire. Mais tandis que les témoignages de Serumundo ou de Jessica échouent à transmettre une vision cohérente des faits, la fiction, tout en restant bien en deçà de la réalité, ne produit pas l'écart suffisant.

Tout comme Khadidja dans *Le cavalier et son ombre* (Diop), Cornelius métaphorise l'artiste qui ne sait pas ce qu'il faut dire, ni à qui il doit le dire. La première fois qu'il évoque sa pièce sur le génocide, il a honte de lui-même. L'idée lui paraît saugrenue (Diop *Murambi* 69). Puis, lorsqu'il raconte enfin le sujet de son œuvre, en sortant du café des Grands Lacs, l'espace de parole dans lequel il se place est à l'extrême opposé de l'atmosphère de communion propre au conte. Cornelius, en effet, a pour unique interlocuteur Roger Munyarugamba, soupçonné de s'être « mal comporté pendant le génocide ». Il est aussi soûl ; n'est plus maître de lui-même. La méfiance s'installe entre eux. Le contact phatique ne s'établit pas. De plus, Cornelius se sent coupable de parler : « Il a l'air d'insinuer que je n'étais pas là quand on tuait les gens et que maintenant je viens emmerder tout le monde avec ma douleur » (Diop *Murambi* 74-75).

À l'accablement de la scène répond la pesanteur grotesque de l'exposé que Cornelius fait de sa pièce. Une situation de performance se crée : le découragement de Cornelius ainsi que le dégoût que lui inspire Roger le forcent à porter un nouveau regard sur sa propre pièce qui lui paraît alors inappropriée. De cette manière, le récit du général Perrichon imputant à son jardinier éthiopien la séquestration de son chat pendant les soi-disant « génocides » terrorise Roger : « Roger ne comprenait plus rien. ... – Tu ne te rends pas compte, Cornelius. Mais je tiens à ce qu'on discute demain, quand tu seras mieux ... » (Diop *Murambi* 78). L'incrédulité de Roger, la position insolite de Cornelius en conteur délirant, finalement, le bouleversement et la fuite de Roger, informent la réception d'une fiction qui pourtant est bien en deçà de la réalité. Le récit du général Perrichon, en effet, fait écho quelques pages plus loin avec « l'histoire vécue » du Docteur Karekezi au moment de fuir le pays au gré de l'opération turquoise. Mais ici l'absurdité de la scène surpasse la fiction, bien que celle-ci soit déjà irrecevable :

[…] Le colonel a dit : 'Non, pas le chien.' Le docteur a protesté : 'Je ne partirai pas sans Taasu.' Alors le colonel a lancé, très sec : 'Vous voulez rigoler ? Vous liquidez des milliers de gens, vous tuez votre femme et vos enfants, et vous faites tout un bordel pour cet animal ! Je n'ai pas de temps à perdre. Adieu' (Diop *Murambi* 203).

Raconter malgré tout

Malgré les silences et les non-dits qui dominent l'œuvre, l'atmosphère tendue qui pousse les individus à réprimer une « voix » qui les hante, Cornelius ne renonce pas à son désir de « narrer » le génocide, c'est-à-dire à lui conférer une lisibilité. D'ailleurs, le massacre de Murambi, du moment où il devient une partie intégrante de son histoire familiale, cesse d'être une chimère pour acquérir, au sens de Paul Ricœur, une valeur prédicative[9] et par là une intelligibilité. La révélation des actes commis par le Docteur Karekezi a du moins pour effet de dire la menace qui pèse sur l'ignorance qui fut celle de Cornelius, à l'image du lecteur se croyant à tort innocent et sauf (Diop *Murambi* 102). La rencontre tant attendue avec Siméon, quant à elle, coïncide avec le sentiment qu'une remontée aux origines du mal est encore possible. Pour Cornelius, en effet, Siméon doit détenir la clé de l'énigme, puisqu'il semble être le seul à être resté intègre et qu'il est, de plus, le détenteur d'une mémoire qui remonte à la cour du roi Mwami.

Toutefois, la rencontre ne résoudra pas les questions de Cornelius. Le texte reporte la mouvance d'une quête qui ne parvient pas à se dénouer et celle d'un sens aux événements qui ne peut se fixer. Une fois Cornelius arrivé, Siméon, en effet, lui avoue l'échec des mots pour dire le génocide. Rejetant toute iconicité, il incarne une position problématique par laquelle il dénie la possibilité de raconter :

> – Non, il n'y a pas eu de signe, Cornelius. N'écoute pas ceux qui prétendent avoir vu des taches de sang sur la lune avant les massacres. Il ne s'est rien passé de tel. Le vent n'a pas gémi de douleur pendant la nuit et les arbres ne se sont pas mis à parler entre eux de la folie des hommes (Diop *Murambi* 194).

---

[9] Le prédicat n'identifie pas, mais caractérise. La métaphore touche à la prédication, en ce sens qu'elle : « est le processus rhétorique par lequel le discours libère le pouvoir que certaines fictions comportent de redécrire la réalité » (Ricœur 11).

Seule l'évocation de l'enfant à la flûte donne lieu à une transmission orale harmonieuse. Siméon passe le relais de la parole à Cornelius qui se fait conteur à son tour, c'est-à-dire diseur de sens et faiseur de communion :

> – J'aimerais pourtant que nous parlions du jour où je t'ai emmené sur les rives du lac Mohazi. T'en souviens-tu ?
> Cornelius le regarda avec émotion :
> – Je me souviens de cet enfant qui jouait de la flûte. Je ne l'ai jamais oublié.
> – Je vois que tu as une très bonne mémoire (Diop *Murambi* 179).

Et Siméon de poursuivre la réflexion :

> Siméon écouta ensuite Cornelius lui raconter comment vingt-neuf ans plus tôt, lui, Siméon, l'avait conduit sur la colline de Gasabo et lui avait dit en montrant les rives du lac Mohazi d'un large geste de la main : 'C'est ici que le Rwanda est né' (Diop *Murambi* 179).

Un lien sémantique s'établit entre, d'une part, l'enfant à la flûte – cette « image d'un monde que rien ne pouvait détruire » (Diop *Murambi* 182) –, par ailleurs, la probité de Cornelius dont le retour au Rwanda est placé sous le signe d'un amour naissant avec Zakya (une « étrangère »), et, enfin, cet impératif que Cornelius s'impose de ne pas rejeter la possibilité de raconter le génocide pour ne pas sombrer dans ce que Siméon appelle la « défaite ». Cornelius fait ainsi de Siméon un « raconteur d'éternité » et se réserve le rôle, plus modeste, de « dire inlassablement l'horreur » (Diop *Murambi* 226). La situation de contage acquiert alors une valeur performative : entretenir le sens, malgré l'évidence du non-sens, c'est entretenir l'espoir envers et contre tout.

Conclusion

Ainsi, *Murambi* peut se lire comme une investigation sur l'écriture du génocide rwandais. En délaissant quelque peu le registre explicatif pour donner préséance à la *performance*, Boubacar Boris Diop replace la question du génocide dans l'entour d'une parole humaine, dès lors problématique. Chez lui, en effet, l'écriture du génocide est indissociable de la représentation d'une parole concrète, performative, par laquelle des personnages sont confrontés à une mémoire des faits sur laquelle ils achoppent. À l'inverse de « l'écriture » comprise ici en termes de lisibilité et de cohérence, « l'oralité dans l'écriture », chez l'auteur, fait resurgir la présence du corps derrière les mots, en particulier toute la résistance qu'il opère sur eux. *Murambi* montre ainsi que dire le génocide n'est jamais simple parce que ce discours est encore enlisé dans le réel et émane d'ailleurs d'une conscience qui ne sait pas toujours à qui elle doit s'adresser, ni comment.

L'impossibilité de fixer définitivement le génocide n'empêche pas cependant une fixation partielle dans la mouvance des voix, dans la répétition *ad infinitum*. Les digressions de Cornelius sur son enfance avec Stanley et Jessica, ou sur Zakya, comblent une brèche (partiellement du moins) parce qu'ils anticipent une communauté de parole sans laquelle rien ne pourra jamais être dit. Zumthor rappelle aussi que la voix exerce une fonction protectrice : « elle ... freine la perte de substance que constituerait une communication parfaite. La voix se dit alors même qu'elle dit ; en soi, elle est pure exigence » (Zumthor 12-13). Faire sens, c'est écarter au moins provisoirement la menace du génocide.

Références bibliographiques

Bakhtine, Mikhaïl. *Esthétique et théorie du roman*. Trans. Olivier, Daria. Tel. Paris: Gallimard, 1978.

Barthes, Roland. *Le bruissement de la langue*. Essais critiques / Roland Barthes. Paris: Seuil, 1984.

---. *Le grain de la voix: entretiens 1962-1980*. Paris: Seuil, 1981.

Bénard, Noémie. "Entretien avec Boubacar Boris Diop." *Aircrige* (2001). Web. 02.11.2011.

Bourdieu, Pierre. *Les règles de l'art: genèse et structure du champ littéraire*. Points. Essais. Paris: Seuil, 1998.

Dauge-Roth, Alexandre. *Writing and filming the genocide of the Tutsis in Rwanda: dismembering and remembering traumatic history*. Lanham: Lexington Books, 2010.

Diop, Boubacar Boris. *L'Afrique au-delà du miroir*. Paris: Philippe Rey, 2007.

---. *Le cavalier et son ombre: roman*. Paris: Stock, 1997.

---. *Le temps de Tamango; suivi de Thiaroye terre rouge*. Collection Encres noires,. Paris: L'Harmattan, 1981.

---. *Murambi : le livre des ossements: roman*. Paris: Stock, 2000.

---. *Murambi, le livre des ossements: roman*. Nouv. éd. Paris: Zulma, 2011.

François, Frédéric. *Le discours et ses entours: essai sur l'interprétation.* Sémantiques. Paris: L'Harmattan, 1998.

Hatzfeld, Jean. *Dans le nu de la vie: récits des marais rwandais.* Points. Paris: Seuil, 2002.

---. *Une saison de machettes: récits.* Fiction & Cie. Paris: Seuil, 2003.

Marcelli, Sylvia. "Rwanda: Mémoire d'un génocide." *Insite.* Web. Cette page n'est plus en ligne.

Nissim, Liana. "Boubacar Boris Diop." *Interculturel Francophonies* (2010). 7-343. Vol. 18.

Ricœur, Paul. *La métaphore vive.* Points. Paris: Seuil, 1997.

Semujanga, Josias. *Le génocide, sujet de fiction ? Analyse des récits du massacre des Tutsi dans la littérature africaine.* Québec: Nota bene, 2008.

Sob, Jean. *L'impératif romanesque de Boubacar Boris Diop.* Ivry-sur-Seine: A3, 2007.

Zumthor, Paul. *Introduction à la poésie orale.* Collection poétique. Paris: Seuil, 1983.

Chapitre VI

Un romancier presque parfait ou quand Boubacar Boris Diop se livre à une tâche noble: raconter un génocide

Jean Chrysostome Nkejabahizi
Université du Rwanda

Résumé

Beaucoup se demandent si l'on peut créer une fiction sur le génocide, souvent qualifié d'indicible. Les participants à l'initiative « Fest'Africa. Écrire par devoir de mémoire » ont été conviés à faire ce saut dans l'inconnu. Ils ont visité les sites mémoriels qui font du Rwanda un immense cimetière, ils ont vu, entendu et élaboré leur propre témoignage. Boubacar Boris Diop était l'un d'eux. Comment réussit-il à passer des témoignages faisant ressurgir la réalité poignante qui fait froid dans le dos à une littérature romanesque sans trahir la mémoire des victimes ? Il essaie de faire garder à son récit la substance du discours initial tout en tissant sa propre trame de l'histoire. Sa plume est comme une pipette que l'on plonge dans un liquide ou une entaille au cœur de la matière afin d'en extraire un échantillon que l'on analyse ensuite au laboratoire. Le résultat est plus que surprenant.

Introduction

Ce qui est arrivé au Rwanda est insoutenable. C'est-à-dire que le monde n'a tiré aucune leçon de l'holocauste et c'est cela qui révolte les victimes de cette barbarie sans nom. Pour que ce cri porte le plus loin possible, tous les moyens doivent être mobilisés et c'est ainsi que les artistes, écrivains et autres romanciers ont été sollicités et ont travaillé presque dans la précipitation pour que, enfin, le monde comprenne.

Invités à se rendre au Rwanda pour écrire sur le drame qui y avait eu lieu quatre ans plus tôt et dont les plaies étaient encore béantes, alors qu'ils ne maîtrisaient pas du tout les enjeux de cette apocalypse, les participants à Fest'Africa 2000, ne connaissant rien de ce pays déserté par la grâce et soucieux avant tout de garder leur image intacte après avoir été plongés au cœur de l'enfer et reniflé l'odeur de la mort, n'ont trouvé d'autre moyen de se tirer d'affaire que de rédiger une sorte de reportage. Ce dernier serait basé sur ce qu'ils ont vu lors des visites guidées sur les lieux de mémoire mais aussi et surtout sur une reprise quasi textuelle des explications et des témoignages oraux recueillis auprès des personnes sur place ou puisés dans des récits antérieurs sur le pourquoi et le comment de l'horreur.

Est-il possible de s'attendre, en pareilles circonstances, à un quelconque texte purement littéraire ? Pour Boubacar Boris Diop, qui adopte un style-portrait décrivant les principaux acteurs du drame rwandais, il s'agissait, avant tout, de renouer avec la tradition orale africaine qui consiste à ne rien inventer mais à raconter ce qu'on a reçu soi-même de la bouche d'un autre, tout en essayant d'imprimer au récit la marque de dents. Et pour le lecteur qui dépose *Murambi* dont les chapitres peuvent correspondre à autant de soirées passées au pays des mille collines, on a l'impression d'avoir entendu la parole d'un sage ayant réussi un pari: dire l'indicible.

La question choc

« *Murambi* est traversé par un questionnement constant sur la possibilité d'écrire sur le génocide » (Kasereka 126). Il y a des choses que seul le silence sait dire. Vouloir donner un avis, un commentaire sur le génocide, c'est se jeter dans la mare aux crocodiles ou trop s'approcher du cratère béant de Nyiragoongo sachant très bien qu'il suffira de peu pour disparaître dans les entrailles de la terre, englouti par le feu de l'*ire* de ce géant aux apparences tranquilles que les Rwandais considèrent comme le séjour des morts en courroux, du fait que les vivants ne se sont pas pliés à leurs dernières volontés. C'est comme vouloir marcher sur des braises pieds nus, tellement le climat est lourd. Le contexte reste presque toujours mal choisi, explosif et fragile, dans une atmosphère maussade avec le commun des lecteurs très nerveux, divisés et sensibles à l'excès. Aborder la question du génocide dans certains cas, c'est presque vouloir provoquer une autre catastrophe.

Mais existe-t-il vraiment une chose à laquelle l'être humain ne puisse s'habituer, qu'il ne puisse transcender et digérer, lorsqu'on sait qu'il reste la source principale des pires catastrophes de l'histoire ? Je ne sais combien de livres, articles, colloques et *tutti quanti* témoignages directs ou indirects ont été publiés sur le génocide rwandais de 1994. Mais c'est devenu presqu'un rituel: quiconque veut maintenant écrire quelque chose sur cet événement hors pair commence par poser cette question: « Comment dire le génocide ? Par quelles formes prendre (sic) ce dire déjà désigné comme indicible ? » (Semujanga 102).

Pourtant, nul n'ignore que cela fait partie de la tactique d'autovalorisation, de survie même de l'homme. S'il est capable de nommer *L'Être Suprême* et le représenter, comment serait-il incapable de dire, alors que dire une chose c'est à la fois la créer et la dominer, l'engendrer et l'exorciser, montrer et faire disparaître! « La transformation de l'événement en objet littéraire est [pour certains], immoral et scandaleux » (Semujanga 102), mais la fiction est peut-être l'un des nombreux mécanismes de désacralisation dont l'homme s'est doté pour rester maître de n'importe quelle situation. Donc, tout ce qu'on peut raconter tel que «le génocide dépasse par sa réalité les cadres de la fiction, incompétente et impuissante à mettre en images ce qu'on peine à admettre comme conception du cerveau humain» (Chibani, 2008), pour montrer aux autres qu'on sait chausser des gants avant de plonger dans la puanteur de l'horreur et de la mort, tout cela n'est que pure hypocrisie.

Sinon, comment expliquer qu'après l'holocauste il y ait eu le Rwanda et que la communauté internationale ait choisi de se taire, qu'il y ait eu le génocide des Serbes de Bosnie, la République Démocratique du Congo (RDC) avec ses cinq millions de morts, le Soudan, la Syrie et maintenant la Centrafrique! Nous sommes tellement habitués à ce genre d'horreur et à ne réagir que quand il y a des intérêts en jeu, que l'auteur de *Murambi* peut dire avec raison : « Le Rwanda n'était pas de taille à troubler le sommeil de l'univers » (225). Est-ce vrai que « le romancier risque de provoquer un déni au centre même de l'invention » ? (Germanotta, 2010). La Turquie continue de nier le génocide arménien. Celui des Indiens par les Anglo-Saxons aux Etats-Unis, la traite négrière et autres crimes contre l'humanité passent facilement dans la catégorie des faits divers et ce n'est pas la littérature qui en est responsable. Dire que le roman qui choisit comme cadre le génocide, est « une littérature de provocation, une sorte de banalisation du crime et de l'horreur » (Germanotta, 2010), cela n'a pas de sens. Si les vendeurs d'armes ou les marchands de la mort comme on les appelle, ne se font aucun souci en sachant très bien que leurs produits ne sont pas des jouets pour enfants, si les fabricants de mines antipersonnelles peuvent arguer qu'ils assurent de l'emploi à des milliers de gens sans se soucier de ceux qui seront déchiquetés par de tels engins, alors pourquoi culpabiliser celui qui ne sait manier qu'une simple plume ?

Les écrivains se lancent parfois dans une écriture de la honte, de l'impuissance, de la mauvaise volonté. Aujourd'hui l'on assiste à ce qui se passe en Syrie en prenant le temps de faire des calculs: ce qu'on va gagner et ce qu'on va perdre si l'on décide de se mouiller la chemise. Une humanité de plus en plus cynique, matérialiste, où le «sans intérêt, pas d'action» résonne comme un soufflet dans les oreilles de ceux qui subissent la loi des dinosaures qui ne s'embarrassent guère de la souffrance des petits, pourvu qu'ils aient leur part de pétrole et autres matières premières. Augustin

Rudacogora pense que « la littérature sur un génocide constitue comme une insulte (sic) à la mémoire des morts » (Rudacogora 10). Mais dans un monde où la vie n'a plus de valeur, est-ce qu'il y a vraiment de quoi être choqué ?

De toutes les façons, le génocide devient un sujet tabou, surtout en littérature. D'ailleurs les Rwandais désignent souvent cette réalité par le mot *agahomamunwa* (quelque chose qui calfate, calfeutre la bouche). Deux proverbes rwandais illustrent bien cette impossibilité de parler d'un malheur hors normes comme le génocide:

- *Havuga nyirí ubukózwemó, nahó nyirí ubutéruranywe n'áakéebo ntáakomá* [Seul celui qui a subi un vol léger pousse des cris de douleur; celui à qui on a tout pris reste bouche bée]

- *Uúvuga aba atáraabóna* [Ne parle que celui qui n'a pas encore été éprouvé sérieusement]

Ainsi donc, dans presque toutes les interventions, on sent la difficulté, voire l'impossibilité, l'embarras et l'inadéquation à parler de l'indicible. Mais pour J. Semujanga, « l'indicible du génocide semble désigner davantage une limite à ne pas franchir pour des raisons morales ou éthiques [...] qu'un refus de parler de l'événement si horrible soit-il » (Semujanga 102). Seulement, voilà! Comment définir cette limite entre ce qui est artistiquement permis et ce qui est moralement inacceptable ? Comment savoir si on n'est pas allé trop loin ou si on n'a pas dit assez ? Pour quel public doit-on écrire quand on ose affronter l'inénarrable ? Doit-on être proche des victimes et vendre peu chère sa peau aux bourreaux qui n'ont rien à perdre ou est-il possible de rester neutre au risque de se faire dénoncer comme n'étant pas assez proche de la souffrance des victimes ? Par quel moyen ingénieux peut-on éviter de tomber de Charybde en Scylla ? Certains pensent à une écriture oblique et des moyens détournés dans le style pour marquer la distanciation avec le réel; d'autres insistent plutôt sur le caractère très réaliste, d'où la tendance à rapporter fidèlement les témoignages des victimes. Mais pour nous, déjà penser à ce jeu d'équilibriste est en soi malsain, hypocrite et cynique.

Plus difficile encore, c'est parler du génocide rwandais sans l'avoir vécu. Cela relève d'une véritable gageure. Aborder la littérature sur cette triste réalité (œuvres de création, ouvrages critiques, témoignages), encore plus. Si nous prenons le risque de visiter l'œuvre de Boubacar Boris Diop, c'est que nous restons convaincu d'une chose: plus les années passent, plus il devient difficile de se taire ou de ne pas interroger le silence, cette voix d'outre-tombe qui se fait de plus en plus audible et insistante.

Un pari risqué

Boubacar Boris Diop ne cache pas sa gêne devant cette entreprise périlleuse d'écrire « par devoir de mémoire » qui leur (lui et ses collègues de Fest'Africa) a été proposée (pour ne pas dire imposée) par la communauté rwandaise de Paris. Il était perplexe quant à l'idée de répondre à une commande de texte. Comme on peut le voir, *Murambi* est né d'un double viol: viol de l'imaginaire de l'écrivain et viol de la mémoire, en entreprenant un voyage ayant juste pour but de se faire une bonne conscience, de se racheter et montrer que l'on prend ses distances vis-à-vis du reste de l'humanité qui a élevé l'indifférence à la souffrance d'autrui au rang de valeur universelle. Il fallait offrir une réparation morale, en exprimant ses émotions sans banaliser le mal, mais plutôt en essayant de « sauver la part d'humanité en péril dans le monde » (Tanella Boni 16). C'est pourquoi Boubacar Boris Diop dit que « un génocide n'est pas une histoire comme les autres, avec un début et une fin, entre lesquels se déroulent des événements plus ou moins ordinaires » (Boubacar Diop 226).

Boubacar Boris Diop ne se considère pas non plus comme un romancier du génocide, personne d'autre d'ailleurs ne pourrait le faire et surtout le faire dans l'immédiateté des événements car, dit-il, « le romancier du génocide est pour plus tard. Peut-être dans quinze ou vingt ans. Les événements sont trop proches de nous » (Brézault, 2000).

En lisant l'immense moisson de la critique sur l'événement Fest'Africa 2000, on mesure à quel point ces écrivains se sont aventurés. Ils ont visité et écrit sur le Rwanda quatre ans seulement après le génocide. Ces écrivains trop innocents rappellent un peu l'image de quelques citoyens de Goma (République Démocratique du Congo) qui, quelques temps après l'éruption de Nyiragoongo en 2007, se sont précipités sur les lieux du drame pour voir s'ils pouvaient récupérer quelque chose. Beaucoup ont eu les pieds brûlés par le magma. Personne ne peut donc visiter le Rwanda de l'après-génocide et rentrer sans rien ressentir : « Nous ne pouvions espérer sortir indemne d'un pays-cimetière qui a choisi de laisser exposés à la vue de tous les restes des victimes du génocide » (Boubacar Diop, 2004). Dans ce pays le mal, la haine, la mort n'ont jamais quitté les esprits. Presque vingt ans après l'événement, on enterre encore les morts. On dirait que ces derniers, où que l'on décide de les inhumer ou simplement de les déposer ou les exposer, peu importe l'épaisseur de dignité dont on veut les couvrir, ils ne se sentent jamais en sécurité, tant les soubresauts que connaissent les survivants les dérangent, comme le dit si bien Koulsy Lamko : « La seule chose que je demandais... c'était, la paix, une toute petite paix ! Qu'à défaut de m'inhumer, l'on me cédât une minuscule parcelle de silence, un petit territoire de quiétude » (2000 : 21).

Les écrivains africains de Fest'Africa 2000 ont été soigneusement encadrés pour visiter les lieux des massacres comme les églises (Ntaráma, Nyamáta, Nyarubuye), les sites mémoriels (Muraámbi, Gisózi) et recueillir ainsi les témoignages. Leurs textes en ont pris un sacré coup. Koulsy Lamko témoigne: « Un autre gardien les conduisit d'abord dans la crypte n° 1, une pièce jaune située au sous-sol, éclairée par une dizaine d'ampoules électriques. Là aussi des ossements étaient entassés sur une longue table recouverte de sable fin. À une extrémité, se dressait un corps conservé presque intact » (2000 : 95-96). La violence de l'événement est contagieuse, ce qui donne lieu à une littérature violente ou presque. Beaucoup d'auteurs choqués par une telle animalité ont voulu traduire leur révolte en recourant au réalisme descriptif dans les moindres détails, à la technique utilisée dans les films d'horreur et les thrillers. C'est le cas de Gil Courtemanche :

> Tu assistes au début de la fin du monde. Nous allons plonger dans une horreur unique dans l'histoire, nous allons violer, égorger, couper, charcuter. Nous allons éventrer les femmes devant leur mari, puis mutiler le mari avant que sa femme ne meure au bout de son sang, pour être certains qu'ils se verront mourir. Et pendant qu'ils agoniseront, qu'ils en seront à leur dernier souffle, nous violerons leurs filles, pas une fois, mais dix fois, vingt fois […]. Nous aurons l'efficacité sauvage des primitifs et des pauvres. Avec des machettes, des couteaux et des gourdins, nous ferons mieux que les Américains avec leurs bombes savantes […]. Vous ne pourriez supporter quinze minutes de nos guerres et de nos massacres. Ils sont laids et vous paraissent inhumains. (2003 : 88)

Boubacar Boris Diop se montre plus serein. Pour lui, ces romanciers qui se livrent au voyeurisme, à la recherche de sensations fortes, sont des menteurs, a-t-il confié à Eloïse Brézault dans un entretien. C'est ce qui fait la force de *Murambi*, car « l'émotion est maîtrisée, il y a dans ce texte une pudeur invitant à la méditation, au silence » (Mongo-Mboussa, 2000). En effet, quand il écrit, Boubacar Boris Diop est presqu'à genoux. Il s'abîme devant l'indicible et c'est pratiquement avec honte, comme un enfant pris en flagrant délit, qu'il ose promener son micro et sa caméra au milieu des silhouettes et d'une foule immense de morts-vivants, d'esprits et de fantômes. Il ne cherche pas à écrire un livre sur le génocide, fut-il un roman; car il ne trouverait pas de mots justes ni de style approprié. En bougeant un peu le coin de l'immense voile qui couvre comme un linceul le pays des mille collines, des mille charniers, des mille cadavres, des mille machettes, l'on dirait qu'il cherche à recueillir juste un reste de souffle de vie qui quitte les corps et se dégage, comme une fumée blanche, avant de former un nuage invisible, des ossements entassés dans les salles de classe de Muraámbi et d'autres lieux qui font du Rwanda une sorte de tombeau ouvert de l'univers ou de trou noir qui a avalé en cent jours toute la lumière de l'espoir.

On entend des cris de douleurs, des supplications qui se mêlent aux chants des vainqueurs et les hymnes de ceux qui meurent sans rancune. C'est la fameuse polyphonie énonciative de Bakhtine. L'auteur donne la parole aux acteurs du drame: les Intéerahámwe et autres bourreaux acharnés comme Faustin Gasana et son père Casimir Gatabazi (*Murambi*, 23-37) ou Aloys Ndasingwa qui sont allés au « travail » « à coeur joie » et se montrent très fiers du résultat (*Murambi*, 107-111), ceux qui ont été forcés à participer aux massacres tel le père de Marina Nkusi (113-115), ceux qui étonnent par leur logique comme le Docteur Joseph Karekezi (129-140). Le deuxième groupe est celui des victimes comme Michel Serumondo (11-20), des survivants (125-127), des héros/héroïnes tel Félicité Niyitegeka (141-143) sans oublier les collabos comme les Français de l'opération Turquoise représenté par le colonel Etienne Perrin (147-167). Il y a aussi les espions du FPR qui, comme Jessica Kamanzi, s'amusent presque de la mort des leurs et qui, plus tard, diront qu'ils ont arrêté le génocide:

> Une femme qu'ils ont blessée en attendant de l'achever plus tard vient à moi. Sa mâchoire droite et sa poitrine sont couvertes de sang. Elle jure qu'elle n'est pas tutsi et me supplie de l'expliquer au responsable de la barrière [...]. Elle insiste. Je lui dis sèchement de me laisser tranquille. Voyant cela, le milicien Interahamwe est convaincu que je suis de son camp. Il me lance dans un joyeux éclat de rire : - Ah ! Tu es dure, toi aussi, ma sœur ! Il faut avoir pitié, toi aussi ! Puis il repousse sans ménagements la femme vers les égorgeurs avant de reprendre le contrôle des pièces d'identité (*Murambi*, 47).

Sous forme de portraits, l'auteur laisse les personnages raconter et se raconter, le tout dans un style sobre, presque provocateur où tout se trame à voix basse, dans un chuchotement à la limite du silence. Parfois le ton du récit devient volontairement amer, sarcastique, accusateur voire polémique. Ceci permet peut-être de saisir la complexité de la situation parce que personne ne pouvait prévoir un tel déferlement de violence qui a dépassé le mur de l'imaginable pour un être humain.

Gil Courtemanche a finalement raison de dire que « les Rwandais sont des gens de façade. Ils manient la dissimulation et l'ambiguïté avec une habileté redoutable » (2003 : 24). C'est ce qui explique ce mélange de silence assourdissant, de violence et de cynisme.

En essayant de faire parler tout le monde, Boubacar Boris Diop n'oublie pas les témoins venus d'ailleurs qui se comportent presque comme des badauds avant de recevoir la vérité en pleine figure. Cornelius qui était venu pour écrire une pièce de théâtre sur le génocide apprendra que son père, le Docteur Joseph Karekezi, surnommé le bourreau de Muraámbi, est le propre meurtrier de sa femme et deux de ses enfants. Boubacar Boris Diop devient donc l'image-symbole de tous ces écrivains qui sont venus presque en touristes ou plutôt en pèlerins, confrontés à eux-mêmes et désireux d'élever « une stèle funéraire » en l'honneur de ceux qui sont morts sans témoins et obligés de raconter aux étrangers leur propre version des faits.

Ce mélange de sentiments provoque des réactions confuses chez les auteurs. On sent chez Boubacar Boris Diop la main qui tremble, la plume qui glisse entre les doigts et refuse à plusieurs reprises de se laisser manipuler pour ne pas être taxée un jour de complicité ou de cynisme. Parfois la plume s'énerve et bourre le papier, l'écriture manque alors de souffle et devient saccadée: « Le ton était subitement passé à l'aigre […]. J'étais hors de moi. La colère me faisait même trembler. Il n'a pas réagi. J'ai enfoncé le clou […]. Il s'est mis à tapoter sur le bras de son fauteuil. 'Premier signe de nervosité, ai-je noté avec satisfaction, j'ai touché un point sensible.' Il espérait passer à mes yeux pour l'Ange de la Mort, terrible mais juste. Raté. Et merde à cet enfant de pute! » (*Murambi*, 164-165). L'auteur est presque obligé de s'arrêter et de prêter l'oreille: « Jessica se tut. Tous deux gardèrent les yeux fixés sur le vide. Cornelius resta sans réaction pendant quelques secondes […]. Ils se turent encore. » (101, 103).

L'une des raisons d'inquiétude chez les écrivains abordant des sujets aussi délicats, c'est qu'ils ne peuvent pas rester neutres et/ou indifférents face à l'histoire tragique qu'ils racontent et deviennent aussitôt comme des enquêteurs ou des membres de la Police criminelle obligés parfois de remuer le passé et manipuler des cadavres pour trouver la vérité. Ceci provoque parfois d'autres souffrances: « Le souvenir réveille les émotions, les peurs, les voix des victimes. La mémoire réactualise le temps passé et replonge le corps dans le cauchemar du génocide. Sous l'égide du souvenir, les survivants sont toujours torturés ». Par exemple, à l'occasion de la 18ème commémoration du génocide, une femme de 48 ans est morte de douleurs le 09 avril 2012, a rapporté la Radio nationale rwandaise. Ceci pour dire que le génocide qui est arrivé comme un tremblement de terre à forte magnitude est passé, mais ses répliques sont toujours meurtrières. Et, en plus, les morts ne sont pas morts, ils réclament qu'on ne les oublie pas de si tôt : « Ils avaient encore envie de soleil. Il était encore trop tôt pour les rejeter dans les ténèbres de la terre » (*Murambi*, 187). Mais la question est de savoir si la manière dont on le fait en les arrachant chaque fois à leur sommeil pour les mettre ailleurs est la bonne.

Un romancier presque parfait

Nous appelons Boubacar Boris Diop un romancier « presque parfait » parce qu'il a des similitudes avec certains de ses personnages comme

Siméon Habineza qu'il appelle « vrai romancier », lui qui avait compris qu'un génocide n'est pas « une histoire comme les autres ». Il voudrait ressembler à ce personnage qui représente des Hutu au bon cœur ayant caché et sauvé des Tutsi avant de les aider à fuir (*Murambi*, 58). Il partage le déchirement des « sang-mêlé », la souffrance des réfugiés de longue date qui, comme Cornelius, en arrivant au Rwanda pour la première fois après leur exil, se retrouvent comme des extraterrestres en découvrant la réalité (8). En revenant au pays natal, Cornelius comptait d'abord monter une pièce de théâtre sur le génocide. Il abandonne son idée artistique avec la découverte de l'ampleur de l'indicible. Il incarne probablement l'auteur et l'orientation de ses projets littéraires. Cornelius se rend à Muraámbi le 06 juillet 1998 et, en visitant Muraámbi et son école technique, il a d'abord reçu des explications sur le déroulement du génocide fournies par un guide rescapé, Gérard Nayinzira (183-193). L'auteur en profite pour planter le décor de son récit, c'est-à-dire le contexte dans lequel le génocide a eu lieu, les acteurs, les endroits les plus marquants. Muraámbi sera justement celui qu'il choisit pour y élever son drapeau probablement parce que, de tous les lieux de mémoire du génocide contre les Tutsi, c'est le plus choquant (des ossements humains entassés par milliers dans des salles de classe comme on expose des articles dans un magasin).

L'auteur porte un regard surpris, attentif, perdu dans le vide du surréalisme. Il médite dans une écriture silencieuse. L'horreur et la mort qui remplissent le regard, obnubilent l'esprit sonné. Les yeux s'agrandissent, le cœur cesse presque de battre, c'est une descente aux enfers, au royaume de Hadès que les Rwandais nomment « *iwaábo wa twéese* » (la demeure de nous tous). *Murambi* est le livre des souvenirs douloureux, du témoignage poignant qui officient comme une catharsis qu'exploitent largement les charlatans, sorciers ou gourous de la médecine moderne de la « Social Psycho ».

Pour tenter d'exorciser cette violence sans nom, l'auteur a voulu que Cornelius fasse partie des « Hutsi », qu'Ali Chibani appelle une « tragique filiation », cette race surgie de nulle part qui complique souvent les statistiques et qui, comme les métis, gardent les relations humaines nouées et tissées comme une toile d'araignée ; c'est-à-dire fragiles mais denses. La littérature rwandaise d'après-génocide (surtout celle écrite en kinyarwanda) appelle de tous ses vœux le mariage interethnique qui pourrait multiplier les signes d'espoir de voir enfin, un jour, un peuple réconcilié avec lui-même. L'histoire de Valence Ndimbati (Hutu) qui, une fois les tueries amplifiées, a crié sur son amie Lucienne (Tutsi) : « Il n'y a pas d'amour aujourd'hui ». (Pourtant tout le monde pensait qu'ils s'aimaient). Celle du docteur Joseph Karekezi, le père de Cornelius, qui a fait tuer sa femme et ses enfants (*Murambi*, 91 et 101) peut décourager plus d'un. Mais pour que l'on puisse dire réellement « Never again » sans se mordre les lèvres, il faudrait que surgisse une nouvelle race, un homme nouveau incapable de prétendre à une quelconque forme de pureté raciale qui rappelle les théories du Führer.

Murambi est donc un livre de mémoire. Il raconte et permet aux personnages ainsi qu'à l'auteur de se raconter, parce qu'après avoir visité Muraámbi, il ne pouvait pas se retirer et rester indemne comme des touristes sortant d'un musée ou d'une réserve d'animaux qui font rentrer des devises. Il y a appris à se haïr parce que nous sommes tous habités par le monstre de la barbarie et en même temps, il y a une forme de vie jusque-là insoupçonnée qui a surgie en lui: le refus de la vengeance. Il n'est plus wolof ou sénégalais, mais celui dont le regard reste marqué pour toujours par les « ossentsi »[10] de Muraámbi, le tombeau de l'humanisme.

C'est à la fois un livre ordinaire comme tous les romans, mais singulier non pas parce qu'il laisse parler les bourreaux et les victimes[11] ni parce qu'il déborde de réalisme « cruel et cru », selon l'expression d'Ali Chibani. *Un dimanche à la piscine à Kigali* de Gil Courtemanche bat jusqu'ici tous les records de faire vomir au lecteur le sang et le dégoût. Le génie de Boubacar Boris Diop réside dans le fait qu'il ne cherche à choquer, à convertir ou à moraliser personne. Il partage simplement l'expérience de ce qu'il a vu, une « plaine toute remplie d'ossements ». Il les a contemplés un instant, il a pensé les voir revivre. Il suffirait d'un vent qui viendrait du côté de l'Occident pour qu'ils retrouvent les tendons, la chair, la peau et le souffle. C'est cela qu'il appelle de tous ses vœux : « les morts de Murambi faisaient des rêves, eux aussi, et leur plus ardent désir était la résurrection des vivants ».

Murambi n'est donc pas de la simple littérature pour distraire les amateurs de récits d'horreur, mais une forme de méditation, de recueillement, de prière, même si le génocide a fait perdre la foi à plus d'un. Fervent ou païen, musulman, catholique ou animiste, personne ne peut lire ce livre sans se poser la question « qui suis-je ? ». Nous devons dire aussi que ces ossements symbolisent tout un peuple moribond. Les statistiques disent que le peuple rwandais a fait un pas de géant dans le domaine du progrès économique, mais rien ne dit que sa folie meurtrière ne va pas recommencer : « On a supprimé la mention de l'ethnie sur les cartes d'identité et il y a beaucoup d'autres choses. Mais le vrai problème, ce sont les logiques du pouvoir en Afrique. On ne sait jamais de quoi demain sera fait. – Penses-tu que cela peut recommencer ? – Cela dépend de chacun. Le

---

[10] Peut-être qu'il s'agit d'une erreur d'écriture, mais ce mot relevé dans l'article d'Ali Chibani, frappe par sa précision : « ossements des Tutsi ».

[11] Beaucoup de romans-témoignages comme *Le passé devant soi* de Gilbert Gatore (Paris, Phébus, 2008) ou *Left to tell*, Hay House, California, 2006) de Immaculée Ilibagiza sont plus bavards à ce sujet.

génocide n'a pas commencé le 6 avril 1994 mais en 1959 par des petits massacres auxquels personne ne faisait attention » (*Murambi*, 66).

Voilà donc quelqu'un qui, sans avoir peur de se souiller, a osé visiter le fond de l'enfer du Bufuúndu qui, curieusement, dégage une odeur de sainteté; sans prêter attention à l'oeil vigilant des caméras, des passants, des guides et des badauds qui ne s'empêchent jamais de scruter les visages pour savoir si l'homme qui vient de visiter le « *rwiibutso* » (mémorial) avait un regard compatissant et donc ami des Tutsi sinon Tutsi lui-même ou alors indifférent voire moqueur et donc complice des tueurs. Au Rwanda, comme on dit, « *urwiíshe yáa nká ruracyáayirimó* » (la mort qui a terrassé cette vache-là ne l'a pas quittée) c'est-à-dire le danger guette toujours; parce que la finesse ou la rudesse des traits du visage, la longueur ou la « quelconcité » du nez a toujours son importance, n'en déplaise aux chanteurs de la réconciliation nationale dont la volonté reste plus verbale que réelle.

Boubacar Boris Diop confesse: « Il nous a fallu apprendre à écouter des êtres brisés à jamais nous raconter nos propres romans avant même que n'en fût écrit le premier mot » (Boubacar Diop, 2004). *Murambi* est donc et avant tout un témoignage au second degré comme tous les textes de Fest'Africa 2000 par rapport au témoignage direct qui est celui des victimes. L'auteur le dit lui-même dans ses remerciements : « Les nombreux ouvrages et documents disponibles sur le sujet m'ont aidé à mieux cerner les témoignages des victimes et, parfois, des bourreaux » (*Murambi*, 230). On passe de l'oralité à l'écriture et ce balancement incessant entre les deux caractérise les textes éclatés écrits notamment par des auteurs rwandais. La plupart sont des rescapés et chacun raconte son calvaire et/ou celui des siens. Quelques auteurs étrangers se sont servis de cette réécriture de l'histoire, d'autres ont d'abord rencontré des victimes ou des bourreaux qui ont raconté chacun sa version des faits et ils n'ont fait que retranscrire ce qu'ils ont entendu. C'est ce métadiscours qui crée la fiction. Beaucoup d'écrivains ont donc abandonné leur robe de romancier pour enfiler celui de simple « chroniqueur » (*Murambi*, 227). L'on dirait qu'ils avaient peur de trop travestir la réalité en cherchant à fictionnaliser l'indicible dans la mesure où la fiction fait penser à ce qui est ludique. Très peu prennent le risque et préfèrent montrer qu'ils sont très proches des victimes et partagent leurs douleurs. Le fait de mentionner dans son roman la haine atavique entre les Hutu et les Tutsi au Rwanda symbolisée par la mention ethnique sur la carte d'identité, une haine transmise de père en fils (*Murambi*, 12, 31), le rappel du dressage des listes pendant les tueries (19), de l'accoutrement des Intéerahámwe (41), des Tutsi qui se réfugient dans les églises (40), de l'infiltration des éléments du FPR dans le pays et certains de leurs crimes (62, 83-84), du fait que les jeunes Tutsi rejoignaient le FPR en venant du Congo et du Burundi (44), tout cela montre que les auteurs ont reçu un briefing avant de se mettre à écrire. L'histoire de Michel Séerumoóndo (11-

20) ou celle de Theresa Mukáandóori, une jeune femme qui, après sa mort, est restée comme statufiée « la tête repoussée en arrière, le hurlement que lui avait arraché la douleur figé sur son visage encore grimaçant, un pieu en bois ou en fer enfoncé dans son vagin » (96), tout cela témoigne de la contrainte de l'auteur de ne faire que du reportage en différé. Les témoignages que l'auteur reprend soulève la question de l'imaginaire des auteurs impliqués dans Fest'Africa 2000 que Romuald Fonkoua (2002) se pose avec raison. On dirait qu'ils ont les mains liées, même s'ils essaient de garder l'esprit vagabond des artistes-créateurs. Leur écriture est trop soumise, dépendante de la réalité et donc incapable de prendre son envol et assurer à l'auteur sa dignité d'homme libre. Chez Boubacar Boris Diop, seules quelques descriptions des lieux et un style volontiers narratif par endroits permettent à la fiction de reprendre le dessus: « Cornelius descendit du minibus et resta debout quelques minutes sur le bord de la route. Plusieurs ruelles de sable suivaient une pente sur environ cent mètres puis remontaient vers la colline. Il ne savait laquelle menait chez Jessica. Des indications de celle-ci, il avait juste retenu qu'il verrait, non loin de l'arrêt des autocars, une rangée de salons de coiffure. Il s'engagea à tout hasard parmi les ruelles tortueuses » (*Murambi*, 79).

Tout se construit donc autour d'un voyage initiatique pour l'écrivain et son lecteur qui cherchent à se regarder dans le miroir de la barbarie à laquelle ils peuvent être étrangers, victimes ou acteurs: « Rien ne lui parlait autant de lui-même que ces ossements éparpillés sur le sol nu […]. Dans sa quête de lui-même, il était à l'écoute du vieil homme. Grâce à lui, il dompterait les signes et saurait lire les mystères » (Coly, 2011).

Les auteurs de Fest'Africa se sont joints aux rescapés qui, les yeux hagards, sont à la recherche d'un membre de famille encore vivant ou alors de ses restes. Une quête de sens donc pour comprendre et s'imprégner de l'incompréhensible, trouver un sens à un événement qui n'en aura jamais et ne le mérite pas. Nous pouvons dire que Boubacar Boris Diop dont l'écriture cherche à ne pas trop s'éloigner de la réalité, a passé sans encombre ce test de funambule mais cela nous étonnerait qu'il ait envie de recommencer car, écrire sur un génocide « par devoir de mémoire » a toutes les qualités d'un exercice impossible.

Références bibliographiques

Boni, Tanella. « Les écrivains, ces fauteurs de trouble ». *Sentiers*. N° 5 (2001), p. 14-16.

Brezault, Éloïse. 2003. « Raconter l'irracontable: le génocide rwandais, un engagement personnel entre fiction et écriture journalistique ». *Ethiopiques.refer.sn* N° 71 (2003). Page consultée le 23 Août 2012. http://ethiopiques.refer.sn/spip.php?article62

Brezault, Éloïse. « Les dix écrivains africains qui ont participé à "Rwanda: écrire par devoir de mémoire" depuis 1998, et leurs écrits. Entretien avec Boubacar Boris Diop ». *Africultures.com* 03 Avril 2000. Page consultée le 10 Février 2012.

   http://www.africultures.com/vitrine/rwanda/rwanda.htm

Brinker Virginie. « Propos et à propos de Boubacar Boris Diop ». 2002 in http://la-plume-francophone.over-blog.com/categorie-11172429.html

Chibani, Ali « Cent jours, mille collines, un million de morts ». 2008 in http://la-plume-francophone.over-blog.com/categorie-11172429.html

Coly, Augustin. « De l'historicité à la poéticité de l'horreur dans Murambi, le livre des ossements de Boris Boubacar Diop ». *Ethiopiques*, 2011, 87, Littérature, philosophie et art, 2ème semestre.

Courtemanche, Gilles. *Un dimanche à la piscine à Kigali*. Paris: Denoël, 2003.

Diawara, Manthia. « La littérature africaine et l'expédition rwandaise ». *Africultures.com* 01 Mai 2002. Page consultée le 26 Juillet 2012.

http://www.africultures.com/php/index.php?nav=article8no=2254

Diop, Boubacar Boris. *Murambi : le livre des ossements*. 2000. Paris: Stock.

---- . « Écrire dans l'odeur de la mort », in Rwanda 1994-2004, Témoignages et littérature, revue *Lendemains*, n° 112.

   http://aircrigeweb.free.fr/ressources/representations/Diop_ecrire.html

Fonkoua, Romuald. « Témoignage du dedans, témoignage du dehors », in *Conférence du 19/01/2002 – Aircrige*, université de Paris V, sur le thème « Rwanda: le discours de la justice et la parole du témoin ». 2002.

Georges, Jacques. « Le génocide rwandais et la distanciation romanesque ». *Interférences littéraires*. Nouvelle série, n° 3 (2009) : 191-197.

Germanotta, Maria Angela. « L'écriture de l'inaudible. Les narrations littéraires du génocide au Rwanda ». *interFrancophonies.org* 2010. Page consultée le 22 Mai 2012.

http://www.interFrancophonies.org/Germanotta_10.pdf

Halen, Pierre. « Écrivains et artistes face au génocide rwandais de 1994. Quelques enjeux ». *Études littéraires africaines*. N° 14 (2002) : 20-32.

Kasereka Kavwahirehi. « Boubacar Boris Diop, Murambi… ». *Études littéraires*. Vol. 35, n° 1 (2004, avril) : 125-127.

Koulsy, Lamko. « Les mots… en escalade sur les Mille collines ». *Notre Librairie*. N° 138-139 (2000).

Mongo-Mboussa, Boniface. « Rwanda: le devoir de mémoire. Murambi, le livre des ossements de Boubacar Boris Diop et L'Ainé des orphelins de Tierno Monénembo », in

http://www.africultures.com/php/index.php?nav=article&no=1453

Noémi, Bernard. « Le témoignage sur le génocide rwandais en littérature d'Afrique noire francophone: Tierno Monénembo et Boubacar Boris Diop ». *Lendemains*.

Rudacogora, Augustin. « Construction d'une mémoire: Fest'Africa 2000 et le génocide de 1994 au Rwanda ». *Etudes Rwandaises*. N° 7 (2003) : 7-49.

Semujanga, Josias. « Les méandres du récit du génocide dans *L'Aîné des orphelins* ». *Études littéraires*. Vol. 35, n° 1 (2003) : 101-115.

Chapitre VII

Murambi, le livre des ossements : la tradition orale au service d'une histoire dite nationale

Maria Obdulia Luis Gamallo
Université de La Corogne

Résumé

Murambi, le livre des ossements est un exercice douloureux, cathartique et nécessaire pour récupérer la mémoire des victimes et la dignité des survivants, suite au génocide rwandais de 1994. L'écrivain sénégalais met sa plume à disposition du peuple rwandais comme un apport à la culture nationale du pays. L'écriture devient ainsi un double exercice, à la fois historique et de recherche personnelle pour l'écrivain, à la rencontre de sa langue maternelle et de son engagement.

L'écriture de *Murambi, le livre des ossements* devient un double exercice de réflexion et d'analyse: d'une part, le génocide rwandais et le devoir d'écrire pour lutter contre le Mal dans le monde ; d'autre part, la prise de conscience de la responsabilité du gouvernement français dans le déroulement des événements qui conduit l'écrivain à se retourner vers sa langue maternelle. Ce processus, loin d'être simple, résulte de l'imbrication de plusieurs inquiétudes qui hantent l'écrivain. Tout d'abord, le recours au français dans le monde littéraire de l'Afrique francophone; ensuite, le propre statut de l'écrivain à l'égard des langues africaines, majoritaires dans la population, mais essentiellement confinées à l'oralité. En même temps, cette suprématie de l'oralité imprègne l'écriture des auteurs africains et conditionne leur propre conception de l'acte littéraire. Par ailleurs, il se trouve la question de la littérature nationale : est-il possible de parler d'une littérature nationale sénégalaise lorsque celle-ci est écrite dans la langue du colonisateur et pour une élite coupée de la population ?

Ces questions autour de la langue constituent le principal axe de ce travail, centré sur deux points d'analyse : dans le premier, *Murambi, le livre des ossements,* devient le témoignage polyphonique du génocide rwandais et le point de départ de l'abandon temporaire du français comme langue d'écriture ; dans le deuxième, l'oralité marque le rythme d'une histoire en train de se faire à partir des voix du peuple rwandais afin de configurer l'histoire nationale du pays.

Murambi, le livre des ossements: témoignage du génocide rwandais et du Mal dans le monde

Boubacar Boris Diop puise la force de son écriture et de son imaginaire dans la culture wolof, force contestataire contre toute forme de domination et contre les stéréotypes de l'afro-pessimisme occidental. Le thème de la mémoire est omniprésent dans son œuvre, la mémoire collective et individuelle, où le réel et les mythes s'imbriquent dans une même dimension historique et politique de résistance à l'égard d'un néocolonialisme du pouvoir.

Réputé pour son militantisme et son engagement, il n'est pas anodin que Boubacar Boris Diop soit invité par *Fest'Africa* avec une dizaine d'autres auteurs africains pour témoigner du génocide rwandais. Les livres issus de cette expérience, tant nécessaire que singulière, s'inscrivent dans un contexte particulier: ce sont des ouvrages de commande et de dénonciation. Il s'agit d'écrire pour témoigner et surtout pour ne pas oublier, écouter les victimes des massacres de 1994 et faire connaître, via la littérature, leurs souffrances. Deux mois durant, ce groupe d'écrivains sillonne le Rwanda pour aller à la découverte de charniers comme ceux de Nyarubuye, à la frontière tanzanienne, de Kigarama ou de Nyamata. C'est là aussi que les personnages de leurs futurs romans viendront à leur rencontre. Dorénavant le processus d'écriture est inversé puisque les personnages, présents en chair et en os devant leurs interlocuteurs, souhaitent rester fidèles à eux-mêmes.

La formation journalistique de l'écrivain est présente dans *Murambi : le livre des ossements* dans le fond et dans la forme. En effet, le roman naît après une longue période d'écoute silencieuse et de lecture des ouvrages et du visionnage des films mis à la disposition des participants au projet. Par ailleurs, le roman est construit comme une enquête, celle du personnage principal, Cornelius, pour éclairer l'ultime génocide du XXème siècle. Le résultat est la suite de récits de plusieurs personnages acteurs ou témoins du conflit, un récit dépouillé et fragmentaire à l'image des « ossements éparpillés sur le sol nu» de l'Ecole technique de Murambi (Diop, 2011, 187): « La structure éclatée du roman s'explique d'ailleurs par ce désir de donner à voir ou pressentir une myriade de destins individuels pendant le génocide » (251, postface à l'édition de 2011). La multiplication des points de vue est la perspective qui permet de donner la parole aux deux factions opposées lors d'un conflit. Les récits fragmentaires, très ancrés néanmoins du point de vue temporel, témoignent de l'impuissance du langage à exprimer ce qui est arrivé comme si le fait de faire confiance aux mots pouvait anéantir ou humaniser une telle folie : « Tout cela est absolument incroyable. Même les mots n'en peuvent plus. Même les mots ne savent plus quoi dire » (Diop, 2011 : 126). La réalité dépasse la fiction et les mots deviennent insuffisants, le langage s'avère inefficace face à l'ampleur d'une telle tragédie. Cornelius, porte-parole de l'auteur qui envisage d'écrire une pièce de théâtre sur le génocide, avoue son incompréhension et sa détresse, son incapacité d'exprimer l'horreur et la folie humaine :

> Ces jours cruels ne ressemblaient à rien de connu. Tissés d'éclairs, ils étaient traversés par tous les délires. Cornelius en était conscient […] un génocide n'est pas une histoire comme les autres, avec un début et une fin, entre lesquels se déroulent des événements plus ou moins ordinaires […].
>
> Cornelius eut un peu honte d'avoir pensé à une pièce de théâtre. Mais il ne reniait pas son élan vers la parole dictée par le désespoir, l'impuissance devant l'ampleur du mal et sans doute aussi la mauvaise conscience. Il n'entendait pas se résigner par son silence à la victoire définitive des assassins. Ne pouvant prétendre rivaliser avec la puissance d'évocation de Siméon Habineza, il se réservait un rôle plus modeste […]. Avec des mots-machettes, des mots-gourdins, des mots hérissés de clous, des mots nus et – n'en déplaise à Gérard – des mots couverts de sang et de merde. Cela, il pouvait le faire, car il voyait aussi dans le génocide des Tutsi du Rwanda une grande leçon de simplicité. Tout chroniqueur peut au moins y apprendre – chose essentielle à son art – à appeler les monstres par leur nom.
>
> Voilà pourquoi il avait choisi de se trouver aux côtés de ses morts […]. Il n'attendait aucun miracle devant les ossements pétrifiés de Murambi (Diop, 2011 : 230-231).

Est-il possible d'écrire un récit du génocide? C'est le questionnement qui traverse *Le livre des ossements* et l'auteur lui-même. Après son séjour au Rwanda, en contact avec les rescapés et les bourreaux, l'écrivain n'est plus dans la solitude habituelle où il fait appel à l'imagination mais face à une réalité où « tout le matériau est déjà là », où « tout se faisait en groupe ». L'acte littéraire devient un acte de solidarité sans fioritures, « un acte politique qui inscrit l'événement dans la durée » ce qui explique, en outre, l'ancrage des récits dans une perspective temporelle bien définie : « On était dans la réalité, avec des gens bien réels : tout ce que nous avions à imaginer était la fiction. Il fallait absolument une référence aux morts. Le titre signifie surtout que le livre a été écrit pour les morts » (Benard, 2001). D'après l'écrivain, le génocide est « un point de rupture », « le néant ». Le style devient ainsi clair et concis car la simplicité c'est l'essentiel pour toucher le maximum de gens.

Murambi est l'espace, le village natal de Cornelius Uwimana, le personnage principal du roman. C'est également l'endroit où tous les récits fragmentaires convergent et le temps s'étale entre le passé du massacre et la culpabilité des survivants au présent, où il faut réapprendre à vivre pour envisager l'avenir. Cornelius apprend à son retour à Murambi, après un long séjour à Djibouti, que son père, le Docteur Karekezi, fut l'auteur du massacre de l'École Technique de Murambi. C'est à l'aide de ses amis d'enfance et de son oncle, le vieux Siméon, qu'il confronte l'horreur de son passé. Jessica Kamanzi est une jeune femme de dix-huit ans, l'une des amis d'enfance de Cornelius qui interrompt ses études pour rejoindre la guérilla et devenir ensuite membre du Front Patriotique Rwandais. C'est elle qui donne le témoignage bouleversant de Félicité Niyitegeka, une religieuse hutu de Gisenyi qui aide des Tutsi pourchassés à passer la frontière du Zaïre. Faustin Gasana est chef d'un groupe de miliciens Interahamwe qui prépare « le travail » ; il n'a qu'une seule conviction, l'impossibilité, pour les Hutu et les Tutsi, de vivre ensemble. Tous ces personnages fictifs, à l'exception de Cornelius, *alter ego*, selon Boubacar Boris Diop, de tous les auteurs présents au Rwanda, ont néanmoins des traits de caractère vrais chez des gens rencontrés par l'auteur, dont le plus riche et le plus complexe est sans doute le vieux Siméon. Ainsi s'exprimait l'écrivain dans une interview publiée à Dakar le 05 mars 2001 :

> [Le] vrai nom [de Siméon] est Apollinaire et c'était une rencontre absolument bénéfique pour moi. C'était vraiment une rencontre incroyable. J'étais fou parce que nous étions là, nous voyions des cadavres partout, moi j'étais en colère. Et puis je vais voir ce vieil homme […] tout ce que je sais sur le Rwanda, je le dois à Siméon. Je ne pense pas jusqu'à présent dans ma vie, avoir rencontré une personne aussi forte. Pas forte dans le sens : 'je souffre mais je l'accepte', pas dans ce sens-là. 'Forte' dans le sens d'une espèce de force intérieure dans le regard, un grand courage physique et une lucidité. Je n'ai jamais vu cela jusqu'à présent. Et il était évident qu'il serait au centre de mon roman (Benard, 2001).

Dans le but de maintenir la mémoire et d'accepter le génocide comme un fait réel et irréfutable face aux négationnistes, certains personnages du roman portent le vrai nom des victimes. Dans la même logique du titre et suivant cette utilisation constante des « effets de réel », l'écrivain souhaite faire revivre dans la fiction, les morts, puisqu'en définitive, le livre n'a été écrit que pour eux : « on a voulu tuer, mais moi, je fais revivre dans ma fiction » (Benard, 2001). À la différence des journalistes qui traitent le génocide comme une information qui n'est plus d'actualité, Diop souhaite réveiller chez le lecteur une prise de conscience parce qu'il s'agit du «mal dans ce qu'il a d'éternel» (Benard, 2001). Dans cette perspective, le témoignage du journaliste américain, Philip Gourevitch, souvent cité par

Diop comme l'une des sources les plus fiables sur le génocide rwandais, devient une exception. En effet, après avoir rencontré grand nombre de victimes et de leurs bourreaux, des dirigeants politiques de l'avant et de l'après-génocide et suite à plusieurs séjours dans le pays, ce journaliste arrive, non seulement à donner un témoignage éloquent de ce qui est arrivé au Rwanda, mais il propose également une réflexion sur le Mal dans le monde et ses conséquences, et pointe le doigt sur l'indifférence de la France (« le président François Mitterrand avait déclaré – à en croire un article ultérieur du Figaro – que dans ce genre de pays un génocide n'est pas si important que ça ». Gourevitch, 2002 : 451) et des grandes puissances occidentales face au génocide rwandais.

C'est pourquoi la mémoire devient l'affaire incontournable de tous ceux qui se penchent sur le génocide rwandais pour éviter que l'histoire devienne une répétition continuelle des mêmes erreurs. La parole et la mémoire sont le point de départ de cette recherche identitaire. La mémoire individuelle sélectionne des souvenirs douloureux que l'écrivain met en exergue en réduisant leur espace et leur fonction sociale. La parole transmet la mémoire suite à une sélection des souvenirs ; l'écriture situe dans un espace bien délimité cette mémoire individuelle qui devient collective du moment où elle évite que les souvenirs soient perdus dans le temps. L'oralité devient ainsi « l'ensemble de tous les types de témoignages transmis verbalement par un peuple sur son passé », telle est la définition de la tradition orale de Geneviève Calame-Griaule (Djabrohou, 2013). Oralité et mémoire s'imbriquent dans une même dimension de récupération du passé et de création d'une histoire nationale.

Le thème de la mémoire résonne au sein même de l'œuvre de Diop, dominé par un imaginaire très personnel et traversé par deux inquiétudes majeures: la dénonciation du néocolonialisme du pouvoir et la lutte contre les stéréotypes de l'afro-pessimisme occidental qui renvoient aux Africains une image aliénante et dégradée d'eux-mêmes (Latin, 2010). Intellectuel engagé et résistant, Boubacar Boris Diop considère que l'afro-pessimisme et le mépris de l'Afrique, de ses langues et de ses cultures, ne sont pas irréversibles. C'est pourquoi il est important de continuer le travail de mémoire afin de briser le miroir qui renvoie aux peuples de l'Afrique l'image de l'Autre au détriment de la leur.

Les mécanismes de l'oralité et la (re)création d'une histoire dite nationale

Malgré les agressions du système colonial aux langues africaines, ces dernières ont toujours fait preuve d'une vitalité tout au moins remarquable.

La scolarisation massive de la population n'entraîna pas la disparition des langues orales et l'usage du français, comme langue majoritaire de la population échoua, soit parce que la France ne disposait pas des moyens économiques nécessaires, soit en raison d'un manque de volonté politique. Par conséquent, la France réserva sa langue à une élite colonisée de la population qui finirait, un jour, par l'imposer au reste de la société. Mais le français était inaccessible et les langues africaines rencontrèrent beaucoup de difficultés pour accéder à l'écriture. En effet, l'on parle souvent d'un peuple «semi-langue» qui n'est qu'une sorte d'analphabétisme, car les jeunes sénégalais ne maîtrisent ni le français ni leur langue maternelle. D'ailleurs, le taux d'analphabétisme au Sénégal reste très élevé: entre 2005-2006, selon l'ANSD (Agence Nationale de la Statistique et de la Démographie), 58,2% de la population sénégalaise était analphabète, dont 47,9% des hommes et 67,1% des femmes. En outre, les jeunes écoliers vivant dans les deux cultures et scolarisés dès l'âge de trois ans, ont du mal à s'imprégner de la culture traditionnelle dans le milieu familial.

Les littératures dites émergentes, et en particulier les littératures francophones, comportent une réflexion sur la langue et l'identité et un engagement sous différentes formes d'expression. En tant que minorité « condamnée » à s'exprimer dans une langue majeure, les écrivains africains manifestent leur liberté de parole et de conscience en témoignant de leur époque et de leur temps aux générations futures. Ce devoir de mémoire entraîne la présence du contexte sociopolitique dans l'univers fictionnel et la responsabilité assumée des écrivains africains à l'égard de leur histoire. Cet ancrage de l'écriture dans une Afrique réelle, loin du folklore d'autrefois, est également le point de départ d'une acceptation de soi pour affronter la mondialisation.

Le créateur africain a un double public. Sa volonté de se faire entendre de l'oppresseur est au moins aussi forte que celle d'améliorer le sort de ses compatriotes. Née sous le signe de la protestation collective, la littérature africaine s'est toujours méfiée de l'Art pour l'Art. Elle est moins intéressée par la réalisation de belles œuvres individuelles que par l'urgence de résoudre les problèmes sociaux. Dans la période de lutte pour la libération nationale, il fallait parer au plus pressé. La langue de l'occupant avait le mérite d'exister. Les intellectuels africains y ont puisé les *mots de passe* qui ont assuré leur cohésion face à un ennemi commun. La situation n'est cependant pas la même dans toutes les anciennes colonies. (Diop, 2007, 164).

De par sa situation personnelle et familiale, le jeune Boubacar Boris Diop a eu accès à ces deux univers linguistiques: l'autochtone, grâce à la voix de sa mère qui lui racontait, la nuit, toute sorte d'histoires, et le français, grâce à sa scolarisation et à la bibliothèque de son père, un intellectuel et un lettré.

En fait, l'écrivain sénégalais, comme d'autres grands auteurs de la littérature contemporaine, Faulkner, García Lorca ou Proust, parmi beaucoup d'autres, est l'héritier de deux univers: un univers féminin et oral et l'univers des livres, dominé par la figure paternelle. Les contes africains auxquels, de manière naïve, il croyait étant enfant, source de l'imaginaire et de l'éducation primaire des enfants, constituent le premier germe de cette littérature particulière aux peuples africains et de leur identité.

Comme pour la plupart des écrivains africains, la langue d'écriture n'entraîne aucune faille idéologique, loin s'en faut, car le paradoxe, tel que le souligne Diop « n'est qu'apparent ». Si la question linguistique et l'engagement de l'écrivain ont toujours été latents dans son œuvre, c'est l'expérience rwandaise qui le confronte définitivement à lui-même, à son engagement et à sa propre création littéraire. Suite à la prise de conscience du « rôle indéniable, quasi-spectaculaire, de la France du côté des génocidaires » (Azam Zanganeh, 2010 ; Diop, Tobner, Verschave, 2005), le français comme langue d'écriture s'avère désormais défaillant, étranger à l'écrivain lui-même et à ses convictions les plus profondes. Le fantôme de la vieille culture coloniale ressurgit et entraîne une sorte de « répulsion face à toute forme de domination culturelle » : « l'envie d'écrire en wolof est remontée en moi » (Azam Zanganeh, 2010). Diop, qui avait toujours opté pour une langue française académique, malgré la prégnance de l'oralité dans ses textes, devient désormais un écrivain bilingue qui ne renoncera pas pour autant à l'écriture en français.

Le passage au wolof s'avère, tel que l'avoue l'écrivain lui-même, « pénible » car il sera question dorénavant d'exprimer « un autre univers linguistique, d'autres textures et couleurs » (Azam Zanganeh, 2010). De cette expérience naît *Doomi Golo*. La transmission du savoir est au cœur de sa problématique, où il s'agit, d'après l'auteur, de rétablir le lien intergénérationnel, de préserver la mémoire dans le besoin de créer une continuité historique pour les générations à venir. La rencontre avec sa langue maternelle provoque chez l'écrivain un retour proustien à un monde familier, à son passé et à son quotidien:

> En littérature le sens est tout entier dans l'écho, dans la pure résonance des mots. Ceux que j'utilise pour écrire *Doomi golo* ne viennent pas de l'école ou du dictionnaire, mais de la vie réelle. À présent, les mots remontent du passé le plus lointain et si leur bruit m'est en même temps si familier et si agréable, c'est que j'appartiens par toutes les fibres de mon être à une culture de l'oralité [….]. Jamais mon enfance n'a été aussi naturellement présente dans ma fiction. J'en viens à me demander parfois si, en définitive, ce passage à l'acte n'est pas une manœuvre inconsciente pour entendre de nouveau la voix de ma mère morte il y a quelques années ou

celles d'autres personnes dont j'avais oublié jusqu'à l'existence (Diop, 2007 : 171-172).

L'écrivain sénégalais dépeint dans son premier roman écrit en wolof, un imaginaire social et très personnel, intimement lié à l'émotionnel, sous le poids grandissant de l'oral et du merveilleux, afin d'aboutir à la recherche d'une identité culturelle africaine. Le wolof lui permet d'ancrer la fiction dans le réel sous le couvert de la langue parlée par la plupart de la population et de publier en Afrique pour un lecteur africain qui peut se rapprocher plus facilement de l'œuvre grâce à une version audio. C'est de cette sorte que Boubacar Boris Diop put, par la première fois, partager l'univers de son écriture avec ses contemporains africains.

D'après l'écrivain la métaphore du singe, qui ne sait qu'imiter, figure le sort des Africains et il ajoute : « il n'y a pas de modernité dans le refus d'être soi-même » (Wane, 2004). Imitation de l'Occident, ou haine de l'Occident ? Servilité ou agressivité ? Voilà les deux logiques binaires qui enferment les écrivains africains et par extension, les écrivains des cultures colonisées et/ou minoritaires. La solution passe par un enracinement des écrivains dans leur culture, dans leurs traditions, pour partir ensuite à la rencontre du monde. Et le succès de cette démarche en Afrique francophone, demande l'alphabétisation des populations dans les langues nationales, langues presque pas enseignées à l'école. Les œuvres écrites dans les langues africaines finiront par s'imposer, mais il faut « parier sur la durée » (Sŏpova, 2011), avoue l'écrivain sénégalais. Et il ajoute:

> Au fond, « littérature africaine », cela ne veut rien dire. D'ailleurs, on dit toujours « littérature africaine… d'expression française, d'expression portugaise, ou anglaise ». Aujourd'hui, les auteurs africains n'arrivent à se parler, à se rencontrer – et les textes aussi ! – qu'à travers les langues « coloniales » […]. Ce qui nous sépare, ce sont les langues du colonisateur. Nous avons encore en héritage littéraire le partage de l'Afrique à Berlin en 1885. Il y a un mur de Berlin qui s'est effondré en 1989, mais il reste nos trois murs de Berlin […]. La littérature africaine sera une littérature écrite mais, en même temps, elle sera traversée par le souffle de l'oralité ou ne sera pas… Oui, ou ne sera pas ! Moi, je suis venu à la littérature par l'oralité. (Seddik, 2009)

Comme Cheikh Anta Diop, depuis 1948, auquel Boubacar Boris Diop rend hommage dans L'Afrique au-delà du miroir (Le Sénégal entre Cheikh Anta Diop et Senghor, 89-134), l'auteur du Livre des ossements considère que les langues nationales sont la clé qui permettra « l'unification et la libération des peuples africains et la restauration de la conscience historique » dans une continuité. La mémoire doit servir à la création d'une histoire faite par les Africains et pour les Africains dans le souci de chercher une identité commune aux peuples du continent.

Conclusion

Boubacar Boris Diop considère la fiction comme la rencontre du langage avec une réalité souvent indicible, thèse longuement étayée dans *Murambi, le livre des ossements*, où l'écrivain, face à ce qui ne peut pas être exprimé par les mots, opte pour la sobriété. Par la suite, le romancier se rapproche de sa langue maternelle et replace la littérature africaine d'expression française, anglaise ou portugaise dans une position de littératures de transition. De cette volonté de repositionner l'imaginaire africain naît *Doomo Golo*.

Malgré l'hostilité des écrivains africains au recours à leur langue maternelle, à quelques exceptions près, les attitudes changent, ce qui explique, d'ailleurs, qu'au Sénégal, l'association d'écrivains en langues nationales soit numériquement plus importante que celle composée de francophones. En revanche, bien que ces écrivains soient plus nombreux, ils ont peu de visibilité à l'extérieur, car la langue de prestige est le français. Il est saisissant de voir que les grands classiques africains, encore vivants, reconnus par l'institution littéraire et scolaire, soient privés de toute présence médiatique, notamment dans l'espace francophone. Leur univers littéraire est trop éloigné de l'image que le marché occidental souhaite donner de l'Afrique et ils forment une sorte de réduit contre l'homologation systématique qui impose la mondialisation des cultures. Mais, comme le souligne Diop, « la vraie culture est une réponse de l'esprit humain à l'aveuglement des dictatures, qu'elles soient politiques ou économiques » (Diop, 2007 : 208).

Boubacar Boris Diop s'inscrit dans une lignée de pensée qui privilégie la question linguistique comme l'un des fondements sur lequel repose l'avenir des sociétés africaines. L'écrivain se sert de la langue, la crée et contribue à restaurer une identité collective et historique dans une continuité interrompue lors de la colonisation. L'histoire littéraire doit se faire suite à la contribution des écrivains africains qui osent faire confiance aux langues nationales pour exprimer leur univers intérieur.

Références bibliographiques

Livres et monographies

Diop, Boubacar Boris ; Tobner, Odile & Verschave, François-Xavier *Négrophobie*. Paris : Editions des arènes, 2005.

Diop, Boubacar Boris *L'Afrique au-delà du miroir*. Paris : Editions Philippe Rey, 2007.

---. *Murambi, le livre des ossements*. Paris: Editions Zulma, 2011.

Gourevitch, Philip. *Nous avons le plaisir de vous informer que, demain, nous serons tués avec nos familles. .Chroniques rwandaises*. Paris : Editions Denoël (coll. Folio documents), 2002.

Sources bibliographiques numériques

Andriamirado, Virginie (2007). «La langue en question». En ligne www.africultures.com/php/index.pnav=article&no=7169, consulté le 14 décembre 2010.

ANSD (Agence Nationale de la Statistique et de la Démographie). «Taux d'alphabétisation au Sénégal». En ligne.

www.indexmundi.com/fr/senegal/taux_d_alphabetisation.html, consulté le 25 juin 2013.

Azam Zanganeh, Lila (2010). «Interview de Boubacar Boris Diop», basé sur l'article : «Une littérature de transition» in *Le monde des livres,* 15/04/10. En ligne.

www.gingimbre.over-blog.fr/article-interview-de-boubacar-boris-diop---par-lila-azam-zanganeh-49030052.html, consulté le 13 décembre 2011.

Bede, Damien (2003). «Fictions littéraires, conflits et pouvoirs en Afrique» in *Ethiopiques,* n° 71. En ligne www.ethiopiques.refer.sn/spip.php?article68, consulté le 17 janvier 2012.

Benard, Marie. (2001). «Entretien avec Boubacar Boris Diop», le lundi 5/03/2001 à Dakar. En ligne.

www.aircrigeweb.free.fr/ressources/rwanda/RwandaDiop1.html, consulté le 14 décembre 2011.

Djabrohou, Zohra (2013). «Si Amadou Hampaté Bâ nous était conté: un pont entre l'oralité et l'écriture». En ligne.

www.ricochet-jeunes.org/articles-critiques/article/27-si-amadou-hampate-ba-nous-etait-conte-un-pon.html, consulté le 30 juin 2013.

Latin, Danièle (2010). «Sénégal : Boubacar Boris Diop» in *Culture, le magazine culturel de l'Université de Liège*. En ligne.

www.culture.ulg.ac.be/jcms/prod_161733/senegal-boubacar-boris-diop, consulté le 14 décembre 2011.

Seddik, Raouf (2009). «Rencontre avec Boubacar Boris Diop : 'La traduction comme conquête littéraire de l'oralité'». En ligne.

www.tunizien.com/130461-tunisie--rencontre-avec-boubacar-boris-diop, consulté le 10 janvier 2012.

Sŏpova, Jasmina (2008). «Le romancier sénégalais Boubacar Boris Diop a décidé d'écrire en wolof : prêcher dans le désert ou miser sur l'avenir?» En ligne.
http://fr.excelafrica.com/node/8774, consulté le 10 janvier 2012.

Wane, Ibrahima (2004). «Du français au wolof: la quête du récit chez Boubacar Boris Diop» in *Ethiopiques*, n° 73. En ligne.

www.ethiopiques.refer.sn/spip.php?article98, consulté le 20 décembre 2011.

Chapitre VIII

Boubacar Boris Diop, un modèle d'atavisme littéraire

Philomène SEKA Apo
Université de Cocody-Abidjan

Résumé

Les écrivains noirs de langue étrangère, notamment française, ne sont pas de curieuses pièces de musée. L'écriture dont ils témoignent est le produit de leur être-au-monde. Leur voix de ce fait a toujours été entendue, en témoignent les points de vue sur leurs œuvres dans la critique. Seulement, cette voix n'a pas été correctement entendue et située dans le contexte de son émergence comme le produit d'une poussée et on est allé rapidement à l'assimilation par rapport à d'autres écritures. La présente communication se veut donc un cadre de restitution de cette écriture à ses antériorités originelles.

Boubacar Boris Diop, un modèle d'atavisme littéraire

Les écrivains africains qui usent de l'oralité dans leur fiction romanesque ont vu se poser à leur sujet mille et une questions. Stéréotype folklorique ? Voix transgressive s'opposant aux canons littéraires établis ? Ces écrivains ne sont ni les survivances d'un passé à jamais révolu ni les exécuteurs testamentaires d'une histoire (littéraire) en mal de reconnaissance, ni les initiateurs d'une nouvelle histoire littéraire africaine. Ils sont tout simplement Caliban. Et la raideur de leur cri « uhuru » n'est rien d'autre que la plainte de l'écorce sous le pied de l'arbre peint.

Ce colloque[1] consacré à Boris Diop et à Chimamanda Adichie vient opportunément poser une question qui est essentielle pour quiconque veut comprendre la littérature africaine d'aujourd'hui dans ses motivations profondes.

---

[1] Traditions orales postcoloniales: Boubacar Boris Diop, Chimamanda Adichie …University of British Columbia, du 5 au 7 avril 2012.

On parle de l'écrit littéraire africain comme de la littérature africaine. Sa désignation la plus juste pour qu'elle soit conforme aux exigences ontologiques et statutaires de cette littérature qu'elle incarne et qu'elle réclame à juste titre est « littérature africaine d'expression française ». C'est cette formulation qui motive les différentes interrogations que formule très opportunément ce colloque et que nous relevons ci-dessus. La critique, en s'interrogeant de la sorte, impose une remontée de l'histoire de cette littérature africaine. Les écrivains africains de l'écriture constituent une expérience rarissime au monde, d'un peuple, pour des raisons coloniales, dont l'expression littéraire utilise le véhicule d'une langue étrangère, la langue de son colonisateur.

Cette occlusion de l'Histoire donne à lire des commentaires très passionnés et fervents à propos de la production littéraire des Africains. Claude Roy parmi tant d'autres parlait dans les termes suivants des écrivains noirs : « Les descendants authentiques des Parisiens Villon, Voltaire, Hugo, etc. Ce sont plutôt ces nègres qui écrivent en empruntant, en employant, prolongeant et réinventant le français de nos grands écrivains. » (Claude Roy, cité par J. Jahn, 176).

Ce propos ne vise qu'un but, affirmer le centralisme littéraire européen. Lorsque Roy parle des *descendants authentiques qui réinventent le français*, il est à mille lieux de se demander les conditions dans lesquelles les écrivains africains de langue française *réinventent* ce qu'il appelle le français. La critique française en réagissant ainsi (car ce genre de propos sont légion) le fait en bon droit dans la mesure où l'outil véhiculaire des textes africains est la langue française, anglaise ou portugaise ; et la langue jusqu'aujourd'hui est perçue comme l'élément fondateur de toute expression littéraire. Dans ces conditions, comment une littérature peut-elle appartenir à une civilisation par la langue qui la véhicule et malgré cela revendiquer une nationalité étrangère à cette civilisation ? Le problème véritable de la littérature africaine est celui que formule avec grande clarté Atsain N'cho François. Il écrit :

> Ce qu'on appelle aujourd'hui littérature africaine est dans une situation peu commune au regard des autres productions littéraires dans le monde. La littérature africaine est en effet contrainte de s'exprimer dans une langue non africaine ; elle emprunte, de ce fait, très largement au génie d'un autre peuple [...]. Elle est pour cela une littérature piégée à sa racine même parce qu'elle emprunte l'essence de son langage à une aire de civilisation autre que la civilisation africaine à laquelle elle prétend appartenir. Elle revendique cependant, malgré tout, et à juste titre, le statut d'africanité, car elle entend être dénommée littérature africaine. (Atsain 7)

Si, en effet, le fait littéraire a pour conditionnement la langue, car c'est par elle qu'il existe, celle-ci ne suffit pas à elle seule à définir la littérature en tant que fait social. Participe à cette définition un certain nombre de données qui font que la littérature, pour reprendre le mot de Henri Meschonnic, est participation, celle de l'auteur de l'œuvre. Les écrivains africains sont de ce point de vue des « lamantins qui vont boire à la source ». Si les formes littéraires fondamentales – lyrisme, drame, narration – appartiennent à tous les peuples, l'expression que ces peuples en donnent est d'abord et avant tout le résultat de l'histoire et de la géographie qui en colorent le ton et leur donnent, de la sorte, une teinte locale[2]. Notre réflexion sera dès lors orientée vers la recherche de l'antériorité africaine de Boris Diop dans sa production littéraire, notamment les voies et moyens par lesquels celui-ci redécouvre l'ancienneté profonde de la conception littéraire de l'Afrique des origines.

Pour cette investigation, les outils que nous allons utiliser prioritairement sont avant tout ceux de la stylistique, méthode particulièrement adaptée à la langue et à ses registres de parler ; puis comme nous l'affirmons plus haut, la littérature n'est pas que langue, elle est également, entre autres, parole et culture. Sur cette base, nous appellerons l'énonciation, dans le cadre de la pragmatique du discours, à éclairer les démarches de création chez Diop.

A ce propos, nous consacrerons notre réflexion à deux modes de construction du sens dans les œuvres de l'auteur, à savoir les faits de réécriture et l'écriture de l'analogie.

I. Réécriture et construction du sens

Le rythme, on le sait, n'a pas de sens, il fait plutôt sens. Mais à le dire de la sorte, on soulève toute la problématique à propos de la manière dont il participe au renforcement du sens dans l'œuvre littéraire. Par rapport à cela, les Africains de l'Afrique ancienne, pour ce qui les concerne, conscients des faiblesses, de ce point de vue, de l'oralité comme mode de conservation du savoir, en rapport avec la faillite de la mémoire, ont été particulièrement préoccupés par la forme à donner à leur création littéraire de sorte qu'elle pallie les insuffisances liées à ce mode. Ils ont à cet égard forgé différents matériaux dont leurs œuvres portent les marques.

---

[2] Lorsque nous parlons de teinte, il faut l'entendre ainsi, c'est-à-dire degré de coloration. Car il n'est de moyen d'écriture qui ne soit commune à tous les peuples. Le différentiel, d'un peuple à un autre, est dans la manière de disposer de ce moyen de sorte que celui-ci soit caractéristique de l'écriture de ce peuple, en termes de quantité et du climat que ce moyen confère au texte.

Parmi ces matériaux, il faut retenir, par exemple, la très forte capacité du texte africain à la réitération, par les effets de reprise et de répétition de segments de texte ou de séquences, partiellement ou entièrement repris, parfois sur de très longues durées, pouvant couvrir des versants entiers. C'est le cas, entre autres, du batteur de l'attoungblan[3] qui ne commence à livrer le message pour lequel il s'est installé de si bon matin que lorsqu'il est certain que son message ne tombe pas dans les oreilles de personnes encore endormies. Il réitère à cet effet des versets ou des séquences à forts relents lyriques dont la fonction est, cette fois, d'arracher le dormeur au sommeil. La séquence introductive d'un texte sur le modèle de l'attoungblan abouré de Mooussou en Côte d'Ivoire réitère essentiellement sur 211 versets la formule « l'étoile polaire va poindre le jour arrive »[4].

D'autre part, ces Africains ont eu un grand souci pour la rigueur de l'écriture, pour la tension dramatique à créer à l'intérieur de l'œuvre, pour parvenir à imposer à l'esprit du lecteur ce que l'auteur de l'œuvre veut lui faire retenir, en l'entourant d'une présence permanente et incessante, d'où l'idée d'obsession que cette manière de faire engendre et que les auteurs africains qui usent de l'écriture – dont Boubacar Boris Diop – retrouvent dès que ceux-ci empruntent le chemin de l'écriture. C'est cette préoccupation que Henri Hell que cite Senghor synthétise à propos d'Aimé Césaire : « On aime la puissance d'incantation de certains de ces poèmes comme Batouque, d'un rythme obsédant. Pourtant, un si grand éclat, tant d'exagération, tant de démesure provocante ne sont pas sans lasser (…) Le fracas continuel des mots rend sourd. » (Senghor 159-160).

Mais pour user de ce trait de culture, les écrivains africains ne sont cependant pas des abeilles qui depuis toujours butinent la même fleur, sans rien changer à leur tradition de butinage. Boris Diop, pour sa part, revisite ces voies d'écriture pour divers effets et selon des modalités différentes, en les adaptant au contexte d'écriture qui est le sien : non seulement le mode scriptural, mais aussi générique.

I. 1 Les formes rythmiques à effet obsédant

Ces formes de l'écriture rythmique, Diop en dispose pour occuper l'esprit, au point de l'empêcher de pouvoir penser à autre chose. L'auteur,

---

[3] L'attoungblan est une forme poétique médiatisée. Le texte est émis à partir d'une paire de tam-tams éponyme dont le contraste de tons graves et aigus permet d'appuyer tout concept relevant de la langue, support de la communication.
[4] Dans le texte initial : kôtôklô leba aliè ba tchin

pour cet effet, ne se contente pas d'élaborer une formule qui est soumise à un mouvement rotatoire. En plus de la mise en mouvement, il traite les éléments du texte dans un certain continuum de sens de sorte à imposer ces éléments à l'esprit du lecteur, à le poursuivre, pour ainsi dire. Tout l'art de Diop en cette matière consiste à suggérer l'idée d'obsession chez son personnage, par de petites touches successives et qui finissent, à la faveur du phénomène de l'osmose, par parvenir au lecteur, en fixant assez solidement l'item dans son esprit.

Dans *Les Petits de la guenon*, Atou Seck, supplicié, voit poindre sur ses lèvres le verset chanté suivant : *Man ràkkaaju naa ! Waaw, man ràkkaaju naa*. Boris Diop fait fonctionner l'effet réitératif sur un mode qu'on pourrait appeler métadiscursif, dans le registre de l'énoncé qui signale sa propre énonciation, ici, l'obsession. Les mots en effet qui composent le chant, note la narration, se mettent à chanter tout seuls dans la tête d'Atou Seck. Première cause de reprise du chant. Atou Seck est envahi par le chant. L'énoncé le montre en extase. Les mots, dit le texte, chantent et Atou Seck les accompagne sans nécessité d'effort, tant il est subjugué par ce chant. Deuxième cause de reprise. Troisième motivation de la reprise, Atou Seck est complètement possédé par le chant au point où la diégèse le montre, se remémorant et les paroles et le lieu où, jadis, il entendit le chant, la première fois. Diop parvient ainsi, rien que par l'écriture, à transcrire la réitération et le processus par lequel celle-ci s'installe et crée le rythme obsédant à l'intérieur de la séquence.

Par ailleurs, Diop ne crée pas l'effet de reprise seulement à partir de la répétition du verset. Il y a chez lui, tout comme ses inspirateurs traditionalistes, un travail d'intégration à l'intérieur du verset lui-même par des effets de reprise qui créent un rythme, d'où naît le plaisir poétique. Aucune traduction n'est donnée au lecteur du verset *Man ràkkaaju naa ! Waaw, man ràkkaaju naa*, cependant celui-ci n'est nullement lassé par les reprises successives, nourri et comblé qu'il est par l'organisation interne même du verset recherchant l'intégration à divers niveaux. La structure du verset est en effet construite autour d'un double versant répétant chacun la même formule *Man ràkkaaju naa // Man ràkkaaju naa* avec un matériau charnière, *Waaw* qui fonctionne comme point d'équilibre. Le versant lui-même, tout comme l'outil d'équilibre, est bâti autour de la reprise de la voyelle claire [*a*], sous la forme d'une anaphore grammaticale assonancée dont la très forte récurrence conjure l'effet des autres occurrences vocaliques et consonantiques (*a, à, aa, aa // sa à, aa aa*). Dans cette séquence de texte apparaît une recherche d'isomorphisme au double niveau de l'articulation du langage : articulation phonétique/phonologique, articulation morphématique. Ces différents niveaux articulatoires harmoniques et mélodiques fondent le plaisir du texte.

I. 2 Les formes rythmiques à teneur dramatique

Le rythme permet également à Diop de renforcer l'effet dramatique à l'intérieur de l'œuvre. L'outil de création est entre autres l'interpellation. Dans *Les Tambours de la mémoire*, l'héroïne, Johanna explique au peuple les circonstances dans lesquelles contre sa volonté et sous l'injonction des dieux et des ancêtres, elle s'est vue confiée le rôle de reine qui est aujourd'hui le sien. Il lui fallait à ce propos obtenir l'adhésion de son peuple, réussir à lui faire partager cette histoire qui, finalement, est l'histoire d'un individu, elle, Johanna Simentho. Elle installe à ce propos ce peuple au cœur de son discours et en fait le moteur, du point de vue dramatique, par son interpellation régulière, chaque fois qu'elle prend la parole pour s'adresser à lui, tout au long de l'œuvre et particulièrement de la page 190 à 192. Le texte scande à cet effet le syntagme, *gens de Wissombo*.

On notera d'entrée la pertinence stylistique de l'option pour la modalité conative (Johanna s'adressant au peuple dans un face à face sans médiation), à cause des possibilités réitératives illimitées qu'offre cette modalité séquentielle, liées à son statut de restriction de sélection, autorisant sa manifestation à chaque détour de séquence, de phrase, de syntagme, de lexème même. Cet item, dans la construction du sens en cours dans l'œuvre, repose sur le jeu de la contiguïté de type synecdochique (*gens de Wissombo* désigne selon les circonstances le village, les habitants, le sol, la flore) qui offre l'avantage de jouer sur différents registres de sens, opération que favorisent les ressources de la contiguïté mêlant à la fois le village, ses habitants, son sol, sa flore et qui mue par cela le discours en un parcours identitaire à fonction hautement unificatrice.

Du point de vue syntaxique, l'usage répété et abondant de l'apposition, *gens de Wissombo*, auréolée de sa valeur vocative interpellatrice, concourt à créer, à l'intérieur de la séquence, la tension dramatique si nécessaire à la conscience identitaire que recherche Johanna Simentho. Chaque réitération est ainsi une interpellation. Cet art de s'adresser à l'autre, à l'allocutaire, apporte dès lors avec lui, ses ressources conatives, ployant sous leurs charges exhortatives et de supplication. En plus du sens que véhicule la séquence rythmique, *gens de Wissombo,* et qui, malgré tout, s'altère du fait de sa réitération (tout matériau textuel répété se vidant petit à petit de son sens), c'est son rôle énonciatif qui retient l'attention. Son énoncé emplit le texte de ses sonorités, créant ainsi la tension dramatique qui devient désormais la première cause du Beau et de l'esthétique dans le texte.

Johanna, de la sorte, use, abuse même de *gens de Wissombo*, outil expressif dont les déterminations stylistiques liées à la réécriture, notion chère à Roman Jakobson, favorisent, à chaque détour de mot, de phrase, de syntagme, d'évocation ou d'idée, sa rencontre avec son peuple, moteur du pouvoir.

I.3 Formes rythmiques et métadiscours

Les effets de reprise chez Boris Diop se présentent sous d'autres formes avec d'autres vocations dans leur tension vers le sens à construire dans l'œuvre. Ces formes, pour ce qui les concerne, interviennent à l'intérieur de segments textuels courts. De la sorte, le constituant textuel en situation de reprise opère sur différents registres, sonore et phonique, mais aussi énonciatif et sémantique, qui attirent fortement l'attention. Le terme repris emplit la séquence, non seulement de ses sonorités, mais également du sens dont il est porteur. Ces formes sont particulièrement productives, car en plus des possibilités littéraires et narratives que nous évoquons, elles servent entre autres à clarifier le propos, à le rendre plus explicite, d'où un rôle métadiscursif. Ce modèle d'écriture très commode fonctionne dans la poétique de Boris Diop comme une opportunité littéraire dont l'auteur use astucieusement et en des circonstances diverses.

Dans *Le Cavalier et son ombre*, la reprise, au-delà des fonctions qui sont communes à ces formes et que nous relevions plus haut, permet de préciser la nature de l'histoire évoquée par la narration : « La vieille histoire. La vieille histoire entre le mâle et la femelle.» (84).

Dans *Les Tambours de la mémoire,* la réitération du segment s'accompagne d'une précision à valeur d'identification: « Une sacrée ordure, c'est une sacrée ordure, Ezzedine ! » (214).

Dans ce mode d'écriture de l'œuvre, tout se passe dans l'esprit des protagonistes du récit comme si le propos n'est pas suffisamment argumenté, élaboré pour être perçu par l'interlocuteur, d'où la nécessité de la reprise, moyen métadiscursif qui, ici, mêle le dit et son dire dans un tout indissociable.

Les faits de réécriture, par le type d'encodage qu'ils apportent au texte – incantation, scansion, obsession – font de l'œuvre littéraire le lieu d'une parole qui retrouve ses vertus de verbe, c'est-à-dire de parole forte exprimant toute la pensée pour les effets à produire. Mais ce n'est là qu'un aspect des moyens d'enracinement de l'écriture chez Diop. L'autre aspect, c'est la parole lorsqu'elle est peinture.

II. Analogie et construction du sens

Le mode analogique est cet autre lieu où les écrivains africains, en particulier, Boubacar Boris Diop, exposent le génie et la sensibilité littéraires africains. Encore une fois, disons-le, il ne s'agit pas d'exclusivité, mais bien de degré, c'est-à-dire d'une inclination particulière chez les auteurs africains à recourir systématiquement à ce que Roman Jakobson appelle « le mode de pensée par analogie ». C'est cette sollicitation constante à ce mode d'expression que synthétise également Henri Hell de la manière suivante, parlant de l'emploi du mot dans le texte africain, à propos de Césaire : « Le jaillissement incessant et incontrôlé des images leur enlève toute efficacité. » (Senghor 160).

La palette des formes analogiques est assez variée chez Boris Diop. Retiendra cependant notre attention cette forme de l'expression analogique qu'à la suite de Jean Cauvin nous désignons comme l'analogie de la double dénotation et qui réfère au proverbe. Et de fait, le discours de la double dénotation est présent dans les écrits de B. Diop. Il s'agit de ce poème en comprimé qui juxtapose deux figures homologiques : le texte poétique ou le proverbe et la situation sociale que le proverbe tend à illustrer par la force de ses images. Il n'est pas un seul ouvrage où n'apparaisse çà et là un proverbe. Dans *Les Petits de la guenon*, cette parole aphoristique marque de son expression le texte, notamment aux pages 87, 93, 101, 291(2), 333, 336, 377.

Une telle présence est très remarquable, dans la mesure où, au-delà de sa qualité d'image littéraire, le proverbe est avant tout une forme du genre poétique, donc forme littéraire, à part entière. A ce titre, cette présence évoque quelques-unes des questions essentielles de l'analyse littéraire, non seulement, celle des relations intertextuelles, mais également, celle de la servitude voulue, le proverbe étant toujours une parole de l'autre, de la société tout entière. Analysons cette forme de l'expression analogique dans le paragraphe suivant.

II. 1 Le proverbe : une servitude voulue.

Le proverbe, parole de l'autre par sa nature même, induit toujours lorsqu'il est présent dans un texte une relation d'intertextualité[5]. A ce propos, notre attention est appelée par la manière particulière dont, d'une part, il souligne la pensée et d'autre part, elle s'immisce dans le discours, lesquels modes d'insertion justifient avec un rare bonheur l'appellation de parole de l'autre. Citons-en pêle-mêle à cette étape de notre réflexion pour manifester leur présence, l'analyse de quelques-uns interviendra plus tard. Atou Seck, seul habitant ayant refusé de fuir son village gagné par la guerre civile, apercevant au milieu des ordures un morceau de pain rassis qui

---

[5] Le proverbe ne fonctionne jamais seul. Il est toujours en rapport avec un texte auquel les images qui le bâtissent apportent leur surcroît de clarté.

pourrait, le moment venu, lui être d'un grand secours, se garde bien cependant de le ramasser, arguant: « Même si tu meurs de soif, ne bois jamais l'eau des égouts » (*Les Petits de la guenon* 160).

Dans *Les Traces de la meute*, le conteur enseigne : « Si vous ne pouvez plus échapper à la mort en pleine forêt, choisissez au moins de périr sous les coups du lion. ». Dans *Murambi*, un personnage énonce : « Celui qui n'a pas de clôture autour de sa maison n'a pas d'ennemis. » (197).

Le proverbe, dans sa caractéristique essentielle, est une parole d'à propos qui intervient pour permettre une meilleure lecture d'un fait social vécu au moyen de ses vertus didactiques. Pour cela, lorsqu'il est présent dans un texte, il est toujours une parole empruntée, une servitude voulue. De cette caractéristique découle toutes les déterminations stylistiques et poétiques de cette forme littéraire et dont Diop irise opportunément son texte. C'est elle qui justifie son emploi répété par les Africains, ceux d'aujourd'hui ainsi que ceux d'hier. Sa force illocutoire est la motivation profonde de cette sollicitation constante, que ce soit dans la parole du jeu que dans la parole sérieuse et lourde de conséquence telle la parole du procès ou encore dans la parole littéraire. Le proverbe est partout présent en Afrique. Peut-être Diop en crée-t-il lui-même parmi ceux qui apparaissent dans son œuvre ? En tout cas, l'adaptation en est fort réussie, dans le transfert qu'il opère de l'oral vers l'écrit.

Le proverbe, nous l'avons dit, est une donnée sociale. Il prend bien sûr naissance dans l'esprit d'un individu, mais il est impossible de l'attribuer à telle ou telle personne précise qui en serait l'auteur. Mais bien souvent, il arrive qu'un locuteur attribue tel proverbe à quelqu'un de précis. Ce n'est que pour souligner la sagesse de ce locuteur qui use assez souvent et avec grande pertinence et un esprit d'à propos de cet aphorisme, au point où l'on tend à en faire l'auteur.

Ce modèle d'écriture du proverbe fonctionne efficacement chez Diop du point de vue énonciatif et illocutoire. Cette efficacité se situe à un double niveau. Il s'agit, au niveau du lecteur, de lui faire comprendre que la parole qu'énonce tel personnage n'est pas la sienne propre, mais qu'il l'emprunte bien à un tiers. Au second niveau qui est celui du protagoniste du récit, il s'agit de le convaincre, eu égard à sa qualité de parole de la communauté à laquelle il appartient, de la justesse du propos. L'art de l'auteur réside dans la manière par laquelle il insère à l'intérieur du discours la parole du tiers. Il dispose pour cela de différents moyens grammaticaux qui relèvent tous des modes d'insertion du discours. Nous retenons le cas du discours direct, plus pertinent. Dans ce mode de discours, un des protagonistes du récit fait parler directement un sage sur les lèvres de qui cette parole est entendue. C'est le cas dans *Les Petits de la guenon* lorsque le vieillard, voulant instruire Badou, libella le propos suivant : « Voici ce que dit Wolof Njaay : Si tu joues du tambour avec une hache, tu n'en tireras qu'un seul son, que celui-ci soit doux à tes oreilles ou au contraire déplaisant. » (*Les Petits de la guenon* 93).

Le mode d'insertion directe en observation crée un espace scénique dans lequel interviennent deux instances de discours : le discours citant (la parole du narrateur) et le discours cité (la parole effective de Wolof Njaay). Diop tire beaucoup d'effets de ce type d'élaboration du discours. Le drame en ressort, sur le plan de l'illusion, plus réaliste, ce qui est l'une des vocations de l'œuvre littéraire. Car, en effet, le lecteur entend le discours inséré dans ses propres mots, c'est-à-dire tel que libellé par le locuteur initial, d'où une construction mimétique parfaite.

Le mimétisme de l'écriture implique une relation intertextuelle entre le discours citant et le discours cité qui crée deux niveaux d'énonciation. Du point de vue du plaisir du texte, c'est-à-dire de l'esthétique, ce double niveau d'énonciation produit un effet de polyphonie à l'intérieur de l'œuvre. Ce n'est pas tout, il reste la question de la valeur, celle de l'apport du proverbe à la construction du sens dans la séquence où il s'insère. L'insertion, avons-nous dit, est un moyen de construction réaliste du texte. Ajoutons-y, également de densification et d'intensification du drame.

En cela, le proverbe fonctionne pour ce qu'il est comme une conscience, mais dans le contexte de l'insertion comme une conscience regardée. C'est dans sa fonction de conscience regardée que le proverbe justifie sa présence très remarquée dans l'écriture littéraire africaine et, par ricochet, dans la production littéraire de Boris Diop. Le proverbe, par son expression, en effet prescrit une norme qui résulte de la sagesse populaire et dont les sociétés africaines anciennes de civilisation orale qui n'ont pas d'école, pour ainsi dire, instituée ont besoin pour l'éducation de l'individu. Son énonciation témoigne de la présence de la communauté en cet instant précis, à travers l'énonciateur et appelle par cela l'individu concerné par le proverbe à la retenue et à la sagesse par rapport à son attitude du moment.

II. 2 Le proverbe et l'énonciation de la double dénotation

Le proverbe comme parole de l'altérité et de la société introduit dans le texte un discours qui, par sa forme et son contenu immédiat, est toujours et donc une autre parole. Et c'est par le fait qu'il fonctionne comme une autre parole que le proverbe apporte sa plus-value de sens au texte. Si par son contenu immédiat le proverbe est en rupture avec son hypotexte, c'est-à-dire le texte qui l'insère, à l'analyse, hypotexte et hypertexte produisent exactement le même contenu. Le proverbe qui fonctionne en ce cas comme la doublure de l'hypotexte car il est image, apporte à la fois la puissance suggestive de l'image et la force illocutoire liée à toute expression analogique.

140

Revenons au proverbe suivant dont nous définissions plus haut le contexte d'emploi dans l'œuvre : « Même si tu meurs de soif, ne bois jamais l'eau des égouts ». Par l'usage de ce proverbe, le personnage se convainc lui-même de la nécessité pour un homme de ne jamais accepter de descendre bas, quelle que soit la situation dans laquelle l'on se trouve. On notera que le proverbe fonctionne en doublure dénotative au fait réel évoqué dans le texte. Atou Seck veut se prémunir contre la faim, mais il ne veut, pour rien au monde, se nourrir de pain rassis trainant dans les ordures. La protase de l'hypertexte (Même si tu meurs de soif) double donc la protase de l'hypotexte (Même si tu meurs de faim) et l'apodose de l'hypertexte (ne bois jamais l'eau des égouts) mime pour sa part l'apodose de l'hypotexte (ne te nourris jamais de nourriture de mauvaise qualité). D'où la désignation du proverbe comme l'analogie de la double dénotation.

Le proverbe, par son mode d'analogie (la double dénotation), en plus de la puissance et de la capacité d'élocution de l'image, apporte au texte son pouvoir d'abstraction et de synthèse. Autant de caractéristiques qui font du proverbe une parole de vérité qui, venant du fond des âges, s'impose à tous et ne peut par conséquent être contredit. Les Africains qui ont érigé le concret et l'efficacité du dire en règle d'écriture de l'œuvre littéraire exploitent à cette fin, avantageusement, les ressources poétiques, stylistiques et énonciatives du proverbe[6].

Hormis ces dispositions que le proverbe met au service de l'écriture et dont Diop tire le plus grand profit, l'auteur trouve dans le proverbe une opportunité d'écriture qui favorise chez lui la recherche d'une grande variété de l'expression et de ce fait comble toutes les motivations spirituelles et cathartiques.

Boubacar Boris Diop, on le voit, malgré le poids incommensurable de la langue française et de la culture dont celle-ci s'accompagne, témoigne d'un tempérament d'écriture qui ne le doit qu'à la culture et à la tradition africaines auxquelles ce dernier emprunte pour une très large part et qui permettent aujourd'hui encore de reconnaître une littérature africaine d'expression française et d'inscrire Boubacar Boris Diop comme un écrivain africain. Notre étude qui porte sur l'écriture du rythme et de l'analogie, même dans les formes et les configurations où ces aspects de l'écriture de Diop ont été décrits, n'en donne du point de vue quantitatif qu'une idée.

La question qui se pose à cet égard est relative à la critique dans sa capacité à se munir d'outils qui autorisent une investigation à tous les

---

[6] Ce souci du concret a souvent poussé certains exégètes à conclure à l'incapacité des Africains à l'abstraction. La vérité est que leur mode d'abstraction emprunte des canaux différents de ceux de l'Europe. Le recours à l'image, par exemple, en est un de ces canaux.

niveaux de cette présence africaine ; à reconnaître en particulier les formes ainsi que les procédés que celles-ci développent, à savoir les nommer, à proposer des procédures d'analyse qui les rendent à leur histoire en tant que matériau littéraire et à fonctionnaliser ces figures et ces formes, et pour ses dernières, les effets qu'elles induisent dans le cadre des relations intertextuelles, question qui est une constante de l'écriture.

Références bibliographiques

I. Corpus

Diop, Boubacar Boris. *Le Cavalier et son ombre*. Paris : Stock, 1997.

---. *Les Tambours de la mémoire*. Paris : L'Harmattan, 1990.

---. *Les Petits de la guenon*. Paris : Philippe Rey, 2009.

II. Etudes

Atsain, N'Cho François. Tradition orale et poésie négro-africaine d'expression française. Etude de cas, thèse de lettres, Université de Cocody : 1989.

Belinga, Eno. *La littérature orale africaine*. Paris : Saint Paul, 1978.

Cauvin, Jean. *Comprendre les proverbes*. Paris : saint paul, 1981.

Cervoni, Jean. *L'Énonciation*. Paris : PUF, 1992.

Ducrot, Oswald. « Structuralisme, énonciation et sémantique » in *Poétique* 3. (1978) : 107-128.

Fromilhague, Catherine et Sancier, Anne. *Introduction à l'analyse stylistique*. Paris : Bordas, 1991.

Jahn, Janheinz. *Muntu, L'homme africain et la culture néo-africaine*. Paris : Seuil, 1961

Maingueneau, Dominique. *Initiation aux méthodes de l'analyse du discours*. Paris : Hachette, 1976.

Midiohouan, GUY, Ossito. *L'idéologie dans la littérature négro-africaine d'expression française*. Paris : L'Harmattan, 1986.

Mitterand, Henri. *Discours du roman*. Paris : PUF, 1986.

Senghor, Léopold Sédar. *Poèmes*. Paris : Seuil, 1964.

Troisième partie

Critiques et réflexions théoriques

Chapitre IX

Cosmogénèse du Bwamu entre *sémature* et narration négriturienne
(*Crépuscule des temps anciens* de Nazi Boni, premier roman burkinabè, 1962)

Sanou Noël
Université de Ouagadougou

Introduction

Crépuscule des temps anciens et les questionnements d'une critique depuis *les Secrets des sorciers noirs* et "L'esthétique négro-africaine"

Aujourd'hui la littérature africaine, en tant que littérature produite par des auteurs issus ou se réclamant des origines nationales en Afrique et littérature regroupant l'ensemble des œuvres se positionnant comme illustration de la voix et du point de vue de l'Afrique sur les questions essentielles et les sujets existentiels du monde, est un pôle d'expression établi au sein de la « culture mondiale ». Elle est même une curiosité, dans le contenu noble du terme, qui se déplace sur deux pneumatiques depuis un siècle déjà : la « parole rythmée » caractéristique d'une poétique et d'une prosodie spécifiques à l'élaboration orale et l'écriture sur la surface plane du papier d'une littérature qui bénéficie de l'insigne problématique de se positionner entre deux sources épistémologiques ; elle est au double plan poétique et narratologique le legs patriarcal de la tradition orale endogène et le legs colonial du sacre scripturaire et de la Langue de l'Europe. Sous ce double rapport, la doléance de Randau[1], le « Rabelais africain », n'était-elle pas

---

[1]Pseudonyme de Robert Arnaud, pied noir, cadre de l'administration coloniale fondateur de l'Ecole littéraire d'Alger. Nous avons eu à son sujet de passionnants entretiens avec Issou Go, professeur de narratologie à l'Université de Ouagadougou. Spécialiste de la poétique du roman magique africain, Issou Go est le tenant d'une thèse convaincante de la naissance de la littérature négro-africaine d'expression écrite en Afrique à Ouagadougou dans les années 1920 lorsqu'une série de sanctions administratives regroupent alors dans « Bancoville » (nom sous lequel Randau baptise Ouagadougou, alors capitale de la colonie de la Haute-Volta, actuelle capitale du Burkina Faso), la ville d'affectation des cadres sanctionnés par l'administration coloniale, sous le parrainage intellectuel de Robert Arnaud les invitant à « écrire à la manière africaine » dans le cadre d'une littérature et d'une anthropologie non

prémonitoire lorsque, affecté comme inspecteur des affaires administratives des colonies à Ouagadougou après avoir fondé l'Ecole littéraire d'Alger[2], il fut amené à préfacer le texte de Dim Dolobsom Ouédraogo *les Secrets des sorciers noirs* (1934), selon une doctrine inspirée de Xavier Coppolani[3] et dans une parfaite communion avec l'écrivain et historien pied-noir tunisien Arthur Pellegrin : « l'Afrique ne demande à la métropole que la langue »[4]. Cette Littérature, dans son expression, est la fille singulière de la poétique de l'altérité subsumée ; une poétique qui demeure même une caractéristique de l'humanisme négro-africain depuis que le chantre de la Renaissance française et européenne Rabelais s'écriait déjà à la vue des curiosités emplissant les cabinets privés en provenance des côtes guinéennes d'Afrique depuis le Benin et le Kongo : « l'Afrique apporte toujours quelque chose de rare ».

---

conformiste, Dim Dolobsom Ouédraogo le Voltaïque, Amadou Hampaté Bâ et Fily Dabo Sissoko les Maliens, Birago Diop le Sénégalais, futurs hommes de lettres et leaders africains qui connaîtront des destins divers. Ces cadres non conformistes, en rupture de ban avec l'administration coloniale, connaîtront, pour les plus célèbres d'entre eux, une notoriété internationale postérieure à l'affirmation des chantres de la négritude aux bords de la Seine.

[2] La genèse du mouvement culturel algérianiste est officialisée le 6 mars 1920 par Jean Pomier et Robert Arnaud, deux intellectuels pieds-noirs, par la publication de l'anthologie *De Treize poètes algériens* ; le préfacier de l'anthologie est Randau (Robert Arnaud). Surnommé le « Rabelais africain » ou le « Kipling français », Robert Arnaud a mené une vie d'administrateur civil des communes mixtes de l'Algérie française dans une première phase, puis une carrière d'inspecteur des affaires administratives des colonies de la boucle du Niger (Soudan français, Haute-Volta, Guinée), convaincu qu'une administration efficiente passe par une bonne connaissance des « sociétés indigènes ». C'est dans ce sens qu'il inspira les productions historique et ethnographique de Dim Dolobsom Ouédraogo aux fins d'instruire la tutelle des hiérarchies impériales et des coutumes moose précoloniales.

[3] Fondateur de la colonie de la Mauritanie, Xavier Coppolani fut le doctrinaire de l'administration du territoire en bonne intelligence avec les structures sociales indigènes.

[4] L'année de la publication du manifeste de l'algérianisme, le pied-noir Arthur Pellegrin a la conviction dans l'essai intitulé *La littérature nord-africaine* publiée suite à une enquête municipale menée dans le territoire tunisien en 1918, de l'unité du Maghreb manifestée par une nature et un climat identiques, une langue commune et presque le même passé historique ; il en conclut à la justesse de l'aspiration à une littérature autochtone. Cette conviction sert de préambule à l'appel déclenché, cette année, par la Société des Écrivains de l'Afrique du Nord, qui invite tous les intellectuels du Maghreb francophone à se réunir et à s'aligner ; ses mots d'ordre : l'utilisation de l'arabe vulgaire comme outil de documentation sur l'âme des pays nord-africains et du français comme véhicule fidèle de l'originalité coloniale en présence, véhicule de cette littérature ; dans la préface de la monographie *les Secrets de sorciers noirs*, qui inaugure l'école culturelle prénégriturienne de Ouagadougou, peut-on dire, Randau adhère à l'esprit et l'expression de cette conviction culturelle : « Par littérature nord-africaine, j'entends une littérature qui tire son inspiration, ses moyens, sa raison d'être, de tout ce qui est nord-africain, une littérature qui ne demande à la métropole que la langue française pour exprimer l'Afrique du Nord » déclarait Pellegrin cité par Bannour et Brondino (23). Randau invite l'« Ecole de Ouagadougou », dans ses monographies et ses discours littéraires, à faire sienne cette conviction valable pour toutes les colonies.

Si cette littérature, du moins ces deux littératures africaines sont retournées, après la nouvelle vague d'écrivains d'éducation et de culture urbaines dont le leitmotiv est de dénégrifier son discours et le poser au cœur de la littérature mondiale, le décomplexer, puis, depuis deux décennies, les oralistes qui transportent dans les enceintes d'éducation en Occident (écoles, centres de rééducation, amphithéâtre) la virtuosité des conteurs et des humoristes africains, au bord de la Seine, de la Tamise, du Rhin et du Mississipi où selon l'histoire littéraire (re)connue jusque-là, l'écriture africaine serait née. Selon Go Issou avec qui nous avons eu des entretiens au cours desquels cet universitaire de Ouagadougou illustre les circonstances historique et littéraire suivant lesquelles, sous la houlette de Randau, la littérature africaine[5] serait née une décennie avant les bords de la Seine sur les bords du Kadiogo au Burkina Faso (ex-Haute Volta) à travers la rencontre, les orientations et les textes et manuscrits d'auteurs qui connaîtront la consécration immédiate pour certains avec l'obtention du grand prix littéraire de l'AOF[6] (Dim Dolobsom Ouédraogo), et pour d'autres la reconnaissance, après la génération de la négritude, comme hommes de lettres (Amadou Hampâté Bâ, Birago Diop), ethnologues perspicaces (Dim Dolobsom Ouédraogo, Amadou Hampâté Bâ) ou encore comme figures de proue des luttes politiques pour les indépendances africaines (Fily Dabo Sissoko) ; cependant que certains compagnons de ces pionniers demeurent inconnus de l'histoire littéraire[7].

---

[5] Il s'agit de la littérature africaine non assimilationniste. En rappel, sous la houlette d'une frange de l'administration coloniale, partisan résolu de la mission civilisatrice de la colonisation auprès des primitifs d'Afrique, naquit dans l'entre-deux-guerres sous la plume d'Africains une littérature assimilationniste aux titres révélateurs : *Force-bonté* (1926) de Bakary Diallo, *L'esclave* (1929) de Félix Couchoro, ou emblématiques : *Doguicimi* (1938) de Paul Hazoumé. En revanche, Senghor (*Liberté I*, 1964) baptisera *Batouala* de l'administrateur colonial d'origine guyanaise René Maran, d'ancêtre du roman nègre et de précurseur de la négritude.

[6] L'Afrique Occidentale Française. Avec l'AEF (l'Afrique Equatoriale Française), l'une des deux géographiques d'influence coloniale française dont la capitale a été Saint-Louis, puis Dakar.

[7] L'auteur de ces pistes de recherche, Go Issou, s'exprime sur la base d'archives publiques et privées de l'époque coloniale, d'informations contenues dans des manuscrits et des témoignages recueillis dont il compte tirer profit pour « rétablir la vérité » sur un des pans de l'histoire littéraire africaine. Il est sur la piste de dilettantes de l'écriture, dont les manuscrits conservés dans des archives familiales ou publiques n'ont pas abouti à une édition et qui pourraient fournir de précieuses informations sur cette période de fièvre intellectuelle sur les bords du Kadiogo en Haute-Volta.

Amadou Hampâté Bâ a laissé des anecdotes documentées, sur cette période de sa carrière d'auxiliaire indigène commencée en juillet 1924, comme commis expéditionnaire de troisième classe au cabinet du gouverneur de la Haute-Volta. (*Oui, mon commandant* ! Mémoires II. Paris : Actes Sud, 1994).

Sur cette carte littéraire africaine et les chemins qu'elle a tout l'air de tracer en toute connaissance de cause, la critique, fille de la littérature, a beau jeu de rendre compte des nouvelles parturitions discursives pour être à leur écoute et les aider à prendre connaissance de leur dimension phénoménale. Mais il y a lieu de constater qu'après s'être lassé de la querelle entre partisans de la pertinence historico-théorique d'une littérature africaine supranationale et partisans de littératures nationales affirmées par des consciences et des identités intrafrontalières et politico-administratives tangibles, la critique qui en rend compte, pour des raisons heuristiques sous-jacentes d'immanence et de refus de normativité, se garde de conclure que certaines parties du continent seraient mentionnées en pointillés si on se résolvait un jour à calculer la densité par territoire nationale de la vitalité de ces écritures dites africaines. Le Burkina Faso, sous ce rapport, présenterait le double intérêt de souffrir de l'insuffisance de la présence de ses textes dans l'espace de légitimation de la Francophonie et d'autre part du fait que les répertoires et les ouvrages critiques panoramiques rendant compte de sa production sont récents et commencent le travail de caractérisation historique et esthétique de cette production recommandé par les actes du colloque consacrant l'émergence d'une réflexion théorique sur la littérature burkinabè (*la Littérature burkinabè : bilan et perspectives*. Annales de l'Université de Ouagadougou. 1988) et le numéro spécial de Notre Librairie qui y a été consacré (*Littérature du Burkina Faso*. Notre Librairie. avril-juin 1990). La titrologie de l'ouvrage de Louis Millogo sur *Crépuscule des temps anciens* de Nazi, *Nazi Boni, premier écrivain du Burkina Faso : la langue bwamu dans Crépuscule des temps anciens* (2002), à cet effet, a une double visée : pousser le regard de la critique à se poser sur la littérature burkinabè et, au sein de cette littérature, à donner la place de pionnier au double plan discursif et scripturaire à *Crépuscule des temps anciens* qui, a tort ou à raison, pour cette primogéniture, voit les analyses littéraires se concentrer sur les créations plus récentes ; énoncer la perspective stylistique structurale (« une analyse de détails ») de son étude à partir d'un point de vue pertinent : l'ancrage culturel africain, l'une des caractéristiques au plan thématique et linguistique de l'expression africaine écrite étant son « bi-culturalisme » africain et occidental, dessinant un écart important par rapport à l'écriture française et, dans *Crépuscule des temps anciens*, l'importance quantitative et qualitative de la langue bwamu au plan de la vision et de l'usage stylistique.

Nous répondrons à ce double appel d'histoire littéraire et d'analyse textuelle à partir d'un jalon important de l'expression écrite francophone au Burkina Faso qui pose trois questions essentielles, notamment :

- le statut de premiers livres burkinabè appartenant aux livres *l'Empire du Mogho Naba* et *les Secrets des sorciers noirs*[8], la place de *Crépuscule des temps anciens* dans la littérature burkinabè, la littérature africaine en général et dans l'affirmation du mouvement de la négritude ;

- les questions d'une théorie poétique africaine qui ne serait pas extrapolée de la *Poétique* aristotélicienne et des poétiques structurales du début du XXe siècle que l'expression africaine soulève et singulièrement cette présente œuvre qualifiée tour à tour de « chronique du Bwamu », « premier roman burkinabè », « fresque épico-légendaire du Bwamu » ;

- et à la lumière de l'esthétique négro-africaine depuis Senghor précurseur de la critique africaine, en tant que « réflexion philosophique sur l'art », dont la neutralisation des catégories dans des modèles analytiques critiques depuis *Liberté I* se poursuit, les enjeux thématique et textuel de savoir comment en passant de la dominance orale à l'expression écrite l'art africain dans sa production s'est efforcée de rester fidèle à ses visées agénériques, ontologiques, d'intégration, de saisie unitaire du cosmos, de fusion de tous arts dans une technique esthétique de fusion.

La présente esquisse s'inscrit dans un programme d'étude dans lequel nous voulons montrer dans notre propos comment l'unité et la cohérence textuelle et symbolique de *Crépuscule des temps anciens* se traduit par

---

[8] *Les Secrets des sorciers noirs* est précédé par un écrit publié aux Editions Domat-Montchrestien, *l'Empire du Mogho Naba, coutume des Mossi de la Haute-Volta* (1932). Il obtient le premier grand prix littéraire de l'Afrique Occidentale Française en 1934. Notons qu'une année avant *l'Empire du Mogho Naba* paraissait *Au pays bobo*, une fiction classable dans la littérature coloniale exotique, étrangement passée sous silence dans les différentes historiographies panoramiques de la littérature burkinabè (*La littérature burkinabè : bilan et perspectives*, 1988 ; *Littérature du Burkina Faso*, 1991 ; *Nazi Boni, premier écrivain du Burkina Faso : la langue bwamu dans Crépuscule des temps ancien*, 2002 ; *la Littérature burkinabè : l'histoire, les hommes, les œuvres* 2000). Comme contribution à l'ouvrage collectif de synthèse *Burkina Faso, cent ans d'histoire, 1895-1995* (2003), Damou Jean de Dieu Sanou rappelle pour l'Histoire, les « Réalités bobolaises et fiction romanesque dans *Au Pays bobo* de Renée Hubert (1932) », à travers cet écrit l'existence d'une littérature sur et à propos de la Haute-Volta due à des allogènes (les anciens colonisateurs) à travers un prisme déformant. Le roman *Au Pays Bobo* publié en 1932 par Renée Hubert, épouse d'un capitaine de l'armée coloniale française en poste à Bobo-Dioulasso, bien que accessible dans la documentation nationale, n'a fait l'objet d'une mention critique notable que dans cet article de Damou Jean de Dieu Sanou. En fait, peut-on convenir avec Damou Jean de Dieu Sanou, dans ce roman, le monde de la colonie et celui des « citoyens à la ficelle » (les Bobolais) apparaissent tout aussi pitoyables l'un que l'autre : le premier miné par ses contradictions internes et ses jalousies ; le second ruiné par l'exploitation dont il est victime, par la misère et la maladie. Seule la nature (faune et flore) par sa beauté et sa diversité offre à l'auteur l'occasion de se livrer au romantisme qui imprègne toute son œuvre.

l'unité et la cohérence du système cosmogonique à partir duquel sont générées les stratégies discursives, les figures majeures, les situations et les thèmes-titres de ses représentations et de la ritualisation de la culture matérielle et immatérielle perpétuelle du peuple bwaba ; et sa dégradation peut être vécue comme une rencontre perturbant cette harmonie cosmique : l'autarcie ethnique postulée dans ses registres bienheureux. L'enjeu de la présente communication est de montrer les dimensions étiologiques et eschatologiques d'une écriture et d'un discours maîtrisé pour rendre compte d'un monde s'écoulant d'un âge d'or à un âge de raisons : n'est-ce pas ultimement une chronique de la nécessaire historicisation dans le passage de la cosmogénèse à la sociogenèse qui déconstruit en profondeur un idyllisme pro-négriturien de surface pour une négritude qu'elle construit en profondeur : la négritude de l'histoire et du repositionnement existentiel en regard de la négritude de la personnalité et de l'être imperturbable et à peine ridée par l'altérité[9]. Le second enjeu de la présente communication est de

---

[9] Il nous paraît pertinent dans le cadre d'une lecture renouvelée de la négritude qu'au lieu d'opposer des « styles » de négritude, une critique renouvelée procède à la lecture du Sens du Discours de la négritude comme lieu de manifestations de surface des plans axiologiques et ontologiques d'une Civilisation originale dans le Temps, l'Espace et le Sujet, suivant des paliers de lecture postulant une crise anthropo-logique au sens étymologique du terme, à ses fondements, et une double démarche humaniste et militante à ses fins obéissant à plus d'une stratégie de discursivisation tiraillées entre vérité distante et contingences existentielles. Pour ce faire, s'impose un renouvellement de l'épistémologie. Concernant l'analyse de l'épistémologie de la négritude revisitée au demeurant des perceptions unitaires et anticolonialistes restrictives de son épiphanie, nous avons tenté d'y apporter notre contribution à travers un article à paraître : « Fondement et perspectives anthropo-littéraires de « la personnalité négro-africaine » : émergence et crise d'un concept senghorien. Il faut en savoir gré à Marcien Towa et aux critiques les plus divers de la négritude d'avoir perçu une flexibilité de la négritude qui ne s'est pas embarrassée d'une unité conceptuelle et esthésique. Incarnée principalement par l'Haïtien Jacques Roumain, le Guyanais Léon Gontran Damas, le Martiniquais Aimé Césaire, la « négritude de l'histoire et du repositionnement existentiel » évoque l'itinéraire historique et la situation du Noir colonisé en Afrique et sous classé dans les petites Antilles (Guyane, Martinique, Guadeloupe) et dans le monde. En Afrique, elle aura comme répondant de taille les accents satiriques anticoloniaux de David Diop. Seules notes non poétiques ou dramatiques dans cette entreprise de réhabilitation du Noir, passant par une mise à nue sans concession de la duplicité de la mission colonisatrice, *Batouala* de l'administrateur colonial guyanais René Maran, premier roman nègre qui laisse le Nègre seul aux commandes de l'énonciation de son destin, et *Crépuscule des temps anciens* du burkinabè Nazi Boni qui dresse le portrait mythique du paysan bwaba attaché aux joies de la terre et de tempérament pacifique, survivant par-delà les contingences de l'histoire dans le quotidien et la littérature de la société et qui sait trouver au fond de lui-même les ressources et le courage nécessaire pour développer le mépris de la mort et faire face à l'envahisseur qui, un jour, se révéla être les hommes aux oreilles rouges armés de canons menaçant de précipiter le Bwamu dans le crépuscule de temps révolus. En regard du courant de la négritude de l'histoire, une veine de la revendication de l'élite noire s'est comme sentie mise en orbite par l'énoncé des *Ames noires* de William Dubois (1903). Cette négritude soucieuse de décliner la personnalité négro-africaine s'affirmant dans la puissance créatrice de l'âme noire est incarnée essentiellement par Léopold Sédar Senghor, Birago Diop (*Leurres et lueurs*, 1960), Camara

faire entrer dans l'espace du discours critique et partager les avancées terminologique et conceptuelle du concept de la sémature proposé et validé par Louis Millogo ("Discours des masques et littérature ou poétique comparée" 265-286) pour rendre compte et surmonter l'impasse à laquelle conduit toute tentative de théorisation de l'esthétique africaine par les oppositions littérature écrite/littérature orale, verbal/non verbal, littérature/arts par dualisation conceptuelle par défaut d'une expression, la poétique négro-africaine, holistique par essence aussi bien dans ses créations rituelles naturelles que ses transpositions dites littéraires ou artistiques modernes : sémature – et la famille lexicale induite – neutralise une telle opposition telle qu'en atteste l'ancrage culturel de *Crépuscule des temps anciens* (*Nazi Boni, premier écrivain du Burkina Faso : la langue bwamu dans le Crépuscule des temps anciens*) : Le « roman » et les enjeux d'une histoire de la littérature burkinabé.

En 1988 s'est tenu le premier colloque international sur la littérature burkinabè au département de lettres modernes de l'Université de Ouagadougou. Entre les différents sujets au centre des échanges, sans que cela ne soit explicitement posé, se trouve la question de la primogéniture entre les œuvres ayant consacré l'émergence d'une littérature burkinabè. Cette question est essentielle dans la mesure où la réponse permettrait de situer le début de la littérature écrite d'expression française dans la période coloniale ou à l'indépendance. La littérature burkinabè pose la problématique et les enjeux de l'histoire de cette littérature dans un contexte heuristique de débats ouverts sur les questions de littératures nationales et de littérature africaine. Mieux, il pose sous un angle appréciatif, le statut de la littérature burkinabè dans la littérature africaine au plan de la performance esthétique des formes et des procédés, la performance institutionnelle de création, de publication, de la diffusion et de la critique. Ce bilan de santé, pour être juste avec les enjeux du débat universitaire, découle du souci évident depuis les cinq dernières années d'hivernage pour la production

---

Laye (*L'enfant noir*, 1953). Dans l'éclair de la verve, quand le poète-président, essayiste négriturien, après avoir cartographié le domaine historico-géographique de la négritude (1964), daigne enfin définir cette ontologie du Nègre, elle est définitive – selon ses contempteurs – et toute sa réflexion future s'emploiera à en polir les angles et en approfondir les abysses et les attributs esthétique, psychologique, moraux et sociaux. C'est qu'au fond le senghorisme, comme seconde ligne de démarcation esthétique de la négritude, mène cette quête de l'être en interrogation sur soi pour retrouver l'harmonie et la plénitude, comme pour exorciser la difficile réalité ambiante…dans une découverte progressive du positionnement ontologique interactionniste de l'Etre nègre en regard d'une ontologie hellène mécaniste, transformationniste.

nationale avec sept titres en moyenne[10] alors que la production habituelle était d'à peine un titre en moyenne par année[11], de poser le cadre général d'une histoire – et d'une théorie – littéraire dans ses expressions orale et écrite, ses liens avec les expressions non verbales et les centres d'intérêt en cours et potentiels d'une littérature nationale burkinabè. Deux textes, dans les actes du colloque, vont s'avérer déterminants pour la suite des analyses critiques sur la littérature nationale burkinabè écrite, la littérature orale et les traditions orales en général remontant de mémoire collective à « la nuit de temps », les ressorts d'une poétique négro-africaine non extrapolée de la *Poétique* d'Aristote et les jalons d'une histoire littéraire cernée entre un début marqué par la parution hors magasine et revue littéraire[12] d'une œuvre

---

[10] Il s'agit en 1988, année du colloque, en prenant comme appui le répertoire systématique depuis les origines dans *Littérature du Burkina Faso* (114-117) de quatre romans publiés : Bazié, Jacques Prosper. *La Dérive des Bozos*, Ouagadougou : éditions Kraal. Hien, Ansomwin Ignace. *L'Enfer au Paradis*. Ouagadougou : Imprimerie Nouvelle du Centre. Ilboudo, Gomdaogo Patrick. *Les Carnets secrets d'une fille de joie*. Ouagadougou : éditions la Mante ; Zongo, Norbert. *Le Parachutage*. Ouagadougou : éditions ABC. Un recueil de nouvelles : Bazié, Jean-Hubert. *Lomboro de Bourasso*. Ouagadougou : Imprimerie Nationale. Et un recueil de contes illustrés pour enfants.

[11] De 1962 à 1983, la production totale de la Haute-Volta est de 32 titres en 21 ans, tous genres (narration, théâtre, poésie) et publics (littérature pour adultes et pour enfants) compris, avec des années sans publication littéraire (1964, 1966, 1968, 1970, 1971, 1972, 1973, 1974) et des années et des genres fastes ; les années 1976 et 1977 furent les plus fertiles en publications avec en moyenne trois titres de poésie. Trois titres du même poète paraissent en 1976 : Pacéré, Frédéric Titinga. *Ça tire sous le Sahel*. Paris : P. J. Oswald.
- *Quand s'envolent les grues couronnées*, Paris : P. J. Oswald.
- *Refrains sous le Sahel*. Paris : P. J. Oswald.
Un recueil de poèmes pour enfants et un recueil de textes oraux (contes, fables, anecdotes du pays mossi).
En 1977 paraissent deux titres du même auteur dont l'un en co-auteur :
Guégané, Jacques Boureima. *La guerre des sables*. Ouagadougou : Presses africaines, 1977.
Guégané, Jacques Boureima et Vinu Muntu Yé. *Poèmes voltaïques*. NEA, 1978.
Zongo, Daniel. *Charivaris*. Sables-d'Olonne : imprimerie Prinson, 1977.
Et deux recueils de contes illustrés du même auteur Georges Bogoré.
De 1969 à 1985, *Sansoa* de Pierre Dabiré est l'unique publication de pièce de théâtre en Haute-Volta. Avec le changement de politique et de nom du pays, le Burkina Faso (l'ex-Haute-Volta) met en place une politique de publication de recueils d'œuvres primées au concours du grand prix national des arts et des lettres (GPNAL), enrichissant ainsi le répertoire écrit de trois recueils collectifs de pièces de théâtre, deux recueils collectifs de poèmes, un recueil collectif de nouvelles. Si bien que de 1984, année de passage de la Haute-Volta au Burkina Faso à 1988, année du colloque-bilan, le patrimoine national s'enrichit de trente sept titres. Et de cette date qui consacre l'institutionnalisation politique et critique d'une littérature nationale à aujourd'hui, le rythme de production régulier s'est conservé si bien qu'un nouveau bilan en terme quantitatif et qualitatif s'impose. A ce sujet, l'ouvrage d'histoire littéraire de Salaka Sanou (2000) est un jalon, un bilan des origines à la fin des années 1990.

[12] En effet des publications de textes burkinabè dans des revues littéraires à l'époque coloniale ne sont pas à exclure ; des recherches dans les archives coloniales d'Aix-en-Provence sont

et la toute dernière parution de l'année : « La sortie des masques chez les Bobo, un art total » (L. Millogo) et « La bendrologie en question » (A. Ouédraogo). L'un participe sous un angle empirico-déductif à une réflexion amorcée depuis Senghor sur le statut et le fonctionnement de l'art africain comme un complexus ignorant le cloisonnement, l'autre pose le principe du signe verbal comme constitutif de la substance de la littérarité. Des questionnements autour du caractère embryonnaire, voire le statut de littérature émergent et l'évolution en dents de scie de cette « littérature burkinabè », sont posés et des recommandations et des résolutions prises. C'est à l'ensemble de ces questionnements institutionnel, théorique et critique que se proposera de répondre le numéro 101 de la revue Notre Librairie consacré à la littérature burkinabè dans des esquisses panoramiques de l'histoire littéraire burkinabè depuis « ceux qui savent raconter » (Kam 22-26) et de son effective institutionnalité, qui déboucheront sur la détermination de la naissance de cette littérature à l'écriture « depuis le Crépuscule des temps anciens » (Sanwidi 48-54) et son évolution, au plan institutionnel, dans un stress éditorial sévère et « une vie littéraire en devenir » (B. Sanon 98-109) que révèle une étude menée selon une thématique parlante : « imprimer, éditer, diffuser : un problème non résolu ». Ce numéro spécial de la Revue du livre : Afrique, Caraïbes, Océan Indien, sur la Littérature du Burkina ne fait nulle part mention du statut littéraire de l'ouvrage de Dim Dolobsom Ouédraogo, ouvrage d'analyse ethnologique de la sorcellerie chez les Moose sur la base de récits anecdotiques, « ouvrage de littérature scientifique »[13]. Plus explicites sont les conclusions de Boniface Gninty Bonou :

> Depuis sa création jusqu'à l'indépendance, le pays n'a pas connu d'éclosion littéraire. Les premiers récits voltaïques[14] commencent en 1933 avec L'empire du Mogho Naba, livre publié par Dim Delobsom aux éditions Domat-Montchrestien…
>
> En 1934, le même Dim Delobsom publia aux éditions Nourry, les Secrets des sorciers noirs […]. Il dévoile les méthodes pour se faire aimer d'une femme, les méthodes pour éliminer un ou une

---

nécessaires pour explorer cette piste d'investigation. Ki-Zerbo incite les chercheurs à orienter leurs efforts d'investigation sur les racines de la littérature écrite par les Burkinabè à l'époque coloniale vers les archives de l'école William-Ponty, de l'école des jeunes filles de Saint-Louis (Sénégal), de la commune de Bouaké (Côte-d'Ivoire) pour l'Ouest du Burkina et de Niamey (Niger) pour l'Est (S. Sanou, 23-24).

[13] Différerait-il aujourd'hui, ce texte pionnier, statutairement, des monographies sur l'orature, les traditions et les rites des peuples dans toute l'Afrique, procédant académiquement, à la collecte in situ, la transcription, la traduction, puis l'interprétation de documents selon un sens littéraire, philosophique ou ethnologique. La démarche est celle de la littérature scientifique, l'objet un fait culturel et la finalité la connaissance méthodique de la société.

[14] Gentilé des habitants de la Haute-Volta, ancienne appellation du Burkina Faso.

rivale, etc. L'auteur a également énuméré les différentes maladies qu'on rencontre en pays mossi, en indiquant les plantes dont on se sert pour les soigner...

Après 1934, il fallut attendre jusqu'en 1958 pour voir réapparaître un titre burkinabè mais […]: « Si aucun livre ne paraît avant 1960, les articles ne manquent pas, en particulier ceux de l'historien Joseph Ki-Zerbo dans *Afrique Nouvelle* et dans *Présence africaine* » (Cornevin, 224). C'est en 1958 que Lompolo Koné écrivit *la Jeunesse rurale de Banfora*, une pièce qui remportera le prix Emmanuel-André You décerné par l'Académie des Sciences d'Outre-mer […].

Ces deux écrivains furent donc presque totalement isolés et seuls de leur espèce. C'est pourquoi *Crépuscule des temps anciens* fait de Nazi Boni un pionnier, auteur de la première œuvre publiée par une édition de l'envergure de Présence africaine.

Dans d'autres pays […], beaucoup d'ouvrages ont été publiés avant la vague des indépendances en 1960… La parution en 1962 de *Crépuscule des temps anciens* paraît donc comme un accident dans ce pays démuni. *Crépuscule des temps anciens* est venu combler un vide et Nazi Boni fait ainsi figure de pionnier. (54-57)

Une décennie après, Salaka Sanou situe les tenants de la polémique dans le contexte général de la naissance tardive d'une littérature voltaïque avec une quasi impossibilité de situer à quelle date exacte les Voltaïques ont commencé à écrire, la suppression de la colonie de la Haute-Volta et l'activité politique pour sa reconstitution entre 1932 et 1947, et jusqu'aux indépendances après sa reconnaissance, ayant pu absorber et perturber les vocations littéraires potentielles, causer parmi les intellectuels voltaïques de la génération des pionniers de la littérature africaine, la mort prématurée des uns (Philippe Zinda Kaboré, Daniel Ouezzin Coulibaly) et pousser à l'exil d'autres (Joseph Ki-Zerbo, Nazi Boni) sans compter le niveau d'instruction dans cette colonie à statut de « réservoir de main-d'œuvre » tandis que peu nombreux étaient les Voltaïques partis étudier en France centre des rencontres intellectuelles et littéraires fécondes :

Tout cela nous amène à comprendre qu'aucune œuvre littéraire voltaïque n'a été éditée pendant la période coloniale. Cependant, le paradoxe de la situation a voulu que, très tôt, en 1932 et 1934, un Voltaïque publie deux ouvrages : il s'agit respectivement de *L'empire du Mogho Naba* et de *Les secrets des sorciers noirs* de Dim Dolobson Ouédraogo […]. [C]es ouvrages ont une résonance plus ethnographique que littéraire. Il faut Maître Frédéric Titinga Pacéré pour voir dans *L'empire du Mogho Naba* une œuvre littéraire : elle contient en effet, des devises (zabzouya en moore), des contes, échantillons de la littérature orale moaaga. Cette présence lui suffit pour affirmer qu'il s'agit de la première œuvre littéraire voltaïque. Quant à nous, […] les genres littéraires oraux qu'elle contient visent à donner des informations importantes sur l'organisation sociale des Moose que Maître F. T. Pacéré lui-même présente si bien dans son ouvrage (*Le langage des tam-tams et des masques en Afrique*. Paris : l'Harmattan, 1992). On ne saurait parler de pouvoir traditionnel chez les Moose sans évoquer les devises que se donne chaque chef à son intronisation […] ; ce n'est pas autre chose que réalise Dim Dolobson Ouédraogo dans son œuvre. Celle-ci ne constitue donc pas un recueil de genres oraux, encore moins une œuvre de fiction. Par conséquent, on ne peut la considérer comme telle, au risque de mal orienter le chercheur. (32-34)

De l'ancrage du discours dans le bwamu culturel et linguistique à l'écriture de la sémature

L'ancrage de l'écriture dans la langue bwamu et la culture du Bwamu dans sa délimitation à partir de références géographiques, historiques, et dans ses croyances et pratiques, est une stratégie discursive préalable à une visée plus axiologique qui témoigne d'une double intention d'illustration et de défense de la civilisation négro-africaine revendiquée par l'auteur dans l'avant-propos et de l'usage de la narration, inaccoutumée dans les pratiques esthétiques du mouvement de la négritude, en tant que discours englobant dans lequel s'insèrent dans le statut d'énoncés englobés dépendants ou fonctionnels diverses expressions. Cela induit au niveau de *Crépuscule des temps anciens* la manifestation de l'histoire et sa représentation comme un enjeu majeur au double plan diégétique et culturel. Aussi sa diégèse, qui pourrait se réduire à l'histoire d'une passion entre Térhé et Hakanny dans une société villageoise passant d'un état d'harmonie interne à un état de crispation issu d'une commotion à la double origine endogène et exogène dont le dénouement tragique épouse les contours de la tragédie de la perte de l'indépendance culturelle et l'autonomie sociale du Bwamu, passe-t-elle pour subsidiaire pour nombre de critiques qui mettent en avant la valeur chroniquaire sous-titrée au texte[15]. Sous ce rapport, le souci de vérité et de

---

[15] L'opinion de Boniface Gninty Bonou est explicite sur l'ascendant pris par la chronique sur la fiction : « *Crépuscule des temps anciens* n'est pas un roman comme les autres, il est une chronique romancée. Tout au long de l'ouvrage, l'auteur relate l'histoire du Bwamu… Par ailleurs, les évènements sont racontés selon l'ordre du temps. En effet, la première partie de l'ouvrage raconte la vie du Bwamu avant l'arrivée du Blanc dans le Bwamu ; cette vie était caractérisée par le bonheur. La deuxième partie nous raconte la pénétration du Blanc dans le Bwamu, laquelle a eu pour conséquence le déclenchement de la guerre qui a ruiné le Bwamu

chronologie de l'auteur dans la narration des faits subsume les figures actorielles en des instances cosmogoniques permanentes (Dieu, l'Ancêtre, l'Homme) au temps de l'âge d'or et en des instances sociales (Boni, 35-212) du guerrier (le brave Térhé et le lâche Kia) et de l'amante (la préférée Hakanni, et les épouses légales), l'artiste (le conteur), l'artisan médiateur (griot et forgeron), le chasseur, dans l'expression quotidienne des joies et tristesses des soirées de conte, des parties de chasse communautaires, des conflits interindividuels, des scènes d'amour et de ménage.

En d'autres termes, comment la narration de *Crépuscule des temps anciens*, cette « chronique » dont l'analyse stylistique structurale de Louis Millogo révèle l'ancrage culturel, consiste en une transposition à l'échelle de la modalité scripturaire de la sémature négro-africaine dont Senghor avait défini les caractéristiques esthétiques générales en cinq points : son statut d'activité générique de l'homme avec la production ; sa fonctionnalité dans l'accomplissement et l'efficacité de l'objet ; sa méconnaissance du cloisonnement des expressions ; la participation de tous et la collaboration collective solidaire dans sa production ; son engagement dans la société en conséquence ; une démarche dont Louis Millogo a d'abord décrit le fonctionnement poétique agenrologique à partir du modèle de la sortie des masques bobo avant de forger le néologisme de sémature dont dérive l'adjectif sémaire et le substantif sémarité sur les modèles de littérature, littéraire et littérarité, et qui se subdivise en verbature et signalature.

Après le constat de l'improductivité des termes « orature », « oraliture », « littérature culturelle » pour désigner l'expression à base supposément du signe verbal non écrit (« la parole rythmée » ?) et l'improductivité des binarismes « littérature orale » et « discours non verbaux », « parole » et « gestes » consacrant certes une divergence distinctive dans la différence des signes qui caractérise la perception esthétique, la nécessité épistémologique de caractériser cette agenrologie s'impose, fort du constat « expérimental » de la symbiose dynamique, fonctionnelle et structurale de ces formulations signiques dans une activité créatrice totalisante comme la sortie des masques ou rhizomique comme le conte ou la profération de la chanson par exemple,

---

sur les plans économique, social et humain. Partant de ce qui précède, on peut donc affirmer que *Crépuscule des temps anciens* est une chronique, c'est-à-dire « un recueil de faits historiques, de récits rapportés selon l'ordre du temps » (56). C'est cette lecture de la prédominance du témoignage sur la fiction dans l'écriture de Boni qui justifie qu'en « Notes de lecture : roman, récits », Roger Pageard affirme à propos de *Dessein contraire* (1967), la seconde parution narrative dans l'histoire littéraire, que « cette œuvre courte, sans doute imprimée, est le premier roman publié par un Burkinabè » (123). En revanche, de l'avis de Pierre Arozaréna, dans les mêmes Notes de lecture de *Littérature du Burkina Faso* (123), *Crépuscule des temps anciens* raconte sur la toile de fond de l'histoire mouvementée du Bwamu, une tragique histoire sentimentale universelle d'amour impossible entre deux amants qui se rejoignent dans la mort ; dans les deux cas, tragédie et bonheur rythment l'axe narratif.

tenant leur vitalité de la littérarité du verbal et du proxémico-kinésique du mouvement et du contexte réel fluent d'émission. Il est revenu à Louis Millogo de s'interroger sur la nécessité épistémologique d'instituer ce macro-genre et également sur la justification et la pertinence de sa désignation. Ce « macro-genre », statutairement un « agenre », répondra, par analogie avec le mot littérature, à l'hyperonyme « sémature » pour « désigner toutes les productions discursives verbales et non verbales de type esthétique par le terme global de SEMATURE dont relève la littérature elle-même ».

Pour notre part, la théorie poétique de l'expression négro-africaine reposant sur le principe structuro-dynamique de la symbiosis, la sémature désignera à la fois « l'art négro-africain » en tant que relevant d'une poétique non aristotélicienne, que la nécessité de caractériser définitivement et globalement s'impose, et sa démarche. Louis Millogo, en proposant à partir de « sêma » (le signe en grec) et du suffixe « -ture » (qui fait dériver « littérature » de « littera »[16]) un hyperonyme épistémologique et un champ lexical par analogie au champ lexical du mot littérature qu'exige l'usage du contenu qu'il renferme, nous offre non pas seulement un désignant d'un macro-genre ou d'un « intergenre », un « transgenre » ou un « hypergenre », mais un concept signalétique d'une esthétique pensée par Senghor qui enfin voit ses contours poétiques devenir transparents au travail d'exégèse, d'analyse et de description critique. Sous ce rapport, la théorie poétique à mettre au service du critique, du théoricien et de l'historien sera celle du fonctionnement de la sémature en tant que production et produit esthétique mettant en fusion structuro-fonctionnelle les signes de l'environnement de la création dont le résultat traditionnel est le modèle de l'artistique ou du rituel négro-africain qui se décline en fonction du signe structurant en :

1- verbature (de « verbum » = verbe en latin) : sémature réalisée à dominance de signes verbaux, qui se décompose à son tour en :

a) littérature (de « littera » = lettre en latin) : sémature réalisée à dominance de signes verbaux écrits ;

b) orature (de « ora » = bouche en latin) : sémature réalisée à dominance de signes verbaux oraux ;

2 - signaliture (de signal) : sémature à dominance de signes non verbaux[17].

---

[16]Au détriment de « signature » (de signum=signe en latin) parce que ce terme a déjà un usage consacré dans la langue avec une autre définition.

[17] Le paradigme de la signaliture reste très ouvert au plan de l'inventaire non clos des systèmes de signes non verbaux pouvant produire des expressions artistiques. En effet, la mascature (de « masca » = masque en latin) apparaît une forme de signaliture réalisée à dominance de signes morphologiquement non verbaux que sont les masques rituels – et

Sur le modèle instrumental de littérature, Louis Millogo fait découler des termes ci-dessus des dérivés :

- sémature   ➔   sémaire   ➔   sémarité

- littérature   ➔   littéraire   ➔   littérarité

- verbature   ➔   verbaire   ➔   verbarité

- orature   ➔   oraire   ➔   orarité

- signaliture   ➔   signalaire   ➔   signalarité

- mascature   ➔   mascaire   ➔   mascarité

-instrumentature ➔ instrumentaire ➔ instrumentarité

La visualisation de cette dérivation structuro-fonctionnelle donne le schéma suivant qui les intègre en une expression symbiotique :

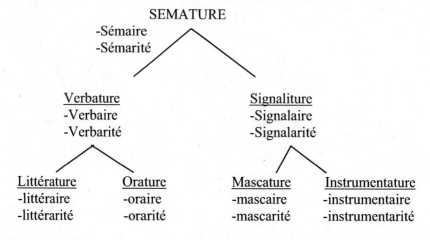

Au regard de ce qui précède, nous postulons que *Crépuscule des temps anciens* est une production sémaire à dominance littéraire en tant qu'il est réalisé avec des signes verbaux écrits. Il se déroule à partir d'une structure discursive qui corrèle une cosmogénèse et une sociogenèse qui marquent dans un processus d'identification sur l'axe du temps discontinu de

---

l'instrumentature (de « instrumentum » = instrument en latin), une sémature réalisée à dominance de signaliture réalisée par instrument(s) de musique. Cette subdivision proposée par Millogo nous paraît liée au contexte empirique et spécifique de la société dépositaire du Masque, un des médiums phénoménologiques du sémiotique africain, une modalité parmi d'autres du non-verbal rituel qui demande un travail de systématisation et de typologie supplémentaire.

l'historicité vécu et pensé au sein et à partir d'une entité ethnique, le passage d'une aurore interminable à un crépuscule subit de la certitude identitaire : la certitude identitaire des Bwawa.

De la corrélation d'une cosmogénèse et d'une sociogenèse ou la posture d'une négritude de l'histoire et dans l'histoire

Les questions d'une théorie poétique africaine qui ne serait pas extrapolée de la *Poétique* aristotélicienne et des poétiques structurales du début du XXe siècle demeurent intimement liées à toute entreprise de lecture d'une œuvre africaine subsumant en regard de son modèle ontologique ancestral le verbal et le non verbal, l'esthétique et la technique, pour en dégager la sémarité, sont celles qui se posent au critique africain depuis que dans un cheminement heuristique qui va de son article retentissant au colloque de 1988 à son ouvrage de stylistique structurale sur Nazi Boni, Louis Millogo a contribué significativement dans un effort de description sémiotique de la poétique africaine à la détermination des lois structurales, signifiantes et dynamiques, donc sémiotiques, de l'expression africaine. Elle n'est régie ni par la mimésis et la séparation des genres en fonction de matériaux et de leur traitement, ni substance résultant de la correspondance de genres se répondant en écho, encore moins d'exercices de style dans le cadre d'un palimpseste de style ou mécanique « postmoderne ». Du modèle de la sortie des masques bobo dont le déroulement discursif est celui d'un art total, fondé sur la symbiose dans la complémentarité, l'interdépendance et la dynamique des « genres », dans une ontologie existentielle symbiotique, unitaire, au modèle moins total du conte, l'expression africaine, et singulièrement *Crépuscule des temps anciens*, soulève la question de sa qualification esthétique. A l'appui de l'analyse d'une expression mascaire, non écrite, et de l'expression littéraire de la cosmo-sociogenèse du Bwamu, cette requalification esthétique repose le constat du fait que l'artistique africain est opaque à la loi de création esthétique occidentale présupposant l'existence nécessaire et fonctionnelle de genres délimitables, dont les plus canoniques (poésie, théâtre, sculpture, peinture) côtoient, selon l'entendement aristotélicien, les plus artisanaux (teinture, tissage). La négritude, ontologique comme dans la célébration de la splendeur et de l'équivalence de la couleur de la Nuit et de la Négresse ou historique comme dans le processus de désenchantement du Cosmos millénaire, n'est-elle aussi et toujours en vérité avant tout, depuis « L'esthétique négro-africaine », dans la manière et l'exception esthétique de la sémature ?

La posture stylistique de la subsumation constructive

Crépuscule des temps anciens sous-titré « chronique du Bwamu », qualifié tour à tour de « premier roman burkinabè », « grand mythe universel », « fresque épico-légendaire du Bwamu », illustre cette difficulté dont Boni explique la complexe visée ambivalente, pour qui « pour faire connaître un peuple d'Afrique noire, hormis la technique de la pure recherche scientifique, la meilleure méthode consiste à le vivre, à le regarder vivre, à collecter ses vieilles traditions auprès de leurs conservateurs, les « Anciens » dont les derniers survivants sont en voie d'extinction, et à transcrire le tout sans rien farder » (18) sans que cela ne soit « une étude rationnelle corsée de subtilités technologiques, mais de la projection objective de la période d'environ trois siècles qui s'étale de l'apogée à la chute du *Bwamu*, et empiète de quelques années sur les temps de l'époque coloniale » (19). Comment déterminer le statut d'un art de vivre en civilisation fondé sur le répétitif apparent du quotidien qui a pu faire dire à certains que « le Noir n'est pas suffisamment dans l'histoire », dont Nazi Boni a jugé utile de nous prévenir en notant : « d'aucuns seront tentés de me reprocher de n'avoir pas estompé certaines réalités d'apparence primitive. Cette attitude procéderait d'un complexe. Je répugne au vide du clinquant. J'ai voulu, intentionnellement, que l'originalité de « Crépuscule des Temps Anciens » résidât, au moins en partie, dans sa sincérité pour ne pas dire son pragmatisme » (19). Comment cerner alors, dans la cohérence de la démarche, le créatif dans le changement historique et contextuel qui fait qu'à la lecture du *Crépuscule des temps anciens* on voit comment dans une volonté autarcique délibérée un peuple est amené non pas à subir l'histoire comme un agrégat de primitifs s'extasiant devant le mystère de la vie et de l'histoire mais en projetant dans l'intemporel et le temporel les enjeux étiologiques, originels et finaux de l'homme et de la vie de sa civilisation dans une historicité complexe qui se présente d'abord et avant tout comme un art pour exprimer – raconter ou recréer – la chronique d'une cosmogénèse et d'une sociogenèse visant ultimement à figurativiser une négritude de l'histoire et dans l'histoire sous les apparences d'une fresque de l'être bwaba ? Comment figurer un ordre que modalise une mise en discours des formes et contenus osmosés par l'écriture en fonction de leur densité sur l'axe de la rupture historique du passage des temps cosmogoniques aux temps sociogénétiques, de l'âge d'or à l'âge de fer, d'un âge précolonial à un âge péricolonial ?

L'écriture caractéristique de l'ancrage culturel du « roman » dans la double culture africaine et française du premier écrivain Burkinabè, note Louis Millogo (*Nazi Boni, premier écrivain du Burkina Faso*, 7-9), se trouve dans l'écart créé par l'usage frappant et abondant de la langue bwamu passant par son insertion graphique dans le texte, sa reformulation dans le discours, un parcours textuel du lexique qui s'étale du premier au dernier chapitre dans un registre répétitif général et des enrichissements sémantiques contextuels. Le passage du bwamu au français qui rend compte d'aspects d'une francophonie comme la francisation du bwamu et la bwamufication ou la burkinabisation ou africanisation du français. Et l'importante précision de l'oralité du bwamu qui situe l'usage du bwamu dans le texte au troisième niveau d'adaptation et d'utilisation d'une langue à l'expression des réalités et des valeurs que véhicule une autre langue et de circonstances nouvelles, niveau de compétence et de performance littéraire qui présuppose respectivement le niveau superficiel de l'acquisition d'un lexique et d'une structure grammaticale, le niveau profond de premier degré de la compétence et de la performance dans les codes communicationnels d'usage et d'expressions symboliques intra-ethnolinguistiques spécifiques, et en bwamu et en français, dans cette œuvre en français qui rend compte de l'âme bwaba.

Cet ancrage linguistique stylisé pour rendre compte d'une biculturalité soumettant l'expression française à l'expression bwamu passe, selon Louis Millogo, par l'usage et la distribution de la tradition orale comme matériau de construction du discours tout le long des chapitres du roman en dix « genres »[18] : le genre épico-légendaire qui dit le passé du Bwamu et du monde vu par les Bwaba ; le proverbe à la fois populaire et savant, pilier de la parole négro-africaine imagée et somme d'observations de la nature, de la société et de la vie ; la palabre dans ses quatre déclinaisons grave ou ludique, à caractère dialogique ou conversationnel ; le chant qui est de tous les actes génériques de l'homme (culture, mariage, danses, funérailles, satire, guerre, louanges) ; les récits anecdotiques alimentent les causeries ; le langage tambouriné pour des raisons de rite, de solennité ou de communication à longue distance.

Certes dans le but de montrer l'ancrage biculturel Louis Millogo opte pour le choix stratégique d'une stylistique structurale de l'analyse du détail des valeurs expressives des langues en présence dans le texte et d'une sémantique structurale des contenus des champs lexicaux de la langue bwamu rendant compte respectivement :

- de la thématique de l'environnement naturel du Bwamu cosmique (visuel et auditif), géophysique à travers les motifs de l'eau vitale et de la terre sacrée, inaliénable ;

_____

[18]Nous marquons notre préférence terminologique, dans le contexte de l'esthétique de la sémature propre à l'espace formel négro-africain, à « intrants du discours », ou « intrants du texte » pour des questions de logique épistémique, de cohérence heuristique. « Genre » est une notion inappropriée en dépit de son statut de concept instrumental révisité dans le contexte-ci.

- de la thématique de l'environnement végétal figuré par la brousse démarquée de la cité des hommes et espace initiatique et de production mascaire mais aussi pouvant être connotée négativement, et de l'environnement animal sauvage prédateur ou non ;

- de la thématique de la technique spatialisée par le bwamu, ses territoires, ses villes et l'ailleurs, et matérialisée par la nourriture, les outils de travail, les vêtements, les instruments de musique et les armes et l'art de la guerre des Bwawa et de l'ennemi ;

- de la thématique de l'environnement social à travers les sous-thèmes de la personne et de la communauté et des distinctions sociales, la thématique de la sensibilité euphorique, dysphorique, communicationnelle, et de l'art aux plans actoriel, génériques visuel, auditif, pictural, oral, et au plan instrumental sonore et rythmique.

Toutefois, en présupposant l'existence de genres, l'analyse de Louis Millogo ne se borne-t-elle pas à demeurer au niveau des structures de manifestation du constat empirique ? Un discours authentiquement bwamu, fût-il exprimée en français avec style, peut-il échapper aux règles de création d'une sémature, de l'expression formellement unitaire du négro-africain ? En définitive, la productivité stylistique du bwamu rendue dans un texte francophone n'est-elle pas un prétexte pour le discours de l'identité bwaba manifestant une cohérence unitaire d'une cosmogénèse idyllique et une sociogenèse autarcique pour cerner le Bwamu (le pays) de la Création, en passant par son Apogée qui commence il y a trois cent ans moins vingt, au crépuscule datable à la grande révolte de 1915-1916, entre l'âge d'or de l'innocence et du repli sur soi et les brusques soubresauts de l'accélération d'une histoire, celle de l'entrée dans l'ère de l'occupation et de la colonisation du Bwamu et au-delà l'Afrique ?

Cohérence unitaire manifestée d'une cosmogénèse idyllique et d'une sociogenèse autarcique

Crépuscule des temps anciens pourrait être intitulé dans sa première phase d'articulation diégétique occupant les deux premiers chapitres : « l'âge de la création du monde », et du troisième chapitre au treizième chapitre « l'âge de la représentation autarcique du Bwamu » et le quatorzième chapitre « l'âge de la représentation altéritaire du Bwamu », les derniers segments consistant en l'axe de l'historicité ethnique d'abord, puis trans-ethnique.

Le narrateur ouvre son propos sous les auspices de l'«'Ancêtre' du village » dont il rapporte le témoignage s'étalant sur trois siècles. Le premier chapitre de *Crépuscule des temps anciens* s'ouvre donc comme un prologue, une expression phatique. Il pose ce préalable bien connu du discours africain qui consiste à placer sous l'autorité de la tradition les énoncés fondamentaux. Le narrateur dessine le cadre spatio-temporel et actoriel d'un cosmos paradisiaque dans lequel, dans un contexte d'existence en « symbiose », la Nature et l'Homme entretiennent un « incontestable mimétisme », « unis par une invisible force centrifuge ».

Cet état de choses est le résultat d'une structure cosmogonique organisée hiérarchiquement dans une verticalité bien précise entre une dimension du Créateur, *Dombéni* « Dieu-le-Grand », et une dimension de la Création constituée ontologiquement de l'Homme et le Milieu biophysique animal et végétal, entre lesquels se situent des êtres inter-dimensionnels circulant entre le monde visible et le monde invisible, partageant avec l'homme son environnement tant naturel (montagnes, les bas-fonds, les plaines, grottes, cavernes ; procréation) que culturel (cités, demeures, activités de récolte) : les « hommes-génies » les *Nanyê-kakawa*, délestant ceux sur qui ils orientent leur amitié de leurs récoltes, qui font de l'ancêtre commun de la négritude, Djokandjo « un phénoménal archer », qualité qui annonce les temps historiques des conflits entre les Bwaba et avec l'altérité ethnique ; les *Doandoanwa*, « génies guerriers », « gros comme le pouce », dont la rencontre et le contact des minuscules flèches était fatal ; les *Nimin'his*, les « génies rouges de pied en cap » à l'origine de l'enfantement des albinos parmi les hommes, des cavernes ; les enfants divins complémentaires : le mâle Karanvanni qui débouche les « écluses célestes de liquides enflammés » que refroidit avec empressement la débonnaire Hayovanni dépositaire des « vannes des écluses d'eau froide » ; le « dieu de la tête » ou « dieu individuel » assimilable à l'ange-gardien des « Mon-père-wa »[19] et sans compter les figures féminines légendaires de la beauté des villes du Mukioho, de Kademmu et du « Kioho », « le charme sauvage de ces beautés toutes simples ».

La dimension de la Création dans le Cosmos régi par « le Grand-maître-de-l'Univers » connaît une osmose entre l'instance ontologique de la Nature

---

[19] Reprise dans la langue des Bwawa, le bwamu, de « Mon Père », titre honorifique par lequel l'on appelle couramment aussi bien les Pères missionnaires que les Abbés en Afrique. Cela découle du fait que les premiers prêtres à officier en Afrique à la faveur de la colonisation étaient des Pères missionnaires. La comparaison de figures cosmogoniques du Bwamu (le pays des Bwawa) avec « l'ange-gardien des Mon-père-wa » dénote d'une culture de l'inculturation dont la pertinence pour l'évangélisation est soulignée par divers auteurs. La thèse de Mgr Anselme Sanon, un ressortissant du groupement ethnique Bobo que forment les Bobo-Madarè et les Bwawa, en est une illustration : Sanon, Titiama Anselme. "Tierce-Église, ma mère ou la conversion d'une communauté païenne au Christ." Tome II. Thèse de 3ᵉ cycle. Paris : Institut catholique, 1970.

et l'instance ontologique de la Culture ; telle est en substance la visée explicative de l'étiologie qui explique l'existence séculaire du Bwamu racontée. L'instance ontologique de la Culture est celle de l'Homme. L'humanité connue des Bwawa est de race noire et descend dans sa pureté originelle d'un père, Djokandjo. Cette cosmogénèse reposant sur une lecture autarcique et authentique de l'univers nécessite de la part du narrateur des clarifications anthroponymiques distinctifs du Bwamu et des autres ayant-droits de Djokando, du Noir connu et du Blanc inconnu, et des mises au point ethnonymiques pour une cohérence de la particularité ethnique et des intentionnalités discursives étiologiques et eschatologiques. Ainsi, autoritairement, « l'Ancêtre » rappelle que les Bwawa (au singulier : Bwaba) sont improprement appelés « Bobos-Oulé » ou « Niéniégués ».

La voix narrative énonce la conscience du Bwamu de l'existence d'autres univers sociaux à travers les références à cette instance cosmogonique centripète : Djokandjo « l'ancêtre des Noirs », mais aussi par la spécification par le moyen de données anthropologiques physiques, culturelles et sociales le Bwamu est présenté comme une entité ethnique à part et non une sous-composante des « Bobos » appelée « Bobos-Oulé ». Géographiquement ils avoisinent, en ayant la pleine conscience, des peuples tant proches que lointains. Les ressorts de la progression narrative et du rapprochement ou de la distanciation historique subséquente entre les Bwawa et les autres est la lutte qui prend la figure de la lutte de libération avec ses adjuvants et ses opposants tant internes qu'externes au Bwamu. En effet, l'histoire s'accélère pour les Bwawa et le cosmos devenu lieu d'histoire se dilate :

> Les récentes calamités [naturelles] avaient largement entamé leur prestige [des anciens]. Or les oracles annonçaient des lendemains de malheur, la domination du *Bwamu* par une puissance étrangère les *Nansarawa* [les Blancs]. Si cette prophétie se réalisait, c'en était fait de la vénération dont on les entourait.

Ils étaient à ces réflexions quand parvint la nouvelle de l'occupation de Sia ou Bobo-Dioulasso par les *Nansarawa*, ces êtres extraordinaires…Puis ce fut le tour de Koury sur la Volta noire et, plus tard, de nombreux autres centres dont Dédou. On apprenait également par des étrangers venus de très loin, la présence de ces « divinités rouges » au royaume des Mossi, en particulier à Ouahigouya et Ouagadougou. On sut également qu'ils étaient installés là-bas, à Bamako, chez les Bambaras du Ponant et plus loin chez les *Ouolofowa*, à *Dakarou*, au bord de la grande eau salée. Les nouvelles se multipliaient, se croisaient et s'entrecroisaient. Des récits fabuleux couraient le *Bwamu* au sujet de cette nouvelle « Force » qui était en train de posséder le pays des hommes noirs. (Boni 220).

Le parcours du Bwamu débouche, lorsque les enjeux de la (sur)vie deviennent eschatologiques, sur une différentiation de la nature normale des hommes de l'univers connu des Bwawa et de la nature anormale des « génies des cavernes » (le Blanc ou *Nansara*) dont un spécimen, en la personne de l'explorateur Binger chargé par la France de signer un traité de protectorat avec les peuples sur son chemin, « un homme phénoménal descendu du ciel » (214), sera d'abord perçu sous un angle mélioratif avant que les intentions et les agissements de sa race ne le diabolisent. Lorsqu'il s'agira de bouter cet envahisseur hors du Bwamu le Bwaba puisera tant dans sa cosmogonie que dans sa métaphysique caractérisée par une double eschatophilie et thanatophilie troublante. Dès lors, sous un angle psychosociologique, l'humanité aux yeux des résistants bwawa se subdivisera en résistants mus par le courage ou lâches bwawa et non bwawa dans la lutte contre l'envahisseur, le mépris ou la peur de la mort :

> Cependant la preuve était faite que le Blanc craignait la mort et qu'il n'était à tout casser qu'une divinité déchue par « Dieu-le-Grand ». Pour les Bwana, irrités par la meurtrière immixtion des Nansarawa dans leurs affaires, la bataille de Bonikuy n'était qu'un prélude, un simple exercice d'assouplissement. On se hâterait d'achever la récolte de mil, après quoi, on verrait ce qu'on verrait. Mais les événements se précipitèrent et la moisson n'eut pas le temps de rentrer.

> [...]

> L'alarme fut sonnée à travers le pays. Motif : un certain Kamma de Tuiman-Wakuy, fils de Béhoba Bihoun, aurait lancé un appel solennel aux Bwawa pour les inviter à se soumettre aux Blancs qu'il disait invincibles. [...] Il avait commis un sacrilège à l'égard de la « Terre des Ancêtres ». Levée de boucliers ! Et les gens de s'exclamer « *Tâmbarikrah* ! le félon. Encore un autre Sibiri ! Il faut laver cette souillure dans son sang. S'il a bu à la gourde des fous, la mort le ramènera à la raison (225-226).

Ce discours de la désillusion historique est placé au plan de l'expression sous le signe de la communication transcommunautaire et de la profusion de la rumeur.

En somme, la sociogenèse implique l'identification du passage de l'âge cosmogonique, l'âge de la création, l'âge d'or, de l'équilibre cosmique entres les êtres du cosmos, entre Dofini et sa Création, entres les instances cosmiques : Dofini, Djokandjo, l'Ancêtre témoin, et les êtres du cosmos (hommes, animaux, les mytho-êtres [génies]), à l'âge de la vie sociale : des soirées de contes ; de la socialisation du modèle d'hommes et de femmes accomplis au plan de l'itinéraire et des visées initiatiques dont Térhé et Hakanny sont les figures narratives et légendaires idéales. La société prend son visage déontique à travers la règlementation stricte de la chasse ; des principes de règlement des conflits entre les hommes ; les principes du mariage et de l'amour et par une série de ruptures (« la faute de la femme pileuse » qui heurte de son pilon le Ciel qui s'éloigne de la terre), les crises consécutives au conflit entre la force de l'amour entre Akany et Térhé et l'interdit social de leur union ; les traitrises guerrières et les ruses de Kia pour accéder au titre de *bêro* et dont le père rongé par l'héroïsme de Térhé met fin à l'idylle de Térhé et de Akanny par le sacrilège de l'empoisonnement. Cette désagrégation de la morale et de la cohésion sociale est annoncée par la rupture des accords et pactes ancestraux entre Bwawa d'abord, puis entre les Bwawa et d'autres issus de l'ancêtre commun Djokandjo pour diverses raisons : lâcheté et acoquinement avec l'étranger *Nansarawa*. Les ressorts de la progression dramatique deviennent l'anecdote (de la femme qui relève le défi de tromper son mari le tenant par le haut du corps tandis que son amant la possède par derrière), le fait divers, la légende, l'histoire : le Bwamu n'est plus le centre du monde et la chronométrie prend du relief au plan narratif des références explicites à un commencement : « il y a trois cents ans moins vingt », à la révolte de 1915-1916, la Première Guerre mondiale.

Conclusion

Au plan de l'histoire littéraire *Crépuscule des temps anciens* inaugure la littérature burkinabè tout en réalisant le vœu de l'affirmation identitaire de la négritude sur le continent au même titre que *Gouverneurs de la Rosée* dans la diaspora dans le sillage de la narration, rompant avec l'oscillation des « chants d'ombres » en vers amples et des rugissements de tigres inscrits en vers heurtés dans un Cahier des retours. Mais au plan textuel, c'est le double défi de dessiner une chronique d'un peuple naturel d'Afrique, les Bwawa habitant le Bwamu, entre sa cosmogénèse et sa sociogenèse telle qu'il les pense et les vit, qui le caractérise en tant que discours et écriture pour rendre compte d'une identification, de sa réalité putative de « civilisation orale » ou « peuple traditionnel » dans la typologie ethnologique reçue. Aussi la visée chroniquaire débouche-t-elle sur la textualisation de l'historicité en tant qu'aptitude et nécessité du changement dans les structures profondes d'une civilisation inscrite dans une crise maîtrisée en définitive de son identité entre transcendances et évanescences de catégories et de figures. Une textualisation entre ritualité et historicité se constitue, qui, dans un discours de vérité, réalise l'art de l'unité et de la diversité vitale de la sémature négro-africaine dans un message scripturaire usant de la symbiose du divers au triple plan stylistico-linguistique de l'inter-expression du bwamu et du français, du traitement de « genres » articulés selon les métamorphoses formelles, graduelles et thématiques de la parole et de la praxis, de la singularisation d'un espace symbolique à partir du fonds commun cosmogonique de la Négritude, en passant de la Création à l'historicisation dans l'esprit et la manière propres aux peuples de l'Afrique de concilier les oppositions de formes dans leurs discours. En d'autres termes, l'on découvre comment un peuple africain naît des limbes originelles pour se constituer en un parcours discursif, esthétique et sémantique dans son histoire au cœur de l'Histoire de la diversité dont le défi de choix tragiques au zénith du délitement de l'ontologie de l'homogénéité au profit de l'ontologie de l'hétérogénéité saillant à l'ère coloniale mettant en cause la certitude unitaire de la négritude, par conséquent de l'humanisme, dont le roman forme en définitive le métadiscours symbolique : une fresque d'une culture inscrite textuellement en des motifs et figures étiologiques et eschatologiques dans une narration négriturienne tels sont les enjeux baptismaux de cette « chronique » sémiotique du Bwamu.

Références bibliographiques

"La Littérature burkinabè : bilan et perspectives."Annales de l'Université de Ouagadougou. Série A : sciences humaines et sociales numéro spécial. décembre 1988.

Bannour, Abderrazak, et Yvonne Fracassetti Brondino. *Mario Scalesi, précurseur de la littérature multiculturelle au Maghreb.* Paris : Publisud, 2002.

"Bibliothèque nationale de France." *Littérature africaine en français cinquante ans après les indépendances.* Bibliographie sélective. juillet 2010. Web. 12 août 2013.

Boni, Nazi. *Crépuscule des temps anciens, chronique du Bwamu.* Paris : Présence africaine, 1962.

Bonou, Gninty Boniface. "Un pionnier : Nazi Boni." *Littérature du Burkina Faso. Notre Librairie* 101 (avril-juin 1990) : 54-57.

Cornevin, Robert. *Littérature d'Afrique noire de langue française.* Paris : PUF, 1976.

Greimas, Algirdas et Joseph, Courtès. *Sémiotique. Dictionnaire raisonné de la théorie du langage II.* Paris : Hachette, 1986.

Kam, Sié Alain. "Ceux qui savent raconter, panorama d'ensemble de la littérature oral. " *Littérature du Burkina Faso. Notre Librairie* 101 (avril-juin 1990) : 22-26.

Leroy, Maurice. *Les grands courants de la linguistique moderne.* Editions de l'Université de Bruxelles, 1980

Millogo, Louis. *Introduction à la lecture sémiotique*. Préface de Jacques Fontanilles. Paris : L'Harmattan, 2008.

Millogo, Louis. *Nazi Boni, premier écrivain du Burkina Faso : la langue bwamu dans Crépuscule des temps anciens*. Limoges : Presses Universitaires de Limoges, 2002.

Millogo, Louis. "Discours des masques et littérature ou poétique comparée."*Annales de l'Université de Ouagadougou*. juin 2005 : 265-286.

Millogo, Louis. "Littérature et tradition orale : pour une symbiose des genres artistiques. La sortie des masques chez les Bobo, un art total : poésie, musique, danse, théâtre, sculpture, tissage, peinture." *Annales de l'Université de Ouagadougou*. Numéro spécial. déc. 1988 : 75-88.

Ouédraogo, Albert. "La bendrologie en question. " *Annales de l'Université de Ouagadougou* numéro spécial. déc. 1988 : 153-168.

Ouédraogo, Dim Dolobsom. *L'Empire du Mogho Naba*. Editions Domat-Monchrestien, 1933.

Ouédraogo, Dim Dolobsom. *Les Secrets des sorciers noirs*. Editions Nourry, 1934.

Pacéré, Frédéric Titinga. *Le langage des tam-tams et des masques en Afrique*. Paris : L'Harmattan, 1992.

Sanon, Bernardin, et al. "Une vie littéraire en devenir. " p-p. 98-109, *Littérature du Burkina Faso. Notre Librairie* 101 (avril-juin 1990) : 98-109.

Sanou, Damou Jean de Dieu. "Réalités bobolaises et fiction romanesque dans "*Au Pays bobo*" de Renée Hubert (1932)." *Burkina Faso, cent ans d'histoire, 1895-1995*. Tome 1. Paris-Ouagadougou : Karthala- PUO, 2003.

Sanou, Salaka. *La Littérature burkinabè : l'histoire, les hommes, les œuvres*. Presses Universitaires de Limoges, 2000.

Sanwidi, Hyacinthe. "Depuis le crépuscule des temps anciens, panorama du roman." *Littérature du Burkina Faso*. Notre Librairie 101 (avril-juin 1990) : 48-54.

Senghor, Léopold Sédar. *Liberté 1. Négritude et humanisme*. Paris : Seuil, 1964.

Chapitre X

Sony Labou Tansi et la tradition orale postcoloniale
dans *La vie et demie*[20]

Léontine Gueyes
Université Félix Houphouët-Boigny, Cocody-Abidjan

Résumé

La Vie et demie, premier roman de l'écrivain congolais Sony Labou Tansi, peut être appelé une œuvre d'intégration réussie des traditions orales dans le roman africain francophone postcolonial. Les témoignages socio-historiques et l'exercice sans partage du pouvoir, le mélange des genres littéraires et oraux, le registre familier de la langue, la convocation des modalités de phrases liées à l'allocutif et la suspension du récit par un énonciateur-conteur restent autant de marques énonciatives du récit populaire que de l'esthétique romanesque africaine francophone postcoloniale. L'analyse se propose de montrer que l'entreprise énonciative sonyenne dans *La Vie et demie* s'enracine dans un contexte culturel qui lui fournit ses codes, exemplifie la poétique de l'oralité postcoloniale pour signifier des vérités symboliques, esthétiques et idéologiques.

Dramaturge, poète, romancier, nouvelliste et metteur en scène, Sony Labou Tansi est un écrivain congolais qui n'est plus à présenter[21]. Le combat politique de cette figure emblématique de la littérature francophone noire postcoloniale ne passe pas inaperçu non plus. Dès l'instauration du multipartisme au Congo, son pays, Sony est élu, en 1993, député de Makélékélé, un quartier populaire de Brazzaville, sur la liste du Mouvement Congolais pour la Démocratie et le Développement Intégral (MCDDI).

Si la lutte politique de Sony et ses engagements pour la promotion de la culture ont contribué à sa notoriété, son succès s'explique davantage, confie Gérard Lezou, par sa « clairvoyance des hommes de culture qui prennent le

---

[20] On utilisera dans le texte les initiales du titre de l'œuvre à savoir LVD.
[21] Né en 1947 à Kinshasa au Zaïre, Sony Labou Tansi s'est éteint le 14 juin 1995 à Brazzaville, au Congo, son pays. Il auteur d'une abondante production littéraire qui a donné lieu à une importante bibliographie critique de plus d'une cinquantaine d'essais. Sony a reçu de nombreux prix littéraire et a été couronné plusieurs fois au concours théâtral interafricain.

temps de se pétrifier dans leurs traditions, dans leurs histoires, afin de le redire autrement. » (Dago et N'da 13). Cet attachement de cet homme de lettres à son terroir et la recherche des voies d'une écriture nouvelle plus conforme à sa sensibilité, son vécu et la culture africaine trouvent confirmation dans son premier roman, *La vie et demie*. L'œuvre est particulièrement marquée par les témoignages socio-historiques et l'exercice d'un pouvoir sans partage. La transgression des tabous les mieux ancrés dans la conscience collective congolaise, surtout ceux liés à l'immoralité, au macabre et au cannibalisme entre autres, confèrent à l'œuvre romanesque l'atmosphère magique des contes, des mythes et des cérémonies sacrificielles. L'écriture met en outre un point d'honneur à l'intégration en son sein des procédés du récit traditionnel oral.

Du point de vue énonciatif, le personnage narrateur se dévoile à la manière d'un maître de la parole traditionnelle. Le registre familier de la langue transparaît à travers la convocation d'éléments culturels, des modalités de phrases liées à l'allocutif, la suspension du récit et les précisions entre parenthèses.

C'est donc sur la question essentielle de la réécriture de la tradition orale dans ce roman que porte cette réflexion. L'objet est de montrer comment la structuration du dispositif énonciatif du récit a su emprunter ses ressources à l'oralité et à un contexte social postcolonial. Étant entendu, souligne Jean-Marc Moura, que le concept de « postcolonial » renvoie, au-delà de sa référence chronologie, aux stratégies d'écriture « polémiques à l'égard de l'ordre colonial avant de se caractériser par le déplacement, la transgression, le jeu, la déconstruction des codes européens » (Moura 11-12).

Nous nous proposons d'examiner ici un cas précis de cette poétique postcoloniale dans *La vie et demie*. Il s'agit de la scénographie. Le décor spatio-temporel et l'énonciation en sont les deux axes.

Du décor spatio-temporel de *La vie et demie*

Tout texte oral ou écrit implique la construction d'un contexte énonciatif : une scène d'énonciation précise qu'il s'assigne, présuppose et qu'en retour il valide par l'énonciation. L'ensemble des indices de cette scène d'énonciation, encore appelé une scénographie (Mangueneau 192-193), définit un cadre spatio-temporel spécifique, le statut d'énonciateur et de co-énonciateur. Comme dispositif littéraire, la scénographie articule, souligne Jean-Marc Moura, « l'œuvre sur ce dont elle surgit : vie de l'auteur, société, culture, dispositif proprement littéraire » (122). Le rapport entre ces entités, condition et production de l'œuvre, est, par ailleurs, orienté de sorte à rendre signifiants aussi bien l'univers du texte que son contexte de production.

Dans *La vie et demie,* l'énonciateur, anonyme et extradiégétique, commence par planter un décor spatio-temporel d'une trame diégétique typique des récits oraux :

> C'était l'année où Chaidana avait eu quinze ans. Mais le temps. Le temps est par terre. Le ciel, la terre, les choses, tout. Complètement par terre. C'était au temps où la terre était ronde, où la mer était la mer - où la forêt...Non ! La forêt ne compte pas, maintenant que le ciment armé habite les cervelles. La ville...mais laissez la ville tranquille. (*LVD* 11.)

L'incipit, identique aux formules introductives des récits oraux, est « une invitation » à l'écoute d'un récit qui s'origine dans un passé lointain et vague. La topographie de « la Chambre Verte », premier cadre de l'action, renvoie à une géographie à la fois mythique, légendaire, fictive et réaliste :

> La chambre elle-même [...] avec trois jardins, deux ruisseaux, une mini-forêt où vivaient des multitudes d'oiseaux, de papillons, de boas, de salamandres, de mouches avec deux grands marigots artificiels [...]; les gendarmes jacassaient aux douze palmiers, mais Chaïdana aimait surtout la mare aux crocodiles, ainsi que le petit parc aux tortues, là où les pierres avaient des allures humaines (*LVD* 21).

« La Chambre verte » administre la preuve qu'elle ne peut ni être localisée géographiquement ni être datée avec précision. L'anthropomorphisation des « pierres » aux « allures humaines », une forme d'archive archéologique[22], vient davantage confirmer une situation spatio-temporelle approximative de l'âge de la pierre taillée.

La luxuriance de cet espace-temps imprécis et lointain reste le lieu d'une profusion de vie. Une multitude de créatures y cohabitent dans un état de félicité, de liberté d'action et de communion parfaite. La vie s'écoule dans l'innocence et le bonheur paisible. Le motif du « lit » illustre un monde de repos, une société sans classe qui ignore la hiérarchisation, les différences, la domination, la servilité. L'homme, placé au milieu de cette création harmonieuse, en jouissait tout en exerçant sur les créatures et

---

[22]Les ethnologues ont identifié chez des peuples autochtones des systèmes d'archivage non scripturaires tels des objets sacrés gravés de signes symboliques, l'écoute des grands récits etc. ayant permis de reconstituer l'histoire des clans (Catherine Clément, *Qu'est-ce qu'un peuple premier*, Hermann Editeurs, Paris, 2011, pp. 28-29).

l'environnement un contrôle et une autorité empreinte d'amour et de bienveillance.

En somme, « la Chambre Verte » et ses composantes rappellent en substance l'Âge d'or, le jardin d'Éden et Adam, la première créature biblique. A l'arrière-plan de cette image adamique, se profile des traits caractéristiques de l'homme des origines, tel que décrit dans *l'Atharva-Véda* (10-7), un texte sacré de l'hindouisme. Une sorte d'Atlas portant le monde, l'homme des premiers temps y est considéré, en effet, comme le pilier cosmique ayant pour mission essentielle d'étayer le Ciel et la Terre, constamment menacé de se dissocier et de se désintégrer.

Ce statut de l'homme, centre et principe d'unité, est d'autant plus remarquable que, dès l'irruption en lui d'un Mal implacable, « le ciment armé », toute la nature est profondément affectée. L'unité est rompue. Les équilibres sont en dislocation. Il s'en suit une chute désastreuse : « Le temps est par terre – le ciel, la terre, les choses, tout complètement par terre » (*LVD* 11). C'est le chaos, l'écroulement, la dissolution de l'univers et la confusion totale. Les composantes rationnelles et raisonnables de l'homme sont perturbées voire ruinées. Le cœur assoiffé d'amour et de bienveillance se transforme en un cœur dur, sclérosé et malfaisant. Rien ne peut ni discipliner ni arrêter sa barbarie.

La scène de torture suivie de l'assassinat sanglant de Martial illustre la rage de bête qui s'est substituée à la raison et à la bonté humaine :

> - Voici l'homme dit le lieutenant qui les avait conduits jusqu'à la Chambre Verte du Guide Providentiel […]. Le Guide Providentiel eut un sourire très simple avant de venir enfoncer le couteau de table qui servait à déchirer un gros morceau de la viande […] retira le couteau et s'en retourna à sa viande de Quatre Saisons […] qu'il coupa et mangea avec le même couteau ensanglanté. […] Le Guide Providentiel lui ouvrit le ventre du plexus à l'aine comme on ouvre une chemise à fermeture Eclair, les tripes pendaient saignée à blanc […] [A]vec son sabre au reflet d'or, il se mit à tailler à coups aveugles le haut du corps de la loque-père, il démantela le thorax, puis les épaules, le cou, la tête. (*LVD* 11-16).

L'acharnement à la destruction de l'autre va jusqu'à son élimination complète. Le nouveau mode alimentaire de l'homme est tourné vers la consommation des êtres de sa propre espèce. Le Guide Providentiel ne mange que de « la viande crue », « saignante » (*LVD* 33, 130). L'usage du même couteau de table d'où dégouline le sang humain ajouté à ses aveux sur un ton jubilatoire : « Je suis carnassier » (*LVD* 18), « Où est-elle, tu vas le dire ou bien je te mangerai cru » (*LVD* 37), illustrent la manducation charnelle et l'hémophagie qui sévissent dorénavant. L'institution de ces pratiques est d'autant plus significative que les membres de la famille de Martial sont contraints à la consommation de son corps entier : « Chaïdana se rappela comment ils avaient commencé par le pâté plus facile à avaler que la daube pleine de cheveux et dont les morceaux résistaient aux dents et à la langue, d'une résistance plus offensante. » (*LVD* 18). Les hommes tuent, mangent leurs semblables. Pire, ils se dévorent entre eux. C'est le règne de la dévoration.

L'humain débonnaire n'est plus qu'un anthropophage impitoyable synonyme d'un primitivisme archaïque. Ce que confirme Jean-Claude Coudeyrette. L'anthropophagie, selon le critique, est un phénomène social qui se rencontre au berceau de presque tous les peuples[23]. Freud est du même avis. Pour lui, le cannibalisme rappelle dans la conscience collective deux faits majeurs. Le premier est le repas totémique, c'est-à-dire l'ingestion sacramentale par laquelle les premières « associations d'hommes jouissant de droits égaux, se nourrissaient des plus faibles » (198-199).

A l'instar de tous les peuples, le cannibalisme imposé ou volontaire dans *La Vie et demie* rappellerait l'institution de cette pratique, dans les temps anciens, chez les Bambala, les Batéké, les Azandé etc. du Congo. L'acte est censé procurer la force, l'énergie vitale comme le clame le Guide : « Ça vous ajoute un peu de chair dans la chair » (*LVD* 33). Le cannibalisme s'expliquerait aussi par le souci, chez les Kongo, de devenir Ndoki ou sorcier c'est-à-dire acquérir des pouvoirs occultes ainsi que le confirme S. Reinach cité par Freud. La sorcellerie et la magie apparaissent essentiellement, affirme-t-il, comme l'action de dominer, soumettre les phénomènes de la nature à la volonté de l'homme et de lui donner le pouvoir de nuire à ses ennemis (113-114).

Manger la chair de leur semblable et boire leur sang reste, de fait, dans de nombreuses sociétés, un acte rituel, vindicatif, criminel ou de survie. Aussi, si le terme cannibale, de l'arawak *caniba*, altération de *cariba*, dans la langue des Caraïbes, signifie-t-il « hardi », « courageux », il renvoie, au sens connoté, à l'homme extrêmement cruel, sauvage, maléfique, disciple de Satan. Au Congo, la naissance des religions traditionnelles Kongo telles que Nzambi baya, Munkungu, croix-Koma, Nkuka Bidzenge est essentiellement liée à l'existence du Ndoki. Ces religions, à l'instar de toutes les religions traditionnelles ou révélées chez tous les peuples, sont censées protéger l'homme des êtres maléfiques, lutter contre la manducation de l'homme par l'homme. Ce que confirme le second rappel du cannibalisme dans la conscience collective.

---

[23]Jean-Claude Coudeyrette, « Cannibalisme, anthropophagie et hémophagie », [en ligne], consulté le 22/06/2012, Compilhistoire.pagesperso-orange.fr/cannibalisme.htm.

En effet, l'acte commémore, confie Freud, la fin de la horde primitive, premier groupement d'humains dominé par un mâle fort et puissant ayant seul accès aux femmes et à la fonction du père[24]. L'exercice d'un pouvoir sans partage du père-mâle motive la rébellion des fils, jaloux de ne pouvoir posséder les femmes, ensuite, sa mise à mort et sa consommation en un repas totémique. La consommation rituelle du père-mâle consacre, dans les temps mythiques, la fin de l'état de dispersion, ce qui en toute rigueur est un état de nature selon Rousseau. Afin que la situation ne se reproduise, les fils établissent des règles correspondant aux deux tabous centraux dans les cultures humaines : l'inceste et le meurtre.

Réunis, les fils deviennent entreprenants et réalisent ce que chacun d'eux aurait été incapable de faire individuellement. La naissance des religions, des restrictions morales et des organisations sociales y est, pour tout dire, consécutive (Freud 199). C'est donc à raison que pour Alain Schnapp : « Cannibale, l'humanité primitive l'est parce qu'elle ignore les rapports organisés, les relations ordonnées »[25]. Georges Guille-Escuret ne dit pas autre chose lorsqu'il affirme que la fin du cannibalisme est le signe évident d'une société humaine nouvelle, un état de culture. Et le philosophe Kant de renchérir c'est un penchant naturel chez l'homme que de rechercher la compagnie de ses semblables. Celui-ci ne se sent exister humainement que dans et par la relation humaine.[26] De façon plus perceptible, les besoins de l'homme ne sont pas exclusivement biologiques, ils sont aussi moraux : communiquer, échanger, aimer, nouer avec ses semblables des rapports d'amitié et de justice. L'homme vit en société par désir de l'autre. Son humanité se confond avec sa socialité. Une telle entreprise de l'édification d'une société communautaire fait basculer le récit de son cadre spatio-temporel mythico-légendaire dans un espace social contemporain.

En effet, Martial, l'homme précédemment présenté, est l'opposant du Guide, le chef de l'Etat de la Katamalanasie, un vaste pays qui vient d'accéder à l'indépendance. Les habitants, « Les pygmées », les « Kha », « les Mhaha », les « Bantous » et les « Payondi », vivent une nouvelle ère de liberté politique et socio-économique. La colonisation, un système de domination totale d'une société sur une autre, n'est plus qu'un mauvais

---

[24] La conception de la horde primitive dominée par un mâle fort, inspirée de Darwin, suppose qu'à l'origine de l'humanité, une horde primitive, groupement humain sous l'autorité d'un père puissant possède seul l'accès aux femmes.
[25] Alain Schnapp, cité par Georges Guille-Escuret, *Les Mangeurs d'autres, Civilisation et cannibalisme*, Paris, éd. de l'Ecole des hautes études en sciences sociales, 2012, « Cahiers de l'Homme » N° 41, p. 31.
[26] Simone Manon. « L'homme est par nature un animal politique. Aristote. www.Philo. Consulté le 03/06/2012.

souvenir. Le tableau qu'offre cette nouvelle société est toutefois loin de celle d'une société souveraine et libre.

Le régime politique est le parti unique. Tous les pouvoirs sont concentrés entre les mains d'un seul individu : « La puissance étrangère qui fournissait les guides » (*LVD*, p. 169). Les Guides ou les chefs de l'Etat, imposés par le pouvoir colonial, sont pour ainsi dire à la solde de la métropole.

Le portrait « des guides » est des plus effroyables. Ce sont des personnages aux « corps broussailleux comme celui d'un vieux gorille ». Ils « rugissai(en)t comme deux lions ». (*LVD*, pp.54, 130). Les auxiliaires locaux du colon apparaissent ainsi en outre, comme des forces apparemment invincibles.

Le gorille reste connu pour sa laideur, sa lubricité, son sadisme perceptible à travers son cannibalisme sur plus faible que lui, affirme Mariko Hiraiwa-Hasegawa : « Le cannibalisme a été observé en milieu naturel chez cinq espèces de singes : un cercopithèque, le babouin (deux sous-espèces), le macaque japonais, le gorille et le chimpanzé. Les victimes étaient des enfants tués, jamais des adultes » (Guille-Escuret 100).

Le lion est l'incarnation même de la Puissance, du Pouvoir. L'excès de son orgueil et son assurance en font, selon le dictionnaire des Symboles, la figure du Père, du Maître, du Souverain tyrannique. Il n'est donc pas surprenant que les Guides soient dominés par leurs pulsions. Ils mènent « la vie des VVVF (Villa, Voitures, Vin, Femmes) » (*LVD* 30). « Grands consommateurs du sexe » (Abakulu 32) et adonnés aux plaisirs mondains, les autorités étatiques n'assument pour tout dire aucune véritable responsabilité socio-politique. « Oisifs », carnassiers, ils s'abandonnent aux pulsions instinctives précédemment prohibées notamment les viols, l'inceste, la dictature et les assassinats pendant que la métropole brime le peuple, pille les richesses du pays sous la protection de l'Armée, véritable moyen d'oppression et de consolidation des structures coloniales qu'elle était censée abroger.

Traumatisé par une telle dictature économique et militaro-politique, le peuple sombre dans une amère désillusion : « Le temps passait sur Yourma, toujours de la même façon, toujours un temps de plomb, un temps de cris, un temps de peur » (*LVD* 131). Un tel spectacle d'une société apathique et vaincue sous-tend la castration des forces vives des sociétés colonisées par le système postcolonial (Toihiri 131), une misère sociale extrême, la pérennisation des régimes dictatoriaux, initiés et entretenus par le pouvoir colonial.

Face à une telle tyrannie, les crimes de vengeance, les réactions violentes et les guerres sont récurrentes : « Les deux pays n'étaient plus que des cadavres qui se battent dans le vide […] ». (*LVD* 167). « En quelques heures » les bombes causent « des ravages dans le champ que dix années de guerre classique... » (*LVD* 167). Les périodes dites post-indépendantes dégénèrent ainsi en violences sanglantes, crises et guerres interminables. Les crises économiques, politique, les guerres, les génocides, les violations flagrantes des droits des peuples colonisés et des plus faibles contemporaines sont décrites avec un réalisme cinglant. C'est le lieu pour l'énonciateur, porte-parole de Sony, de jeter un regard critique et acerbe sur les misères sociales, les horreurs des régimes dictatoriaux, la recrudescence des guerres civiles, le néocolonialisme dans les pays africains dits indépendants. Daouda Mar ne dit pas autre chose lorsqu'il affirme :

> Le narrateur de *La vie et demie* fait allusion à l'Afrique Centrale. Or, cette partie du continent noir défraie la chronique depuis l'accession des territoires qui la constituent à l'indépendance, par des aberrations inouïes, des cruautés inconcevables, des guerres intestines et des luttes fratricides qui défient la conscience humaine, la morale et la foi. La République Démocratique du Congo [...], le Congo Brazzaville, le Rwanda, le Burundi, l'Angola, l'Ouganda, pour ne citer que les pays qui ont connu des guerres civiles ou des dictatures insensées, occupent le devant de l'actualité depuis plusieurs années, à cause de faits et gestes qui rappellent cruellement et douloureusement cet adage latin : *homo homini lupus*, l'homme est un loup pour l'homme. (5)

Une telle pérennisation des caractères aussi bien physiques que comportementaux de l'homme mythique ne peut s'expliquer, affirme Freud, que par un héritage génétique. Dans l'acte de dévoration, soutient en effet le critique, « les fils accomplirent l'identification avec le père, chacun s'appropriant une partie de sa force » (199-200). Les pulsions primaires cannibalistes et tyranniques de l'homme contemporain, métaphore de l'horreur et de la monstruosité de la dictature postcoloniale dans certains pays africains, restent, pour ainsi dire, une sorte de mémoire phylogénétique. C'est donc à raison que les Pères de l'Eglise affirment que l'homme déchu doit être racheté du péché originel, un mal radical inscrit dans sa nature humaine.

Au regard de ce qui précède, il est évident que dans *La vie et demie,* les mythes, les légendes, les textes rituels, fictifs, le religieux, le discours philosophique, psychanalytique, historique côtoient l'actualité contemporaine. L'univers énonciatif, profondément influencé par les techniques énonciatives des maîtres de la parole traditionnelle, mélange les genres, insèrent dans le récit principal d'autres récits. L'adoption et l'intégration au roman de ces procédés narratifs du récit oral restent aussi une caractéristique de l'écriture postcoloniale animée par la rupture, les écritures plurielles et la diversité ainsi qu'une énonciation typique de l'énonciateur-conteur.

De la situation d'énonciation dans *La vie et demie*

Le texte ne cache pas, dans certains passages, une énonciation dialogique en relation concrète avec un public ou un interlocuteur à portée de voix. Les marqueurs morpho-syntaxiques et les phrases succinctes à caractère injonctif, évoqués dans les lignes précédentes tels que : « Mais laissez la ville tranquille » ou «…Non ! La forêt ne compte pas maintenant que le ciment armé habite les cervelles » sont adressées, d'ordinaire, non au lecteur mais à un personnage fictif situé dans le jeu interactif de la communication. De telles injonctions laissent présager des réponses aux interventions possibles d'un interlocuteur ou d'un auditoire en présence.

Dans cet échange conversationnel lié à un « ici » et « maintenant », le texte de Sony intègre et mobilise au moins deux instances énonciatives en présence. L'énonciateur quitte sa position initiale, mime l'oralité. Ce qui explique l'exclamation de Tchicaya U Tamsi : « Son débit est à l'égal du fleuve. C'est effrayant ! » (Utam'Si et Vibert 122).

Ce flux torrentiel, perceptible dans l'usage pléthorique des répétitions, l'énumération et l'accumulation des substantives, des locutions, des propositions et des phrases foisonnent dans toute l'œuvre :

> L'enfer des mouches. L'enfer de fumée sans feu. L'enfer des puanteurs. L'enfer des graisses. L'enfer des crânes où les conceptions du guide ne sont pas entrées… […] Les rues étaient pleines de têtes qui se baissaient, de mains qui ramassaient, d'yeux qui lisaient, de rires, de cris, de « venez voir un peu ça », de « vous n'avez pas vu ceci », de « fantastique », de « bien joués les copains », de « ça, ça tape droit dans le ventre […] » (*LVD* 145-146).

Ou encore :

> ils demandaient l'impôt du corps, l'impôt de la terre, l'impôt des enfants, l'impôt de fidélité au guide, l'impôt pour l'effort de la relance économique, l'impôt des voyages, l'impôt de patriotisme, la taxe de militant, la taxe pour la lutte contre l'ignorance, la taxe de la conservation des sols, la taxe de chasse … (*LVD* 122).

La linéarité du signifiant n'est plus de rigueur. La syntaxe est désarticulée. Le discours n'obéit ni à l'ordre grammatical ni aux liens combinatoires habituels. L'énonciateur brise ici et là, disloque, se détache de la rigueur et de l'emprise des règles fixes et des critères de phrases classiques. Les carcans habituels et normatifs sont rejetés. Le discours débridé est plus préoccupé des idées que de leur organisation et leur arrangement en phrases canoniques, normatives. Les suites énumératives, les structures phrastiques réduites aux noyaux nominaux, adjectivaux ou des éléments du même rang paradigmatique se démultiplient, s'allongent jusqu'à épuisement. Les mots, les blocs de mots sans aucun rapport de dépendance syntaxique ou sémantique, savamment orchestrés par l'énonciateur, se bousculent en cascade, se succèdent. On le constate, le langage s'autogénère jusqu'à atteindre l'ampleur d'une page (Vibert Marie-Noëlle 122) mettant ainsi sens dessus dessous le langage normatif.

Ces ruptures de la chaîne significative donnent d'emblée à voir un trouble du langage, un envahissement de la pensée par les processus primaires, un langage qui se fait jour quand l'inconscient apparaît à nu. En clair, ce retour du refoulé n'émerge d'ordinaire que lors des troubles psychiques, sur le divan mais aussi dans les rêves. Saint-John Perse nomme un tel discours dont la logique est celle de l'association des rapprochements, des juxtapositions, de la ressemblance, des successions la poétique du songe (Perse Saint-John *in* Aquien Michéle 13). Michèle Aquien abonde dans le même sens lorsqu'elle soutient que dans l'interprétation des rêves, Freud se demande :

> Quelle forme peuvent prendre dans les rêves « quand », « parce que », « de même que », « bien que », « ceci ou cela » et toutes les autres conjonctions sans lesquelles nous ne saurions comprendre une phrase ni un discours. Et il remarque « Le rêve n'a aucun moyen de représenter ces relations logiques entres les pensées qui les composent […] Ce défaut d'expression est liée à la nature du matériel psychique dont le rêve dispose ». Les arts plastiques, peintures et sculptures se trouvent dans une situation analogue. (Michel 59)

On l'aura remarqué, le langage relève d'une écriture parole, psychique, visuelle, plastique. Il privilégie une organisation propre, une logique spécifique qui brouille la pure information, articule des liaisons pour former une autre combinaison qui renvoie à un autre signifié. Le discours se débarrasse du mot et des formes devenus conventionnels. Il veut échapper à toute entreprise des forces aussi bien intérieures qu'extérieures qui œuvrent à la conservation de l'ordre langagier. Le langage est désireux de puiser aux forces créatrices de l'inconscient, d'exhiber cette part de réalité que la règle sociale invite à cacher.

Ce procédé où les blocs de mots et de phrases s'enchaînent sans liens logiques est aussi courant en oralité. Les maîtres de la parole ont tendance à user de la répétition verbale ou phrastique, à juxtaposer des phrases, des propositions ou des mots omettant de les coordonner ou de les subordonner les unes aux autres, selon les besoins pédagogiques ou la spontanéité de la parole orale. Toute chose qui confère au récit un caractère parlé, chanté, un rythme agréable, libre et vivant. « Un conte doit toujours être agréable à écouter, constate à ce propos Hampaté Bâ, et à certains moments doit dérider les plus austères. Un conte sans rire est comme un aliment sans sel » (Hampaté Bâ 83-84).

Le comique que peut contenir certains épisodes, souvent tragiques par ailleurs, en ajoute à la vivacité et la gaité du récit faisant sourire plus d'un auditeur. L'attitude du ministre à la vue de la belle Chaïdana en est illustratif : « A la vue de Chaïdana, le ministre était allé faire un signe du doigt au secrétaire en pensant à la prime, il avait roulé une salive appétissante dans sa bouche avant de l'avaler bruyamment et s'était longuement frotté les mains […] » (*LVD* 46). Dans une autre scène tragi-comique, c'est l'innocence naïve d'un personnage qui porte à sourire :

> [À] la maison, où il est arrivé en caleçon, Chaïdana a d'abord pensé qu'il a subitement eu sa vieille nostalgie de la forêt. Mais il raconte comment les choses sont arrivées.
> – On m'a demandé mes vêtements pour que je les mange, c'est cela […] l'enfer ? Ils m'ont demandé de manger le collier – je leur dit : nous, on ne mange pas nos morts. Ils m'ont frappé. Fort. Trop fort. Alors j'ai avalé le collier. C'est amer l'enfer. (*LVD* 120)

Ce recours à l'oralité influence les dispositifs littéraires de l'énonciateur anonyme extradiégétique. Il se manifeste ostensiblement dans le récit par les indices de l'énonciation « je » « tu » ou « vous » et des signes à valeurs sémantico-énonciatives tels que les points d'interrogation, d'exclamation, des parenthèses et des suspensions afin de montrer ses qualités oratoire, faire apprécier son récit, s'exprimer sur le contenu de son message. L'usage fréquent des pronoms personnels, des tours exclamatifs et interrogatifs, des précisions entre parenthèse et la suspension, caractéristiques du discours oral et de la matérialité phonique (respiration, halètement, cri, silence…), bousculent les codes romanesques traditionnels.

On le voit stigmatiser tantôt la barbarie de l'homme contemporain tantôt exprimer son indignation et sa tristesse : « C'était tragique : des gens qui meurent crus devant d'autres gens qui assistent patiemment. » (*LVD* 92). Il prend ici et là ses distances au regard d'un acte immoral qu'il désapprouve, dans le fond, par la présence d'adverbes modaux « sans doute » : Martial « battit sa fille comme une bête et coucha avec elle sans doute pour lui donner une gifle intérieure » (*LVD* 69). A certains endroits, il ne voile pas son mépris et son ironie : « Wang, qui se mit à gronder comme un tracteur, Ah ! Cette machine quand elle s'y mettait » (*LVD* 108) ou « Il devait un peu en rire dans sa tombe, lui qui savait qu'on n'enterre que les malfaiteurs […] :

héros national ? Mais qui aurait dit mieux ? » (*LVD* 124). Dans certaines pages, transparaît la difficulté à prononcer un nom : « Kapayahasheu ! Kapayahaasheo ! Le diable de nom ! » (*LVD* 91).

L'énonciateur s'érige parfois en philosophe qui épilogue sur la condition humaine : « La solitude. La solitude. La plus grande réalité de l'homme c'est la solitude. Quoi qu'on fasse. Simulacres sociaux. Simulacres d'amour. Duperie. Tu es seul en toi. Tu viens seul, tu bouges seul, tu iras seul, et.... [...] Même cette voix qui demande est une forme de solitude » (*LVD* 37). Souvent, il prend la figure du pédagogue. Des précisions entre parenthèses viennent renforcer ou étayer des explications ou des informations censées ignorées par l'auditoire : « Il avait demandé que toutes les maisons de Kawangota (il avait changé le nom du pays)... » (*LVD* 144) ou « Le ministre appelait toutes les femmes (même sa propre femme) mademoiselle pour éviter les complications » (*LVD* 46). Il lui arrive de susciter la compassion de l'auditoire, d'en appeler à son histoire, à son jugement : « Pour un oui ou pour un non, les gens des forces spéciales, les FS comme on les appelait, te faisaient bouffer tes papiers, ta chemise, tes sandales [...]. Tu crevais par la faute de ton estomac » (*LVD* 131).

Ajoutées à ces apartés et ces sous-entendus, de nombreuses ellipses traduites par les suspensions évoquent des non-dits, des propos inachevés, des pauses et des dialogues tronqués qui semblent de plus en plus solliciter l'auditoire. L'énonciataire transcende alors le cadre de « papier » pour rejoindre celui de la communication orale à travers une intervention inopinée, signe de sa compréhension du message, de sa désapprobation ou de son approbation. Cette irruption dans le récit crée soit une adresse à l'énonciataire : « Mais laissez la ville tranquille » soit une rectification d'un propos mal à point : « Non ! La forêt ne compte pas maintenant que le ciment armé habite les cervelles » (*LVD* 11). Le faisant, l'énonciataire se positionne ainsi non plus comme un simple destinataire ou récepteur mais un co-énonciataire. Il superpose ici et là sa voix à celle de l'énonciateur créant un chevauchement de parole, un délire collectif. Les apparitions indicielles de l'énonciataire sont de plus en plus fréquentes. L'énonciateur suspend alors sa voix, lui laisse le soin d'achever son discours. L'intonation connaît une pause après une longue énumération : « Cette sève rend sourd. Cette sève efface la mémoire. Cette autre... et cette autre... » (*LVD* 100). Ou encore : « Il y avait la fête des noms, la fête des guides, la fête des Forces spéciales, la fête du dernier mariage du guide [...] ... La journée des cheveux de Chaïdana, la journée des lèvres, la journée des ventres [...] la journée...la journée... » (*LVD* 129).

Loin d'être un tiers extérieur à l'événement de communication écrite, tous les participants restent ainsi des partenaires de l'énonciateur, des co-énonciateurs. Le texte transcende ainsi le monde muet pour introduire une situation de scène similaire aux soirées des récits oraux. Ce qui fait du texte un champ vivant d'échange, de délire, d'émotion, de liberté, de coexistence de pluralité de voix. Le faisant, l'auteur abolit la distance qui sépare l'énonciateur du récepteur, substitue au monde muet de l'écriture un espace vivant.

Pour conclure, il reste évident que *La vie et demie* est fortement influencé par la tradition orale dans une perspective postcoloniale. L'auteur crée un univers fictif destiné à faire apparaître une écriture révolutionnaire dans le sens de la transgression des codes romanesques traditionnel. Cette subversion formelle aboutit à une révolte idéologique.

La mise en scène des réalités socio-historiques, à travers les cadres et les codes anthropologiques, philosophiques, religieuses, psychanalytiques collectifs cache mal la méditation d'un écrivain engagé sur la grandeur perdue de l'humanité tout entière, un monde déchu qui n'a plus rien de ses valeurs initiales. Dans cette perspective, l'œuvre apparaît comme un espace de dénonciation des abus du pouvoir, du drame des plus faibles, de même que de leur responsabilité dans l'état actuel du monde.

Un tel regard rejoint le rêve de l'écrivain pour une société d'échanges égalitaires qui donne à l'homme la place qui lui est due. Aussi, la relation énonciateur/lecteur de la communication écrite, déplacée vers une communication orale vivante, ne souscrit-elle guère à un projet purement formel et évasif. L'option énonciative recrée une communication interculturelle, un lieu d'ouverture, d'échange, de respect mutuel et de créativité.

Références bibliographiques

Corpus :

Labou Tansi, Sony. *La vie et demie*. Paris : Seuil, 1979.

Autres ouvrages consultés :

Abakulu, Mwamba. *Introduction à l'œuvre de Sony Labou Tansi*. Saint-Louis, Sénégal : Éditions Xamal, 1995.

Cabakulu, Mwamba. *Introduction à l'œuvre de Sony Labou Tansi*. Saint-Louis : Xamal, 1995.

« Le Cannibalisme ». Consulté le 22/06/2012,

Compilhistoire.pagesperso-orange.fr/cannibalisme.htm.

Cauvin, Jean. *Comprendre la parole traditionnelle*. Issy les Moulineaux : Saint-Paul, 1980.

Clastres, Pierre. *Archéologie de la violence, la guerre dans les sociétés primitives*. Paris : Edition de l'Aube, 2010.

Claude, Catherine. *L'Enfance de l'humanité, des communautés pacifiques aux sociétés guerrières*. Paris : L'Harmattan, 1997.

Clavaron, Yves. *Poétique du roman postcolonial*. Sainte-Etienne : Université de Sainte-Etienne, 2011.

Clement, Catherine. *Qu'est-ce qu'un peuple premier*? Paris : Hermann Editeurs, 2011.

Dago, Lezou Gérard et N'da, Pierre (dir). *Sony Labou Tansi, Témoin de son temps* (actes de colloque). Limoges : Presses Universitaires de Limoges, 2003.

Devesa, Jean Michel. *Sony Labou Tansi, écrivain de la honte et des rives magiques Kongo*. Paris : L'Harmattan, 1996.

Freud, Sigmund. *Totem et Tabou*. Paris : Payot et Rivages, 2001.

Guille-Escuret, Georges. *Les Mangeurs d'autres, Civilisation et cannibalisme*. Paris, éd. de l'Ecole des hautes études en sciences sociales, 2012, « Cahiers de l'Homme » N° 41.

Hampate, Bâ Ahmadou. *Petit Bodiel*. Abidjan : Nouvelles éditions ivoiriennes, 1993.

Maingueneau, Dominique. *Le discours littéraire, paratopie et scène d'énonciation*. Paris : A. Colin, 2004.

Mar, Daouda. "L'efflorescence baroque dans la littérature africaine. Un exemple : *La vie et demie* de Sony Labou Tansi » *Ethiopiques* (70) 2003.

Moura, Jean-Marc. *Littérature francophone et théorie postcoloniale*. Paris : Presses Universitaires de France, 1999.

Simone, Manon. « L'homme est par nature un animal politique. Aristote », consulté le 03/06/2012 à 16h36, www.Philo.

Sociologie comparée du cannibalisme, 1- Proies et captifs en Afriques, Paris, Presses Universitaires Françaises, 2010.

Toihiri, Mohamed. « Xala ou l'impuissance du postcolonisé » *in* DIOP, Samba (dir.), *Fictions africaines et postcolonialisme*. Paris : L'Harmattan, 2002. 131.

Vibert, Marie-Noëlle, « Sony Labou Tansi : entre morts et vivants », *in Notre librairie, cinq ans de littérature, 1991-1995, Afrique Noire* 125 (janvier-mars 1996) : 108-122.

Chapitre XII

Oralité et cinéma africain

Mamadou Samb
University of Minnesota-Twin Cities

Résumé

Dans ce travail, nous comptons interroger la relation complexe entre oralité et cinéma à travers *La Petite vendeuse de Soleil* (1998) de Djibril Diop Mambéty et *Keïta, L'Héritage du griot* (1995). Il s'agira de questionner les formes de l'oralité dans le cinéma africain et à les lire comme une subversion dont la finalité est de se constituer en autorité et voix légitimes de l'Histoire et des coutumes de L'Afrique au sud du Sahara. Oralité et cinéma entretiennent en effet des liens à la fois conflictuels et complémentaires qui seront mis en évidence dans la suite de cet article.

S'interroger sur les liens à la fois étroits et conflictuels qui unissent le cinéma et l'oralité dans l'espace sahélien nécessite un recentrement de la question autour de notions comme l'idéologie et le message qui dérivent de ces deux genres. La question des rapports entre cinéma et oralité ainsi réorientée, ouvrirait sur une interrogation du genre: à quel type de savoir, la projection de l'oralité sur le grand écran peut-elle être associée ? Le cinéma, genre importé de l'Occident, se fondant sur un simulacre oral, est avant tout régi par le script alors que l'oralité, tenant de la spontanéité du verbe, constitue un modèle à part avec une esthétique régie par une codification et des règles bien définies[27]. De là naît un conflit ouvert. Il s'agira dans la suite de ce travail de réfléchir sur les rapports concurrentiels, conflictuels, et dans une certaine mesure, complémentaires entre l'oralité et le cinéma sahélien. À ce titre, nous nous concentrerons sur *Keita, ou L'héritage du griot* (1995)

---

[27] Dans la préface de *Soudjata, l'épopée mandingue* (1960), Djibril Tamsir Niane donne un bel exemple pour ce qui est de la codification et de la formation des griots. Aussi faudrait-il ajouter qu'en Afrique de l'Ouest traditionnelle, l'oralité avait tellement d'acuité qu'elle avait une fonction de propagande politique et didactique. Ceci, à travers les griots qui sont des chanteurs et parfois médecins, historiens ayant eux-mêmes reçu leurs connaissances d'une longue tradition de faits transmise d'une génération à l'autre, de bouches à oreilles, et souvent, suite à un enseignement propédeutique ou à un rite de passage qui n'était pas sans dangers.

de Dani Kouyaté et *La Petite Vendeuse de Soleil* de Djibril Diop Mambéty (1998), deux films dans lesquels l'oralité occupe une place primordiale.

Comprendre le cinéma africain, c'est de prime abord le placer dans un contexte colonial et postcolonial. En effet, le cinéma africain est à insérer dans le sillage de romans comme *Batouala* (1926) dont la verve pamphlétaire inaugurait une littérature de résistance essentiellement tournée vers la libération de l'homme noir. C'est cette trajectoire qu'emprunteront les premières productions cinématographiques africaines. À ce propos, *Mouramani* (1953) considéré comme le premier film africain, du Guinéen Mamadou Touré abonde dans ce sens. Bien que le film ne fasse pas mention des problèmes politiques coloniaux qui minaient le continent à l'époque, il présente tout de même une image plus humaine de l'Africain, contrastant nettement avec les stéréotypes du cinéma colonial, notamment les films coloniaux à vocation propagandiste[28]. Dès lors, le cinéma africain dont le véritable avènement est à situer dans les années cinquante ne pouvait ignorer la « vision du monde qui infantilisait l'homme noir en lui attribuant un statut d'homme inférieur » comme dirait Joseph Paré (1997). Pour Paré, les cinéastes africains s'étaient assigné l'immense défi d'inscrire leurs actions dans une perspective de contestation contre l'image négative de l'homme noir et de s'engager à décoloniser ainsi les écrans. En d'autres termes, les cinéastes africains de l'époque coloniale cherchaient à donner au cinéma une couleur locale. Pour ce faire, il fallait s'approprier, "indigéniser" et épurer cet art afin qu'il répondît aux exigences et contingences de l'époque coloniale. Une telle situation explique alors la dimension hautement réaliste du cinéma postcolonial. Le cinéma africain issu d'une situation de contestation est ce qu'il convient d'appeler un cinéma d'intervention au service des questions sociales, politiques, idéologiques ou historiques du continent. Parmi les moyens privilégiés du cinéma sahélien, il faut noter l'oralité omniprésente dans bien des films et sous diverses formes. Mais cette adaptation du cinéma aux réalités africaines, notamment celle de l'oralité est-elle source de conflits ? Et si tel est le cas, comment le cinéaste africain réussit-il le mariage entre un genre importé de l'occident et l'oralité telle qu'elle est pratiquée en Afrique ? Il s'agira de répondre à ces interrogations dans les lignes qui suivent.

---

[28] Par exemple : *Pépé le Moko* de Julien Dudivier (1937) ou *L'Homme du Niger* (1939) de Jacques de Baroncelli. Dans ces films, l'Africain joue des rôles secondaires ou constitue simplement un figurant du film. Ces productions cinématographiques fortement ancrées dans des intentions colonialistes justifient et chantent les mérites de la colonisation. L'homme noir est y présenté sous des traits dévalorisants.

Oralité et cinéma : un attelage impossible ou un faux problème ?

Dès la naissance du cinéma africain et aussitôt après les indépendances, l'oralité s'insinuait dans les plus intimes représentations de celui-ci. L'objectif était d'ériger une passerelle entre un passé dont le système colonial avait fait abstraction et un présent en devenir. Renouer ainsi avec le patrimoine oral souvent à des fins indépendantistes et révolutionnaires, tel était le but que s'étaient fixé les cinéastes africains. Mais c'est sans compter les conflits qui allaient émerger de la mise en image de ce genre. Le cinéma et l'oralité ne devraient pas a priori entretenir des rapports conflictuels, car ils sont régis tous les deux par l'expression orale. Cependant, il convient de faire remarquer que le cinéma se fonde sur une « oralité feinte »[29] pour reprendre l'expression d'Alioune Tine (1985). Comme au théâtre, les dialogues et répliques sont au préalable appris et le texte mémorisé. On peut objecter que la mémorisation est tout aussi présente dans les modalités de transmission de l'oralité et que l'acteur au cinéma ne suit pas aveuglément son texte. Il faut quand même souligner que le processus d'énonciation de l'oralité et celui du cinéma ne sont pas les mêmes. Si l'acteur peut s'écarter de son texte, l'agent de l'oralité, en l'occurrence le conteur ou le griot, figure éponyme du film de Dani Kouyaté, par exemple, respecte une certaine logique narrative d'une histoire qui peut, certes, varier d'une région à l'autre. Cependant, les éléments de base restent les mêmes. Et parlant d'histoire, plus précisément celle de Soundjata, ce qui importe pour le cinéaste, ce n'est pas l'exactitude des faits, encore moins les multiples détails que l'on retrouve dans les différentes versions écrites de cette épopée, mais plutôt la pérennisation du passé. L'important pour Kouyaté, c'est qu'un important pan de la mémoire de l'histoire mandingue soit transmis à la nouvelle génération.

Le film est une sorte de mise en abyme assez saisissante de l'épopée de Soundjata. Au premier plan, un griot, un de ces "sacs à paroles"[30], narre l'histoire légendaire de ses origines à un petit garçon, Mabo. Le gardien nostalgique des traditions, notamment Djéliba, fera face non seulement à la pensée rationaliste de l'instituteur, mais également à la mentalité progressiste de la mère de Mabo. Le choc sera plus ou moins bien vécu, comme partout où des compromis doivent être négociés. Une image suggère dans un raccourci captivant ce clash entre tradition et modernité: un frigo sur

---

[29] Il faut préciser ici que Tine utilise l'expression « oralité feinte » dans le contexte des relations entre la littérature et la tradition orale. Pour notre part, nous nous en servons dans le domaine du cinéma.

[30] L'expression est de Djibril Tamsir Niane qui l'emploie dans la préface de *Soundjata ou l'épopée mandingue*.

une carriole tirée par un âne. À un deuxième niveau, le film met en scène les personnages de cette histoire légendaire de l'empire mandingue: l'épopée édifiante de Soundjata Keïta, pauvre individu rampant comme un ver de terre, petit-fils d'une femme-buffle et fils d'une femme bossue et boiteuse qui se heurtera à Soumaoro Kanté, roi sorcier et opposant de Soundjata. Dans cette fascinante mythologie, Mabo apprendra qu'un infirme peut devenir plus fort que les plus puissants rois du monde, qu'une canne de *sun-sun* résiste parfois mieux qu'une canne de fer, que d'un œuf peut jaillir d'une mare d'eau boueuse, ou encore qu'une grossesse peut durer dix-huit mois. Et à un dernier niveau, le cinéma devient griot moderne, permettant la transmission de la tradition orale. Le réalisateur, Dani Kouyaté, griot de naissance, comme d'ailleurs l'acteur Sotigui Kouyaté qui joue le rôle de Djéliba, en a pleine conscience, et entend bien mettre cet instrument au service de la cause, garant de l'histoire de son peuple. Mais on peut s'interroger sur les conséquences réelles liées au fait de confier, à ce nouveau type de média, la tâche qui incombait auparavant au seul griot. Le raisonnement, s'il était poussé un peu plus loin, peut apparaître dévastateur pour la tradition. Le cinéma est un griot à la fois surpuissant, puisqu'il dépasse l'auditoire restreint des anciens griots, mais, et c'est le revers de la même médaille, terriblement démocratique. Kouyaté confie-t-il sciemment cette tâche au cinéma ou aurait-il, peut-être, oublié que la confidentialité et le secret assuraient la force du mythe, et établissait le pouvoir des rois. Car le cinéma ne s'adresse pas seulement aux rois, à la dynastie des Keïta, à cette aristocratie qu'il s'agit d'initier, mais au contraire risque de révéler à n'importe qui des secrets ancestraux. C'est d'ailleurs non seulement le pouvoir des seigneurs qui est en question, mais pire encore, c'est celui des griots eux-mêmes qui est menacé. Aussi le don qui leur est assigné est-il justement celui de susciter chez l'auditeur des images puissantes et l'intérêt de l'interlocuteur. Et il y a lieu de se demander si le cinéaste ne désacralise pas l'oralité, car le sacré et le secret se gravent sur une pellicule. Par ailleurs, au plan social la contestation de l'oralité comme outil didactique par la mère de Mabo et l'instituteur révèle une marginalisation de ce moyen de communication. Djéliba par ses récits qui poussent Mabo à faire l'école buissonnière, finit par remettre en cause la stabilité et la cohésion du couple. La mère de Mabo résolument moderne accorde peu d'importance à l'oralité dans sa dimension historique. Pour elle, l'oralité relève de l'anachronisme et ne saurait être en aucune manière bénéfique pour son fils. C'est ce qui explique l'ultimatum qu'elle fixe à son mari. Soit que Djéliba quitte la maison, soit qu'elle s'en aille. Le griot finira par partir sans achever l'initiation de Mabo. En somme, la mise en image de l'oralité pose problème surtout quand il d'agit d'un récit épique tel que celui de Soundjata. Et la question qui se pose reste la suivante : est-il possible de représenter certains aspects de l'oralité, notamment le merveilleux ou encore le fantastique ?

Contrairement à *L'Héritage du griot*, *La Petite vendeuse de soleil* de Mambéty ne traite de la question de l'oralité que partiellement et accessoirement. Dans ce film, « hymne de courage des enfants de la rue »[31] selon l'expression du cinéaste, Mambéty y introduit subtilement un conte[32]. Il s'agit d'un conte populaire dont la version la plus célèbre est l'œuvre collaborative de Senghor et d'Abdoulaye Sadji. C'est sur cette version que s'appuie le film. Le conte se résume ainsi: un jour, les animaux étaient réunis pour désigner l'animal le plus intelligent. Le plus jeune étant le plus intelligent, chaque animal va se mettre à l'œuvre pour démontrer qu'il est le plus jeune.

Que nous apprend donc ce conte ? Répondre à cette question sans au préalable le contextualiser pourrait induire en erreur. Tout au long du film, Badou, un jeune marchand du journal Sud, porte par-devers lui un recueil de contes qu'il parcourt dans ses heures perdues. Mais paradoxalement, le garçon ne sait pas lire[33]. Cependant, c'est Badou qui introduit le conte de Leuk le lièvre dans le film en posant une question banale à Sili, héroïne du film. Badou demande à Sili si elle est instruite ? Sili lui répond par la négative. Elle ajoute, néanmoins, que sa grand-mère lui raconte des contes. Mambéty pose-t-il l'oralité comme une alternative à l'éducation moderne ? Tout porte à croire que le cinéaste défend la cause de l'oralité qui élève l'esprit et forme l'homme, en l'ancrant dans les traditions de sa société. Sous un autre registre, ce conte est à mettre en rapport avec Sili et c'est la lecture que nous en faisons. Sili étant analphabète est dotée d'intelligence et de savoir-faire qui s'illustreront dans le film. Elle est méthodique. Elle sait où écouler ces journaux et reste convaincue qu'elle peut s'en sortir tout comme les jeunes garçons qui jusque-là détenaient le monopole de la vente des journaux. Dans cette jungle enfantine, celle des enfants de la rue tout comme celle du conte de Leuk, ce qui prime, c'est l'intelligence. Or, c'est l'une des fonctions ultimes de l'oralité. Elle apprend surtout à l'enfant le sens du discernement. C'est finalement, ce que nous apprend l'oralité dans ce film.

---

[31] Cette assertion de Mambéty est lisible dans le générique à la fin du film.
[32] Il s'agit de *La belle histoire de Leuk-le-lièvre* dont l'une des versions est le travail collaboratif de Léopold Sédar Senghor et d'Abdoulaye Sadji.
[33] On peut en déduire que Mambéty formule discrètement une critique de l'analphabétisme et s'indigne qu'un enfant qui doit se trouver à l'école passe son temps à vendre des journaux à la criée dans les rues de Dakar.

Esthétisation et devoir de mémoire

Le nœud gordien de cet article étant les rapports conflictuels entre le cinéma et l'oralité, il serait intéressant de voir comment le cinéma africain résout ce conflit inévitable du fait des multiples raisons que nous avons évoquées. À ce propos, il faudrait envisager ce conflit sous différents rapports, car s'en tenir à une certaine idée occidentale du septième art, c'est, en fait, limiter la créativité des cinéastes. En envisageant la question sous cet angle, il est possible de s'engager dans les sentiers d'une résolution et, peut-être, d'un enrichissement de l'art cinématographique. Aussi faudrait-il ajouter que si l'on considère le cinéma comme un art héritier du théâtre, il est bien possible de remettre en question les origines pseudo-occidentales du cinéma. Un détour au parallélisme entre le théâtre et le cinéma établi par Jacques Gerstenkorn pourrait être édifiant. De l'avis de Gerstenkorn (1994), le cinéma fait appel aux mécanismes théâtraux dans les réalisations, notamment au plan langagier. Le critique en fait une liste plus ou moins exhaustive:

> Parmi les paramètres du langage cinématographique les plus fréquemment mobilisés, mentionnons le cadrage (le fameux point de vue du monsieur de l'orchestre, caractérisé par la fixité, la frontalité, et le plan d'ensemble), la scénographie, le jeu d'acteurs, l'éclairage, les décors et les costumes, ou encore la mise en scène de la parole. (15)

De la sorte, en se fondant sur ce que Sylvie Bisonnette (2008) appelle «la théâtralité cinématographique» et en gardant à l'esprit le caractère universel et protéiforme du théâtre, l'invention du cinéma par l'Occident devient problématique. Non pas que nous remettions en cause les origines européennes du cinéma moderne tel que nous le connaissons avec une caméra, des acteurs, des techniques de flashback, un décor ou encore éclairage, nous voulons simplement signaler que toute société a une forme de cinéma si l'on tient compte de la dimension théâtrale de cet art. Par conséquent, s'arroger le droit de dicter une vision unilatérale de l'art cinématographique, de critiquer les films africains sous prétexte qu'ils ont une forte charge politique ou idéologique ou encore leur coller des étiquettes réductrices telles que "third cinema"[34], c'est en réalité oublier que le cinéma est une forme expressive. En tant que tel, le cinéma africain comme toute autre forme de cinéma peut exprimer les idéologies, les aspects culturels, le

---

[34] Cette expression est le titre de l'ouvrage collectif, *Third Cinema in the Third World*, T. Gabriel (Ed.), consacré au cinéma africain.

vécu quotidien des sociétés concernées bref, tout ce qui a trait à l'univers africain. De ce point de vue, la dimension idéologique du cinéma se justifie.

Au-delà de ces considérations, il importe de préciser que la différence que présente le cinéma africain reste sa contribution à cet art. En procédant de la sorte, les cinéastes africains apportent leur pierre à l'édifice universel cinématographique. Leur apport se jauge à l'aune d'une affirmation identitaire qui relève de l'ingéniosité et de la créativité. À ce titre, la créativité de Dani Kouyaté, c'est d'avoir fait du cinéma un griot moderne. Non seulement cette démarche permet de s'adresser à une plus large audience avec notamment la puissance du visuel comme médium de communication, mais également elle enracine les spectateurs dans le passé symbolique d'appartenance culturelle dont la prise de conscience est une étape importante ; car le passé constitue un pont jeté entre le présent et l'avenir. Adama Drabo, cinéaste et dramaturge malien, souligne l'importance du passé dans la conception de ses films. À la question de savoir si les cinéastes africains étaient en quelque sorte des griots modernes, Drabo (2003) répond que oui et poursuit :

> Dans la manière de raconter des histoires, je m'identifie à certains moments au griot. Comme dit le griot au début du film, mon devoir est d'emprisonner le passé pour préparer le présent et l'avenir. Les cinéastes africains travaillent dans la même mouvance, dans le même but, même si chaque réalisateur a sa position, ses objectifs […]. Je suis devant un peuple qui attend beaucoup de moi parce que c'est une chance exceptionnelle d'être derrière la caméra dans nos pays et il faut en profiter chaque fois que c'est possible afin d'amener les gens à la réflexion, d'amener les gens à se poser des questions, à se surpasser, donc de participer à l'effort de reconstruction de nos pays. Je me donne cette mission en plus du rôle de conteur, de rapporter l'histoire africaine. (183-184)

C'est dire en quelques mots que le cinéma africain est une sorte de réceptacle de l'univers africain qu'il reflète dans tous ces aspects. Qu'il soit taxé de cinéma engagé ou de cinéma réaliste, cela importe peu. Ce qui compte, c'est qu'il soit en mesure de traduire les aspirations d'un peuple et exprime de la plus belle manière les sensations culturelles et sociales qui l'ont façonné ou qui l'inspirent. C'est à ce travail que s'est attelé Mambéty, notamment dans *La Petite vendeuse de soleil*. Mambéty y explore les ressorts du conte, un autre genre de l'oralité. Le conte que nous avons déjà mentionné reprend astucieusement et de façon métaphorique l'histoire de Sili qui, comme le lièvre dans le conte, utilise son imagination dans le monde réel pour survivre dans un monde enfantin dominé par les petits vendeurs. Mambéty invalide donc les critiques qui font des films africains de simples documentaires réalistes et/ou historiques, car adapter un conte tel que l'a fait Mambéty n'est pas simple. Une telle entreprise requiert un travail d'esthétisation. Sans convoquer les personnages du griot ou du conteur professionnel, Mambéty laisse ce choix à des enfants avec tout le naturel qui les caractérise.

Au terme de cette analyse, l'oralité et le cinéma en Afrique entretiennent des rapports conflictuels, concurrentiels, mais également complémentaires. La mise en image de l'oralité n'est jamais un pari gagné d'avance. Si l'oralité survit aujourd'hui en Afrique, c'est, en partie, grâce au cinéma qui lui offre une tribune où s'exprimer. Dans son ensemble, le cinéma africain est par excellence un cinéma à vocation réaliste, interventionniste et idéologique qui vibre de plusieurs cordes. De l'oralité à la politique en passant aux menus faits qui rythment le quotidien africain, tout y est passé au crible. En dépit des contraintes que le cinéma présente, des cinéastes comme Mambéty et Kouyaté, entre autres, ont su faire preuve de créativité tout en prenant le soin de ne pas oublier d'apporter à ce genre des particularités locales.

Il faut cependant faire remarquer que certaines formes d'oralité comme l'épopée sont plus difficiles à porter sur le grand écran que d'autres. Mais quoi qu'il en soit, un travail de sélection et d'esthétisation s'impose quand il s'agit de mettre en image l'oralité.

Références bibliographiques

Baroncelli, Jacques. *L'Homme du Niger*. Paris/France, 1939. 1h42min.

Bissonnette, Sylvie. "La théâtralité cinématographique engagée". *Nouvelles «vues» sur le cinéma québécois*. 8 (2008).

Dudivier, Julien (1937). *Pépé le Moko*. New York: Janus Films, 2006.

Gabriel, Teshone ed. *Third Cinema in the Third World: The Aesthetics of Liberation*. Ann Arbor: University of Michigan Research Press, 1982.

Gerstenkorn, Jacques. "Lever le rideau". *Cinéma et théâtralité*. Éd. Christine Hamon-Siréjols, Jacques Gerstenkorn et André Gardies. Lyon: Aléas, 1994. 13-27.

Kouyaté, Dani. *Keïta!, L'héritage du griot*. San Francisco: California Newsreel, 1994.

Diop, Mambéty D. *La Petite Vendeuse De Soleil*. Paris: La Médiathèque des Trois Mondes, 1998.

Niane, Djibril. *Soundjata ou l'épopée mandingue*. Paris: Présence africaine, 1960.

Pare, Joseph. *Écriture et discours dans le roman africain francophone* post-colonial. Ouagadougou: Éditions Kraal, 1997.

René, Maran. *Batouala: véritable roman nègre*. Paris: Albin Michel, 1921.

Sadji, Abdoulaye et Senghor, Léopold- Sédar. *La Belle histoire de Leuk le lièvre*. Paris: Hachette, 1953.

Tine, Alioune and Pierre Bange. *Étude Pragmatique Et Sémantique Des Effets Du Bilinguisme Dans Les Œuvres Romanesques D'Ousmane Sembene*. S.l.: s.n., 1981. Print.

Toure, Mamadou. *Mouramani* (1953)

Chapitre XI

L'oralité et la philosophie africaine

Robert Alvin Miller
University of British Columbia

Résumé

Cette étude cherche à tracer les grandes lignes des rapports entre la philosophie africaine et la notion d'oralité. Trois modes de pensée au sujet de cette question sont identifiés : l'opposition aux traditions orales comme sources du discours philosophique, la transposition de l'oralité en analyse philosophique par le biais de l'analyse de concepts exprimés dans des langues africaines particulières, et un mode herméneutique qui pourrait réévaluer le rôle de l'oralité comme le mode d'une réflexion par des Africains sur leurs rapports avec leur propre histoire. Ce parcours nous amène à définir l'oralité comme l'interaction continue de la parole et de l'écriture dans un cadre dialogique.

Les controverses et débats autour de la philosophie africaine sont souvent nés soit des sources de savoir implicitement orales soit de l'importance qu'on continue à attribuer à la division entre les formes orales et écrites du langage[35]. Et pourtant le corpus d'études philosophiques portant sur le concept de l'oralité en tant que tel est relativement mince si on le compare à l'ampleur de l'intérêt que ce concept suscite dans des domaines tels que l'anthropologie, les études culturelles et la critique littéraire. Comme le dit Samuel Imbo : « Le débat sur le statut du texte est demeuré largement souterrain, pour monter à la surface seulement de temps en temps, et encore, à de tels moments, comme un sujet d'importance secondaire » (104)[36]. Cette réflexion se veut un cadre préliminaire qui nous aide à comprendre le rapport entre l'oralité et la philosophie africaine tel qu'il se manifeste dans les discussions toujours en cours sur le sens et la vocation de cette discipline. Ces discussions reflètent soit une opposition à la pertinence des traditions

---

[35] Pour une critique suivie et détaillée de cette distinction voir l'essai de Biakolo « On the Theoretical Foundations of Orality and Literacy ».

[36] Toutes les traductions de l'anglais de cette étude sont les miennes.

orales à la philosophie, soit un effort pour transposer ces traditions en sources d'analyse philosophique, soit un mode herméneutique qui souligne la valeur dialogique de l'oralité.

Opposition

Paulin Hountondji se demande si la tradition orale ne devrait pas être incluse dans le corpus sur lequel la philosophie est basée et en fonction duquel celle-ci affirme sa légitimité. Pour répondre à cette question, il avance l'hypothèse selon laquelle « [c]e qui prédomine dans la tradition orale, c'est la *peur de l'oubli* » (131 ; c'est Hountondji qui souligne), ce qui force les gens à thésauriser leurs souvenirs comme des avares. On les garde en réserve dans un vaste trésor de sagesse générale, toujours présent, toujours prêt à appliquer, toujours disponible. Dans ces conditions, l'esprit « est trop occupé à *préserver* le savoir pour se permettre de la critiquer. » (131). En revanche : « Garante d'une mémoire toujours possible, l'archive rend superflue la mémoire actuelle et libère de ce fait les audaces de l'esprit. » (131). Le fait de ne pas pouvoir critiquer le savoir que l'oralité s'acharne tant à préserver lie celle-ci irrémédiablement à l'ethnophilosophie. Et c'est justement Hountondji qui a mené la charge contre celle-ci. L'ethnophilosophie, du temps du Père Tempels et jusqu'au temps de ceux qu'on accuse d'être ses acolytes, est fondée sur le présupposé d'un mode de pensée collectif et unanime éternellement à l'abri tant des regards critiques que du changement historique, un présupposé qui, au sens de Hountondji, ne peut qu'être accentué par toute approche qui cède la priorité au témoignage d'une tradition orale.

Transposition

Il s'agit de discussions de l'oralité qui ont adouci, relâché ou minimisé l'association entre l'oralité et l'ethnophilosophie. Cette transposition peut mener à (ou bien résulter de) une remise en cause de la distinction entre l'oralité et le lettrisme et des différentes associations que cette distinction semble laisser entendre. On n'a pas manqué non plus de reconnaître la valeur philosophique de l'oralité et de nous rappeler le rôle central joué par celle-ci dans l'histoire de la philosophie grecque et européenne, notamment en ce qui concerne la tradition socratique. Le mouvement qu'on a appelé « sage philosophy » nous offre un exemple particulier du mode de transposition dans la mesure où elle cherche à transférer la fonction d'une pensée exprimée oralement du domaine des réserves collectives de la mémoire au domaine de la pensée critique[37].

Mais rien ne nous empêche d'inclure sous ce mode les efforts de la part de philosophes tels que Wiredu, Gyekye et peut-être Appiah aussi pour appliquer l'analyse conceptuelle aux formes de parler quotidien de telle ou telle langue africaine. Il est vrai qu'on peut concevoir ces analyses comme étant basées sur des formes écrites de l'akan, de l'igbo ou du luo, par exemple. Toutefois, la lecture des études relevant de cette approche révèle une préférence marquée pour l'usage du parler plutôt que les règles et normes de l'écriture.[38]

Un des dangers majeurs du mode de transposition est qu'en essayant de justifier une définition élargie du texte, on se permette un retour insidieux aux vieilles oppositions selon lesquelles la culture inclusive qu'on cherche à faire reconnaître assume les traits d'une pensée pratique, voire « concrète » qui s'oppose à une abstraction « occidentale » implicite : « dans un contexte oral, la pertinence des preuves est étroitement liée aux résultats pratiques. Les analyses systématiques et les expériences passées de la communauté sont condensées comme une logique folklorique de survie. » (Imbo 109).

La discussion « transpositionnelle » de l'oralité proposée par Kwasi Wiredu est peut-être mieux fondée dans la mesure où il avance une définition de l'oralité qui ne dépend *a priori* d'aucune culture ou tradition philosophique particulières. Il définit la tradition orale comme « une transmission d'idées d'une génération à l'autre par le biais de la parole et par toute pratique associée à la parole autre que l'écriture. » (10). Il poursuit en discréditant la notion d'une philosophie à même de contourner l'influence de l'usage verbal quotidien (implicitement oral) de la langue naturelle qui constitue la référence contextuelle du philosophe :

> Il n'existe pas de tradition exclusivement écrite. Pour le bien ou le mal, les langues naturelles exercent une influence considérable sur la pensée philosophique. [...] On pourrait prétendre que la langue est un simple instrument de communication, ce qui pourrait nous donner l'impression que la prétendue influence des langues naturelles sur la philosophie soit de l'ordre du mythe. Au contraire, la syntaxe et le vocabulaire d'une langue peuvent très bien prédisposer les gens à penser de certaines façons qui ne suggèrent pas toujours une grande perspicacité. (12)

---

[37] Pour une exposition détaillée de ce mouvement, voir H. Odera Oruka.

[38] Voir à titre d'exemples Appiah, Gyekye et Masolo.

Pour illustrer cet argument, Wiredu donne l'exemple de John Locke dont le sens substantivé du mot "idea" comme quelque "chose" plutôt que comme « quelque chose » (« some thing » au lieu de « something »). Il poursuit en analysant la manière dont la langue akan façonne une philosophie africaine de la condition de la « personne » (« personhood »).

L'approche transculturelle de Wiredu, qui se réfère à plusieurs exemples tirés de différentes cultures africaines, a certainement comme but de nous persuader que son analyse peut s'appliquer à une aire géographie très vaste. On se demande toutefois jusqu'où nous amènera sa défense du transculturel quand il nous ramène à des généralisations imposantes : « L'esprit africain n'est pas inconscient des aspects ontologiques du concept de la personne et a son mot à dire là-dessus » (13). On s'aperçoit ici que l'oralité cesse d'être ce qu'on cherche à repositionner par rapport à la philosophie pour devenir encore une fois un moyen de nommer la culture africaine comme quelque chose de fondamentalement différente de la culture dite occidentale. Il ne s'agit pas de remettre en cause le droit de Wiredu, ou de qui que ce soit, d'insister sur cette différence, mais plutôt de suggérer que de tels glissements sont un symptôme du caractère précaire du mode de transposition.

Le mode herméneutique

Tsenay Serequeberhan a articulé de façon très efficace ce qu'on pourrait considérer un tournant herméneutique en philosophie africaine. Ce tournant ne représente pas nécessairement un mouvement nouveau, mais plutôt une perspective qui s'écarte dans une certaine mesure de l'impasse apparente où sont rendus les ethno-philosophes aussi bien que les philosophes dits professionnels. Il s'agit d'une autre perspective sur le problème de savoir quand et où la philosophie africaine devrait commencer : soit dans une communauté africaine pré-existente, soit dans l'analyse du philosophe professionnel. Bien que la pensée de Serequeberhan parte du discours de l'herméneutique philosophique (sans manquer de citer les noms de Gadamer et de Heidegger), elle nous ramène à la théorie révolutionnaire de la libération africaine et de la critique politique. L'herméneutique représente une perspective présente dans de nombreuses cultures sinon dans toutes les cultures qui ont dû s'occuper de documents et témoignages hérités du passé. Le problème de l'herméneutique a été de savoir comment interpréter les mots d'une personne qui a parlé ou écrit dans le passé et qui n'est plus ici pour nous expliquer ce qu'elle voulait dire. Les herméneutes traditionnels croyaient (et croient toujours sans doute) que la vérité visée par l'autre est d'une nature stable et éternelle : c'est notre tâche de trouver la meilleure méthode pour découvrir cette vérité telle qu'elle a toujours été. En revanche, certains herméneutes de la dernière partie du vingtième siècle, et surtout Gadamer, ont postulé que la vérité n'a de cesse de se reconfigurer selon la fusion de l'horizon de la personne qui a exprimé « sa » vérité pour la première fois et celle qui doit intégrer cette vérité à l'expérience vécue immédiate de son propre temps.

Pour Serequeberhan, ni les ethno-philosophes (il se réfère surtout à Senghor et Tempels) ni les philosophes professionnels (surtout Hountondji), n'ont réussi à tenir compte de leur propre horizon, c'est-à-dire de l'expérience vécue dans le contexte historique d'où part leur interprétation de ce que c'est que d'être africain. Les ethno-philosophes comme Senghor ont essayé d'invertir les stéréotypes négatifs de la « sauvagerie » africaine. Ils pensaient pouvoir les transformer en une affirmation de soi positive. Mais pour ne pas être partis du problème de l'oppression coloniale en tant que tel, ils n'ont fait que consolider une mythologie déjà en place. C'est cette consolidation que Serequeberhan appelle l'occlusion.

De l'autre côté, Hountondji (entre autres) n'a pas reconnu que son raisonnement universaliste a dû commencer quelque part. Par conséquent, ils ont supposé à tort que les Africains ont pu commencer à réfléchir sur eux-mêmes et sur le monde (à tout le moins que leur pensée pouvait apparaître illuminée par la lumière rédemptrice de la revue savante), en fonction seulement de l'acte même qui leur a nié le droit à l'exercice de cette conscience réflective. C'est cette contradiction fondamentale que Serequeberhan va appeler exclusion.

Il explique donc de la manière suivante le but, dans une perspective herméneutique, de la philosophie africaine :

> Pour nous - Africains contemporains - l'époque et le milieu au sein desquels le discours de la philosophie africaine s'élabore sont le caractère immédiat de notre présent postcolonial énigmatique. Conceptualiser l'historicité […] de ce « être-situé » (« situatedness ») implique qu'on questionne concrètement les contradictions de *notre* Afrique postcoloniale et « indépendante », et qu'on constitue, à partir de nos « problèmes essentiels », les questions directrices de la pensée philosophique africaine. (8)

Mais est-il possible de parler d'être historiquement situé sans affronter le problème de la tradition dans son rapport avec le devenir des peuples ? Les deux penseurs sur lesquels Serequeberhan s'appuie le plus pour analyser la situation des Africains contemporains sont Frantz Fanon (notamment la notion de conscience nationale) et Amilcar Cabral (la notion de retour aux sources). Pour importants et perspicaces que soient ces auteurs/leaders, ne représentent-ils pas quelques limites quand il s'agit de comprendre la réalité vécue de beaucoup d'Africains au 21ᵉ siècle ? Comment distinguer entre problèmes tirant leur source lointaine dans l'époque coloniale, éléments de néocolonialisme toujours en place et problèmes postcoloniaux ayant, comme Achille Mbembe l'a si bien démontré, leur propre logique ? Une notion de l'oralité appropriée à ce problème nous permettrait d'incorporer à l'analyse de la place des Africains dans leur histoire un modèle dialogique à même de faire entendre toutes les parties intéressées des situations politiques et sociales évoluant à vue d'œil.

Ne serait-il donc possible de concevoir l'oralité en soi comme un mode herméneutique ? Le moment propice pour le dialogue entre Africains est toujours le moment actuel et pour cela on a besoin de tenir compte des circonstances les plus urgentes de l'expérience vécue, mais la conversation se déroule, s'interrompt et se projette vers l'avenir à travers des horizons multiples d'expérience historique.

Ainsi une philosophie africaine tournée vers le dialogisme de l'oralité serait peut-être un forum pour exposer les faiblesses d'une pratique discursive qui a permis à l'élitisme universitaire de lui occulter ses propres contradictions potentielles. En même temps, on a peut-être dissimulé ou perdu de vue le rapport entre nos problèmes *hic et nunc* et l'histoire à moyen terme. Une oralité focalisée sur ce rapport nous aiderait à comprendre le sens de ce *hic et nunc* et surtout les implications d'une marginalisation multiséculaire. Dans un commentaire sur le rôle des récits et dialogues oraux dans la philosophie africaine, Richard Bell dira ceci :

> Il est certainement vrai, comme Fanon l'a dit il y a trente ans, que « la culture africaine prendra forme concrètement en fonction de la lutte de son peuple », mais cette lutte trouve également son expression et sa réalisation pratique dans les multiples formes des traditions démocratiques locales [...]. Celles-ci font partie des mémoires qui constituent la philosophie de l'Afrique [une allusion à l'attaque contre l'oralité montée par Hountondji] ; elles font partie de la conversation, qu'elle soit orale ou écrite, que les Africains doivent poursuivre avec beaucoup de créativité et que les non-Africains doivent écouter attentivement. (117)

Dans une perspective herméneutique, l'oralité pourrait se définir comme l'interaction continue de la parole et de l'écriture, ce qui implique la présence de l'histoire ayant préséance sur sa passéité, la pertinence de voix marginalisées ayant préséance sur leur victimisation et l'efficacité sociale et politique de la mémoire culturelle ayant préséance sur sa valeur d'archive ou sa valeur nostalgique.

Références bibliographiques

Appiah, Kwame. « Akan and Euro-American Concepts of the Person », in *African Philosophy: New and Traditional Perspectives*. L. Brown, ed. Oxford: Oxford University Press, 2004. Pp. 21-34.

Bell, Richard. *Understanding African Philosophy: A Cross Cultural Approach to Classical and Contemporary Issues*. New York: Routledge, 2002.

Biakolo, Emevwo. "On the Theoretical Foundations of Orality and Literacy", *Research in African Literatures* 30.2 (1999): 42-65.

Gyekye, "The Akan Concept of a Person", *International Philosophical Quarterly* 18.3: 277-287.

Hountodji, Paulin. *Sur la « philosophie africiane » : critique de l'ethnophilosophie*. Paris : Maspero, 1977.

Imbo, Samuel Oluoch. *An Introduction to African Philosophy*. Lanham, Maryland: Rowman & Littlefield, 1998.

Masolo, D. A. « The Concept of the Person in Luo Modes of Thought », », in *African Philosophy: New and Traditional Perspectives*. L. Brown, ed. Oxford: Oxford University Press, 2004. Pp. 84-106.

Mbembe, Achille. *On the postcolony*. Berkely: University of California Press, 2001.

Oruka, H. Odera. *Sage Philosophy: Indigenous Thinkers and Modern Debate on African Philosophy*. Leiden: E. J. Brill, 1990.

Serequeberhan, Tsenay. *The Hermeneutics of African Philosophy : Horizon and Discourse*. New York, Routledge, 1994.

Wiredu, Kwasi. "An Oral Philosophy of Personhood: Comments on Philosophy and Orality", *Research in African Literatures* 40: 1 (2009): 8-18.

Notices bio-bibliographiques des auteurs

Boubacar Boris Diop est romancier, essayiste, dramaturge, scénariste. Depuis 1981, il a publié une dizaine de romans. Il a été successivement enseignant de littérature et de philosophie dans différents lycées sénégalais. Il se consacre à présent à ses activités de journaliste et d'écrivain.

Luc Fotsing Fondjo achève une thèse de doctorat sur le transculturel romanesque africain contemporain à l'Université de la Colombie-Britannique. Sa plus récente publication s'intitule «Caribbean Women's Novels and the Representation of Postcolonial Immigrant Identity». Murdoch, H. Adlai and Fagyal, Zsuzsanna (Eds.). *Francophone Cultures and Geographies of Identities*. Newcastle: Cambridge Scholars Publishing, 2013: 275-290.

Moustapha Fall vient d'obtenir son PhD à l'Université de la Colombie-Britannique où il a enseigné le français dans le département d'études françaises, hispaniques et italiennes pendant plusieurs années. Ses recherches portent sur les domaines de l'acquisition de la langue seconde et sur les théories littéraires. Il a participé à plusieurs colloques internationaux et publié des articles sur l'apprentissage de la langue seconde. Son ouvrage en cours de publication porte sur l'héritage d'une crise linguistique qui perdure au Sénégal depuis 1817.

Gloria Onyeoziri est professeur titulaire à l'Université de la Colombie-Britannique. Elle a publié *La Parole poétique d'Aimé Césaire* (L'Harmattan, 1992) et *Shaken Wisdom* (University of Virginia Press, 2011). Autres publications récentes : « Écriture et oralité dans l'œuvre de Calixthe Béyala » (*Présence francophone* 75, 2010) ; « Gisèle Pineau et l'oralité mondialisée » (*Nouvelles Études Francophones* 27.2, 2012).

Medoune Guèye, est professeur agrégé à l'Université Virginia Tech, où il enseigne le français et les littératures francophones dans le département des langues et littératures étrangères. Il a enseigné l'anglais dans l'enseignement secondaire au Sénégal avant de poursuivre une carrière dans la recherche et l'enseignement aux États-Unis. Sa recherche porte sur l'œuvre de la première génération de romancières au Sénégal, Aminata Sow Fall, Mariama Bâ et Nafissatou Diallo.

Mbaye Diouf, est professeur adjoint de littératures francophones, française et canadienne-française à l'Université de Moncton Campus d'Edmundston (Canada). Ses travaux portent sur les énonciations identitaires, le roman postcolonial et les sémiotiques féminines francophones. Il est l'auteur de *Roman féminin contemporain. Figurations et discours* (L'Harmattan, 2014) et a codirigé l'ouvrage *Société et énonciation dans le roman francophone* (Recherches francophones, n°3, 2009). Après avoir publié plusieurs articles sur Aminata Sow Fall, Cheikh Hamidou Kane, Anne Hébert, Alain Mabanckou, L. S. Senghor, Mongo Béti et Fatou Diome, il coordonne présentement le n°46 d'*Études littéraires* "*Géo/graphies transnationales du texte francophone*".

Jonathan Russel Nsangou est actuellement Ph.D. Candidate à l'Université Laval (Canada) où il rédige une thèse sur l'analyse discursive du tragique dans la littérature francophone postcoloniale. Il a participé à de nombreux colloques internationaux et est auteur de plusieurs articles en cours de publication sur les œuvres d'Ahmadou Kourouma, Mongo Beti, Boubacar Boris Diop et Ken Bugul.

Pierre Vaucher, diplômé de l'Université de Lausanne en langues et littératures comparées, prépare actuellement une thèse à l'Université Laval sous la direction de Christiane Kègle. Son projet de recherche porte sur des récits consacrés au génocide rwandais. Il a publié un article intitulé « Langage et représentation du génocide rwandais » dans *Présence francophone. Revue internationale de langue et de littérature*. N° 67 (2012). 88-102.

Jean Chrysostome Nkejabahizi est Professeur Ordinaire à la Faculté des Lettres de l'Université du Rwanda. Il enseigne et publie sur la littérature nationale de son pays mais aussi sur les autres littératures africaines. Pubications récentes : *Anthologie de la littérature rwandaise moderne* (éd. de l'UNR, 2009), ouvrage en collaboration; *Ubusizi nyarwanda* [La poésie rwandaise], éd. de l'UNR, 2009), *Les wellérismes du Rwanda. Textes, traduction et commentaires* (éd. de l'UNR, 2009), *Amateka y'Ubuvanganzo nyarwanda kuva mu kinyejana cya XVII kugeza magingo aya* [Histoire de la littérature rwandaise du XVIIème siècle à nos jours], éd. de l'UNR, 2011) en collaboration avec le Prof. G. Mbonimana; *Ubuvanganzo nyarwanda. Inkuru ndende n'ikinamico* [La littérature rwandaise. Roman et théâtre], éd. de l'UNR, 2012; *Rwandan Short Stories in English, French and Kinyarwanda* (éd. de l'UNR, 2013); *Les wellérismes du Rwanda. Approche ethnolinguistique* (éd. de l'UNR, 2013).

Maria Obdulia Luis Gamallo, Docteur ès Lettres à Paris III, Sorbonne Nouvelle, professeure de français à l'Université de La Corogne, traductrice au galicien du théâtre d'Octave Mirbeau. Ses sujets de recherche portent sur l'imaginaire et la quête identitaire dans les nouvelles de Torrente Ballester et chez de nombreux auteurs de la francophonie, notamment Boubacar Boris Diop.

Philomène Seka Apo Maître-assistante à l'Université de Cocody-Abidjan, elle enseigne la stylistique et le roman africain francophone. Membre du Groupe d'Etude et de Recherche en Littérature Francophone (GERLIF) et du Centre de Recherche et d'Etudes en Littérature et Sciences du langage (CRELIS) à l'Université Félix Houphouët-Boigny de Cocody-Abidjan. Publications récentes : « La critique littéraire africaine et les problèmes d'analyse du texte » (ILENA, Université d'Abidjan), « Murambi ou l'écriture de la guerre » (Lettres d'ivoire, Université de Bouaké) ; « Dire et savoir-dire dans le discours narratif chez Boubacar Boris Diop » (CRELIS, Université d'Abidjan, 2014). Sous-presse pour 2014 « Boubacar Boris Diop, entre fiction et réalité : les affleurements autobiographiques dans *les Petits de la guenon*. » (Ouvrage collectif sur Boubacar Boris Diop au Sénégal) et « La fonction référentielle dans deux textes de zouglou » (colloque sur le zouglou en septembre 2014).

Sanou Noël est enseignant-chercheur à l'Université de Ouagadougou en qualité d'assistant au département de lettres modernes. Il est titulaire d'un doctorat en sciences du langage. Il s'intéresse à l'étude de la signification du masque rituel africain, au statut des textes africains, à la relecture des discours critiques établis sur la négritude et aux formes dites de l'oralité. Publications récentes : « Marges morales et esthétiques du conte africain : quel statut épistémologique d'un art entre ritualité et littérarité ? », (*Littérature orale africaine : décryptage, reconstruction et canonisation*, L'Harmattan, 2013). « Du masque comme symbole identitaire et marque d'historicité en pays Bobo », *Ethiopiques* 85, 2010. « Son Excellence » suivi de « Le train-du-peuple », *Humus*, Ouagadougou, Editions GTI, 2001 (recueil de nouvelles collectif). « Prolégomènes pour le manifeste littéraire et artistique de l'initiationnisme », *Ecrit primal* 36, 2005 (manifeste littéraire).

Léontine Gueyes est maître-assistante à l'Université de Cocody-Abidjan. Titulaire d'un doctorat de thèse unique de littérautre générale et comparée des Universités de Cocody-Abidjan et Paris XII Val de Marne (Créteil). Membre du Groupe d'étude et de recherche en littérature francophone (GERLIF), elle a pour intérêts de recherche la littérature francophone et anglophone. Publications récentes : « L'oralité dans l'œuvre de Veance Konan : de l'épique à l'anti-épique », dans *Littérature orale, genres, fonctions et réécriture* (L'Harmattan, 2008) ; « La parodie dans la littérature francophone subsaharienne : le cas de de *Le Cercle des tropiques* d'Alioum Fantouré », dans *Dire le social dans le roman contemporain* (Honoré Champion, 2011).

Mamadou Samb Mamadou Samb est enseignant à l'Université du Minnesota-Twin cities. Ses recherches portent essentiellement sur les littératures francophones d'Afrique de l'Ouest et, en particulier, la question de la représentation de l'enfance. Son plus récent article, " La question de l'enfance volée dans *La Petite peule* de Mariama Barry et dans *La Petite vendeuse de soleil* de Djibirl Diop Mambéty ", va paraître dans le quarantième volume de la revue *French Literature Series*.

Robert Alvin Miller enseigne le français et les études africaines à l'Université de la Colombie-Britannique. Il a publié plusieurs études sur Le Clézio et d'autres auteurs francophones, dont « Rhétorique et culture dans *Un plat de porc aux bananes vertes* de Simone et André Schwarz-Bart dans *Nouvelles écritures francophones* (Presses de l'Université de Montréal, 2001), « Le malaise du sacré dans *Onitsha* et *Pawana* (*Nouvelles Études Francophones* 20.2, 2005) et « Le Clézio et la voix des femmes : à la recherche du transhégémonique » (*Les Cahiers J.-M.G. Leclézio* 6, 2013).

Table des matières

L'Harmattan Italia
Via Degli Artisti 15; 10124 Torino

L'Harmattan Hongrie
Könyvesbolt ; Kossuth L. u. 14-16
1053 Budapest

L'Harmattan Kinshasa
185, avenue Nyangwe
Commune de Lingwala
Kinshasa, R.D. Congo
(00243) 998697603 ou (00243) 999229662

L'Harmattan Congo
67, av. E. P. Lumumba
Bât. – Congo Pharmacie (Bib. Nat.)
BP2874 Brazzaville
harmattan.congo@yahoo.fr

L'Harmattan Guinée
Almamya Rue KA 028, en face du restaurant Le Cèdre
OKB agency BP 3470 Conakry
(00224) 60 20 85 08
harmattanguinee@yahoo.fr

L'Harmattan Cameroun
BP 11486
Face à la SNI, immeuble Don Bosco
Yaoundé
(00237) 99 76 61 66
harmattancam@yahoo.fr

L'Harmattan Côte d'Ivoire
Résidence Karl / cité des arts
Abidjan-Cocody 03 BP 1588 Abidjan 03
(00225) 05 77 87 31
etien_nda@yahoo.fr

L'Harmattan Mauritanie
Espace El Kettab du livre francophone
N° 472 avenue du Palais des Congrès
BP 316 Nouakchott
(00222) 63 25 980

L'Harmattan Sénégal
« Villa Rose », rue de Diourbel X G, Point E
BP 45034 Dakar FANN
(00221) 33 825 98 58 / 77 242 25 08
senharmattan@gmail.com

L'Harmattan Bénin
ISOR-BENIN
01 BP 359 COTONOU-RP
Quartier Gbèdjromèdé,
Rue Agbélenco, Lot 1247 I
Tél : 00 229 21 32 53 79
christian_dablaka123@yahoo.fr